応答、しつづけよ。

ティム・インゴルド
奥野克巳 訳

AKISHOBO

目次

序と謝辞……011
招待……014

森の話

はじめに……044
北カレリアのあるところで……047
真っ暗闇と炎の光……059
樹木存在の影の中で……067
Ta, Da, Ça!……083

吐き、登り、舞い上がって、落ちる

はじめに　094
泡立った馬の唾液　097
登山家の嘆き　106
飛行について　117
雪の音　133

地面に逃げ込む

はじめに……144
じゃんけん……148
空《アド・コエルム》へ……162
私たちは浮いているのか？……171
シェルター……179
時間をつぶす……190

地球の年齢

はじめに…… 204
幸運の諸元素…… 208
ある石の一生…… 225
桟橋…… 242
絶滅について…… 251
自己強化のための三つの短い寓話…… 258

線、折り目、糸

はじめに……276
風景の中の線……279
チョークラインと影……288
折り目……297
糸を散歩させる……301
文字線と打ち消し線……313

言葉への愛のために

はじめに……326
世界と出合うための言葉……330
手書きを守るために……339
投げ合いと言葉嫌い……344
冷たい青い鋼鉄……351

またね……361
原注……370
訳者解説……381

序と謝辞

長年にわたって、手紙をしたためることを習慣にしていました。宛先のないそれらの手紙は、私が偶然出会った、好奇心を刺激するモノたちに対する返答という形で、ノートに記されていきました。それでもこれらのモノたちは、私の心を奪ってやみませんでしたし、私もモノたちのことを考えるのをやめることはありませんでした。まるで、私たちがある種の応答《コレスポンデンス》を始めていたかのようです。本書では、こんな好奇心に満ちた応答《コレスポンデンス》のコレクションをお目にかけます。私にとって、過去一〇年、しかも大部分が二〇一三年から二〇一八年の五年のうちに、ほとんどすべてが始まりました。この年月は、欧州研究会議により研究資金を提供された「内側から知ること（*Knowing From the Inside* ＝KFI）」と題する巨大なプロジェクトに没頭していた時期でした。このプロジェクトの目的は、物事をいかにして知るのかについての異なる考え方を練り上げることでした。それを、頭の中の理論と現場における事実との対立を調停することを通じてではなく、まさに思考の過程そのものにおいて、モノそれ自体と応答《コレスポンデンス》をすることで行うのです。

ここに収められたエッセイはどれも、何らかの形でこの目的を体現し、ＫＦＩプロジェクトが利用しようとした人類学、アート、建築、デザインの四分野に及んでいます。たったの十六章だった（新版では省略された四つのエッセイと三つのインタビューを含む）この本の初期のバージョンは、このプロジェクトから生まれた実験的な出版物の一冊として、二〇一七年にアバディーン大学「内で」出版されました。[※1] 元版から九つのエッセイを新版に収録しましたが、うちいくつかには改稿を施し、他のものはほぼ全面的に書き直されています。残る一八本のエッセイは新稿です。

ＫＦＩプロジェクトの皆さんのインスピレーションと支援、そしてすべてを可能にした資金を提供してくれた欧州研究会議に深謝いたします。さらに、インスピレーションを与えてくれた人たちや、過去に出版された原稿の再掲を許可してくれた多くの方々にも感謝します。アナイス・トンドゥール、アナ・マクドナルド、アン・ドレッセン、アン・マッソン、ベンジャミン・グリヨン、ボブ・シンプソン、キャロル・ボヴェ、クラウディア・ザイスクとデヴロン・アーツ、コリン・デイヴィッドソン、デイヴィッド・ナッシュ、エミール・キルシュ、エリック・シュヴァリエ、フランク・ビレ、ジェルマン・ムールマンス、ジュゼッペ・ペノーネ、イレーヌ・ストゥディヴィック、ケネス・オルウィグ、マリー゠アンドレ・ジェイコブ、マチルド・ルーセル、マチュー・ラファール、マイケル・マレイ、ミケル・ニエト、ニーシャ・ケシャブ、フィリップ・ヴァニーニ、レイチェル・ハークネス、ロビン・ハンフリー、ショーナ・マクマラン、テイタム・ハンズ、謝徳慶、ティム・ノウルズ、トマス・サラセーノとウォルフガング・ワイルダー。皆さんに感謝を捧げます、皆さんがいなければ本書は成りませんでした！

「北カレリアのあるところで……」はペンギン・ランダムハウス社、「樹木存在の影の中で」はガゴシアン・ギャラリー、「飛行について」はスキラ出版社、「世界と出合うための言葉」と「投げ合いと言葉嫌い」はラウトレッジ社（テイラー・アンド・フランシス・グループ）のご好意によるものです。

ティム・インゴルド

二〇二〇年三月、アバディーンにて

招待

心のこもった手紙

考えは思いがけずやって来ます。もし思想があなたの精神にとって予期された訪問者であり、アポイントを取ってノックして来るのだとすれば、そんなものは、そもそも考えなのでしょうか？　思想が考えであるためには、落葉の山を吹き抜ける一陣の風のように乱し、不安にさせるものでなければなりません。それを待ち受けていたとしても、やはり驚きとして考えはやって来るのです。しかしできるだけ早くAからBに行くことを目指している人たちには、待っている時間などありません。そういった人たちにとって、考えとは招かれざる客であり、道をすっかり見失わせるとまではいかないまでも、道を踏み外させてしまう恐れがあるものです。でも、考えがなければ、私たちは閉じ込められてしまいます。精神生活は、何ら新しいものが生まれることなく、すでにある箱を並べ替えるだけのごまかしへと封じ込められるでしょう。今日、そんなふうに創造性を考えるのがあたりまえになってきています。つまり、古くからの考えの諸断片を新しく並び替えたり組み合わせたりする以外に、新しい考えなど存在しないと考えてしまうのです。精神とは、あたかも、固定された構造という鏡と、形や色のさまざまなビーズの詰め合わせを備えた万華鏡であるかのようです。鏡は変更不能の認知構造であり、ビーズは精神の中身です。万華鏡を揺らすたびに、ユニークな模様が生まれ、私たちはその新規さを賞賛するのですが、そこからは新しいものは何も生まれてきません。毎回それで終わり、始まりはない。しかしもしも――もしもですが――ふだんは忘れられているもの、つまり万華鏡の揺れそれ自体に注目するのであれば、話は別です。揺らすことで不安が生まれ、一瞬の緩みから制御不能の状態が生じるのです。もし考えというのが、揺れから生まれる模様ではなくて、揺れであったとしたら、どうでしょうか？

エルヴィス・プレスリーは「すっかり揺さぶられて、手は震え、膝はガクガクしちまってるのさ」と歌いました。エルヴィスは恋をしていたのですが、私も思いがけずある考えに圧倒された時に、同じように神経が昂《たかぶ》った経験があります。その昂りは知的であると同時に直観的なものです。曲がりなりにもこの二つが区別されるとするならばの話ですが。思想家は、頭を抱えて、別世界に独りでいるように見えるかもしれませんが、恋する人の態度も同じようなものです。思想家と恋する人に共通しているのは、彼らには独特の傷つきやすさがあることです。考えにであれ、また愛する人にであれ、彼らは身をゆだねているわけですから。しかし、その状態は決して受動的なものではありません。反対に、それは情熱的なものであり、激烈な強度の観想へと心と体を呼び寄せる魂の情動なのです。私がこのエッセイで祝福したいのは、怒っている時だけではなく、恍惚の中にある時に考えることの激しさです。それは、私の経験では、周囲が適度なバランスを保っている時の、比較的静かな状態の中だけで耐えられうるような激しさです。現代世界では、そのようなバランスは、見つけるのが難しく、そのためにますます貴重なものとなっています。私が恐れるのは、世界の不均衡——富、気候、教育などの——が、考えることを続けていくことを難しくし、精神生活を危険にさらしてしまうことです。実際、私たちは、考えないという流行に直面しています。その根本的な原因は、思想がその結果について考えてみることから撤退してしまっていることにあります。考えることが、もはや愛することはおろか、気づかうことでさえないかのようです。

哲学者ハンナ・アーレントは、「世界に対して責任を負うほどに世界を愛しているかどうか」[*1]を決めるのは、私たちにゆだねられていることなのだと警告しました。アーレントは、第二次世界大戦の破滅を受けて、そう書いたのですが、ふたたび世界が危機に瀕《ひん》している現在、彼女の言葉は変わらぬ迫力を持っています。私たちが世界をもう一度愛するようになって初めて、来るべき世代にとっての再生の希望があり得るのだと、彼女は予言しました。そうするために私たちは、頭だけでなく、心で考えて書く術を、学び直さなければなりません。かつて私たちは、特に愛する人たちや家族、友人に手紙を書く時には、こんなふうに考え、書いていたのです。紙にペンを走らせると、まるで彼らとともにいて会話をしているかのように、自分の考えが相手に飛び移っていったのです。私たちは、論文を発表するためではなく、相手の心の中に生じるであろうものに、気分と動機において応える、考えの線を引きつづけておくために、感情や関心をこめて、あたかも話すように書いたのです。私たちがやりつづけているように物事を進めていくことで、続いて起こる精密化という重荷に未だ押しひしがれていない、新鮮さと自発性を持った考えが、ここに現れ出てくるのです。しかし手紙を書く場合は、私たちが選ぶ言葉だけではなく、どうやって書くのかということも重要です。筆記体で書かれた手書きの言葉は、切れ目なくつながっていく文字の線の重さと屈曲それ自体が感情を伝えます。これは、言葉が言い表せるものを超えていますが、言葉は、私たちが言葉に付与した意味によってではなく、線それ自体の表現力のおかげで、それを語るのです。あなたは私の声から私のことや私の気持ちを知るように、私の書き方から私のことを知り、私がどう感じているかを知るのです。

人それぞれ、皆やり方は異なっています。

デジタル化で失われたもの

今では、このように手紙を書くことはほとんどなくなってしまって、電話や電子メールという手軽なコミュニケーションに取って代わられています。それに伴って、手紙を書く時の気づかいや自発性といったものが失われてしまいました。もっと言えば、コミュニケーションが一瞬にして終わってしまうので、その自発性は、気づかいのないものになっています。文章を書く時に、便箋に文字を連ねていく上で作られる注意や熟考も、手紙が宛て先に届いたり受け取った人から返事が戻ってきたりするのを待つのに必要な忍耐力も奪われてしまっているのです。反対に気づかいからは、その自発性の多くが失われてしまっています。つまりより計算されたものになり、その上、個人的でない、心のこもっていないものになっているように思えるのです。気づかいは、世界内存在としての私たち自身の実存のために、他者に対して私たちが負うべきものを、注意と応答によって認識することであるというよりも、行われるべきサービスになってしまったのです。気づかいと自発性をふたたび結びつけようとするのは、たんなるノスタルジーだと言う人がいるかもしれません。しかし私はそうは思いません。私は本書を、どうすればこれができるのかの例として、またそれを達成する上で書かれた応答《コレスポンデンス》が発揮する力を証明するものとして示します。それは、過去に戻ることではなく、過去がふたたび未来への道を手探りできるようにすることに関わるからです。地球上の生を存続させ、繁栄させるためには、私たちは周囲の世界に注意を払い、感性と判断力を持って返答《レスポンド》することを学ぶ必要があります。かつて手紙を書く際にそうしていたように、人やモノに応答すること《コレスポンディング》が、それぞれが自分流でありながら同時に他者を尊重することも忘れない仕方で、生が存続する道を開くのです。

本書では、海や空から、風景や森、モニュメントやアート作品まであらゆるものと、書くことで私が応答《コレスポンド》したいくつかのやり方をまとめました。理想的には、手書きでこれらの応答《コレスポンデンシーズ》しつづけたことを書くべきだったでしょう。キーボードで書いてしまったことは、私にとっては不十分なことであり、活字で読んでいただかなければならないのは、残念なことです。しかしこの後悔は、ノスタルジアへの後退ではなく、持続可能性への悲願でもあります。すべてのコミュニケーションがほとんど始まる前に終わってしまい、生が瞬間の連なりに切り下げられてしまうような世界は、全く持続可能ではありません。また、私たちの人間的な表現の能力を維持したいと願うことは、ノスタルジックなことではありません。なぜなら、こうした能力を失うと、命の危機に見舞われてしまうからです。人類史の中で、これほどまでにこうした能力が危険に晒《さら》されたことはかつてありませんでした。私たちは、手や口から切り離された言葉が、グローバルな情報通信産業の流動通貨に変換されるのを傍観してきました。言葉が国家や企業の手に渡ったことで、たんなる商品券になってしまったのです。そして、それに足並みを揃えるように、テクノロジーも進化してきました。言葉は、生の会話から引き抜かれて、計算のメカニズムの中に挿入されたのです。しかし、多くの人が称賛する「デジタル革命」は、ほぼ確実に、おそらく今世紀中に自滅します。気候変動という緊急事態に直面している世界では、それもまた明らかに持続不可能なのです。デジタル革命を支えるスーパーコンピュータは、すでに膨大なエネルギーを消費しているだけではなく、デジタル機器に使用される有害な重金属の抽出は、世界中で大量殺戮を伴う紛争を煽り、多くの環境を、永久に人が住めないものにする可能性があります。それに対し、デジタル化は、記録された歴史のアーカイヴをかつてない速さで破壊しつづけています。

書き言葉がすべてキーボードやスクリーン上でタップされる未来を想像してみましょう。その言葉を読むには、紙やガラスの表面に留まったままではなく、それらを突き抜けて背後から映し出される意味を引き出すような視覚が必要です。かつて読者の目を惹きつけた情動の直線的な痕跡は、今では気を散らすものであると考えられています。それらは、感情それ自体というよりも感情の代用品を示す絵文字の語彙に取って代わられています。線の表現力などはとうの昔に忘れ去られてしまって、次になくなるのは声でしょう。かつて聴き手を魅了し、じっと聴いたり、あるいは唱和したりさせていた発声の音楽的な質が、言葉の本来の機能であると今や信じられているもの、すなわち情報伝達から逸脱していると、当局は判断したのです。そこで、声は、脳からの神経伝達物質によって作動するデジタル・シンセサイザーに取って代わられるでしょう。この素晴らしき新世界では、子守唄、嘆き歌、頌歌《しょうか》やハミングは、情動を取り除かれて、過ぎ去った昔の思い出としてゼリー状に固められて保存されるのです。声を奪われて、人々は歌う能力をなくします。ところがこのことは、その前に起こった手書きをめぐる抑圧をよりいっそう悪化させて、文字を書く能力を失わせる一方です。手書きのない社会は、歌を追放された社会のようなものです。しかし、手書きを復活させるためには、簡単な発明があればよいのです。先端の付いた、暗色の液体が入った手にすっぽり納まるチューブです。この道具の表現力と汎用性に匹敵するデジタル・インターフェースなどありません。安価で使いやすく、外部電源を必要とせず、何の汚染をも引き起こさないため、この道具は、今後何年にもわたって書くことの未来を確かなものにしてくれるでしょう。

人間以上《モア・ザン・ヒューマン》

いったいこれまで哲学者は何をしていたのだろうかと時々思います。世界は人間を中心に回っているのではないし、またあらゆるたぐいの人間以外の存在が互いに関係し合って互いにとって意味さえ持つのは、それらが人間にどのように用いられたり知覚されたりするかに、さらには人間存在そのものにも全く関係ないのです。そんなことをごく最近になって、あたかも驚くべき新発見のように言う哲学者が現れたのです。植物や動物生態学、地形学、土壌学などの領域の研究者たちがそのような諸関係を何世代にもわたって研究してきた事実は、哲学者たちには見過ごされてきたようです。もちろん、そのような科学的な努力を支える前提には疑問を持つべき理由があります。ほとんどの場合、自然界は地図に載っていない大陸のように「そこ」に存在していて、私たち人間によって発見されるのを待っているのだと、科学者たちは考えています。精神を自然の一部として、自然の働きを説明しようとする科学の主張は、自らの権威を、自らが説明しようとしている自然の上位に自らをすでに据えてしまっている精神の特権的な観点から導き出してきている以上、確かにどこか二枚舌的なものがあります。それゆえに、**あらゆる**種についても、それ自身の本質など存在しないと言うにもかかわらず、科学は、人間には例外的な何かがあると仮定すること、つまり自然界の上に人間を持ち上げる何かがあると仮定することから逃れることができないのです。この仮定から逃れられないのは、科学プロジェクト全体がこの仮定に依存しているからです。それは、部屋の中の象［訳注：だれもが見て見ぬふりをするもののこと］です。科学の存在と影響を否認する真っただ中で、非人間がともに生きている《コンヴィヴィアリティ》さまをめぐる科学を、目に見えないかたちで統括しているのです。

しかし、よりバランスのとれた「対称的」なアプローチ、つまり人間と同じ土俵で非人間の参加を認めるようなアプローチを取る哲学者たちも、同じように二面性を持っています。彼らが言うには、私たち人間は、自分たちだけの世界にいるわけではありません。それどころか、私たちは想像を絶するほどさまざまな非人間たちと世界を共有しており、彼らとの間で関係を築き、影響力と行為主体性のネットワークを拡張しつづけている。しかし、どのようなネットワークの中心にも、必ず人間がいるのです。なぜか？　それは、こうした見方をする人々によれば、人間が、他の生物を自らの生活様式の中に組み入れる能力を持っているという点において、生物の中でも特別だからです。人間は、無生物を道具として使ったり、工芸品を制作したり、植物や動物を自らの目的に合わせて飼い慣らしたり、その他さまざまな介入を行って、そうしています。このように、人類は、人間と非人間のバランスをとるための軸として位置づけられるのです。しかし、この軸はそれ自体、近代の最も強力な神話のひとつに基づいています。それは、何千年も前に、現代の人間の遠い祖先が、すべての他の動物を囚えている自然の束縛を破って、歴史の道に乗り出したという神話です。逆説的に、人間と非人間の区別をなくし、競技場を平らにしようとするアプローチは、物質的なものに関わる仕方や、その関わり方の進歩的な歴史において、人間はすべての他の生物とは根本的に異なるという理由に基づいて正当化されます。対称的なアプローチが、より非対称的な基盤の上に成り立つなんてことはありえません！[※2]

実は、人間以上《モア・ザン・ヒューマン》の世界では、孤立して存在するものは何もありません。人間は非人間とこの世界を共有していますが、同じように、石は石でないものと、木は木でないものと、山は山でないものと世界を共有しているのです。しかし、石がどこで終わり、反対にどこから始まるかは、最終的には確認できません。木も山も、人間でさえも同様です。すべてが漏れ出し、何ら固定されるものがないというのが生の条件です。もちろん、私たちは物事を見分けることができます。他人や、石や木や山を指差すように言われれば、すぐに指差すことができます。しかし私が指差しているのは、あらゆる意味で、自己完結した実体ではありません。私の注意はむしろ、何かが起きているのを私が見ている場所、私自身を含めて周囲に広がる進行状況に向けられています。私は石化することの中に石を見、樹木状であることの中に木を見、隆起することと崩落することの中に山を見るのです。仲間である人間をさえ、彼または彼女が人間であることの中に見ます。「石である」「木である」「山である」「人である」というように、私たちは、モノを名付ける名詞を動詞に置き換えるべきです。たちまち、私たちが住んでいる世界、そして私たちが多くの他の事物と共有している世界は、分類線に沿って、この種のモノ、あの種のモノというように、もはや切り分けられるようなものではなくなります。それどころか、事物が、それらを形成する襞《ひだ》や折り目に沿って、互いに絶えず差異化されていく世界の中に自分たちが投げ込まれていることに気づくのです。あらゆるモノは、その差異化の物語を持っている、いや物語**である**と言うほうがいいでしょう。したがって、石や木や山の物語は、人間の物語と同じように、時を経るにつれて、他の——苔や鳥や登山家などの——ものとなる事物や存在の物語でもあるのです。

存在《ビーイング》と生成《ビカミング》

モノを物語として理解して初めて、私たちはモノと応答《コレスポンド》し始めることができます。そのため、読者のみなさんは、本書を読み始める前に、この見方を練習しておいてほしいのです。私たちは、モノを後ろ向きに捉えること、モノがすでに形やカテゴリーに収まってしまってから、一瞬遅れてモノを捉えることに慣れっこになっています。「だるまさんがころんだ」遊びのように、世界は私たちの背後に忍び寄り、振り返って見ようとした瞬間にフリーズしてしまうのです。応答《コレスポンド》するには、舞台裏に行って、忍び寄る者たちに加わって、彼らとともにリアルタイムで動くことが必要なのです。そうするとすぐに、鬼が像としてしか見ていなかったものに、鮮やかに命が吹き込まれます。像はすでに投じられているのですが、忍び寄っていく者は投げ入れることの中に生きているのです。彼らのスタンスは、あるのではなく、なるというスタンスです。それらに応答《コレスポンド》するには、哲学者が言うように、存在論《オントロジー》から発生論《オントジェニー》への移行が必要です。存在論とは、ある事物が存在するために何が必要なのかということですが、発生論とは、ある事物がどのようにして生み出されるのか、その成長と形成に関するものです。さらに、この移行には、重要な倫理的意味があります。というのは、事物は互いに閉じていて、それぞれが独自の、究極的に入り込めない存在《ビーイング》の世界に包まれているというわけではないからです。それどころか、事物は基本的に開かれていて、すべてが一つの不可分な生成《ビカミング》の世界に参加しているのです。複数の存在論は複数の世界を意味するのですが、複数の発生論は一つの世界を意味します。この世界の事物は、その成長や運動において、互いに返答《レスポンド》するので、それはまた責任《レスポンシブル》を負うことにもなります。そして、私たちのこの一つの世界では、責任はある人にあって、他の人にないというものではありません。責任はすべての人が背負わなければならない重荷なのです。

さて、最初に学派を決めてから、ある考え方を理解するような人がいます。これまで述べてきたことから、そういった人ならたぶん、私が現象学の学派に所属していると推測するでしょう。私が現象学の思想家たちから影響を受けてきたのは全くの事実です。しかし私にとっては、現象学は出発点ではありませんでした。私は、現象学を、まず吸収し次に応用するアプローチや作業方法だと考えたことなどありません。ほとんどの哲学的なものと同じように、現象学は、多かれ少なかれ、偶然に私の中で成長し、私がそれに気づかないうちに私の思考の中に潜り込んできたのです。私のこの自前の現象学は、正典のテキストに対してあらゆる種類の自由を享受しており、その多くを読まないままにしておくのが喜ばしいことだということは、間違いありません。テキストの釈義は、訓練された哲学者の仕事であって、私のような素人にはできません。世界内存在としての私たちの経験の底に達するために、最も難解で、理解しがたいテキストに頭をうずめる学者たちに、私はいつも少し困惑しています。世界それ自体に注意を払い、世界が私たちに語ることから直接学ぶことが、人間の経験の深さを知るための最も良い方法であると、あなたは考えることでしょう。住まう者たちはいつもそうしていますし、私たちは彼らから学ぶことがたくさんあります。だからこそ私は、世界に住まう私たちの危機を解決し始めようとするのであれば、哲学的な言説の閉ざされた自己言及性の中に隠れてしまうのではなく、人間であれ他の種類の存在であれ住まう者たちの知恵に耳を傾けるべきだと、主張しつづけるのです。

もし今日、私たちの世界が危機に瀕しているとしたら、それは私たちがいかに応答《コレスポンド》すべきかを忘れてしまったからです。私たちはその代わりに、相互作用《インタラクション》のキャンペーンを行っています。相互作用《インタラクション》の当事者たちは、最初からアイデンティティと目的をしっかり持って互いに向き合い、それぞれの利益に役に立つ方法で取引をしますが、それぞれの利益を変えることはありません。彼らの違いは、最初の時点から与えられていて、その後も残りつづけます。したがって、相互作用《インタラクション》とは、**間**《ビトウィーン》の関係なのです。しかし、応答《コレスポンデンス》は、**相手と連れ立って**《アロング》進んでいくのです。私たちは他者との相互作用《インタラクション》にあまりにも夢中になりすぎて、私たちと彼らの両方が、時間の流れの中でどのように連れ立って進んでいくのかに気づかなかったことが問題なのです。これまで示そうとしてきたように、応答《コレスポンデンス》とは、永続的に生が展開していったり生成したりする中で、同時に合流したり、互いを差別化したりする方法のことです。相互作用から応答への移行は、存在と事物の間に**起こること**から、**存在と事物は間であること**への根本的な再転換を伴うものです。[*3] 川とその岸について考えてみましょう。私たちは、こちらの岸と向こうの岸との関係について語ることができるし、橋を渡れば、自分自身が両者の中間地点にいることに気づくことができる。しかしその岸は、川の流れに合わせて永続的に形成しつつあり、また再形成しつつあるところなのです。これらの水は、岸の間を橋と直交する方向に流れています。存在と事物がその間にあるということは、私たちの意識をその水に合わせることです。他方で、水に応答《コレスポンド》することは、この意識をその流れに合わせることです。世界を今も、そしてこれからの未来にも私たちが住まうことができるものとして理解しようとするのであれば、そのような方向転換が必要なのだと、私は信じています。つまり、それが持続可能に生きつづけるための条件なのです。

知ることの無駄

あらゆる知識はがらくたです。代謝反応の廃棄物です。それは、教育機関であれ、企業であれ国家の職員であれ、とにかく私たちの主人たちから課される知識生産のモデルから必然的に導かれる結論です。このモデルによれば、大量のデータを収集し、それを機械の中に送り込んで、この「入力」を消化あるいは処理し、「出力」とも呼ばれるその結果を排泄することによって、知識が生産されるのです。この排泄物は、知識経済の市場性のある通貨です。その生産プロセスに人間が関与している限り、その人間は、機械に仕える、つまり機械を供給し、動作可能な状態にしておくためのオペレーターや技術者です。理想的には、人間の存在と活動は、機械の動作を保証することを超えて、結果には何の影響も与えてはならないのです。入力されたものが出力され、その間に起こることは、特に重要ではないのです。そして、結果が積み重なって、知識の排泄物の山が容赦なく膨らんでいくと、生それ自体は周縁に追いやられてしまって、産業規模でのデータ処理の蓄積された廃棄物の中から拾えるものをあさる運命にあるのです。

しかし、機械が人間に置き換えられた別の世界を想像することは不可能ではありません。こうした人たちは「データ」について言及するかもしれませんが、その言葉を文字通り、自分たちが生き、知るために、彼らに**与えられた**ものだと考えるでしょう〔訳注：データはラテン語で「与えられたもの」の意〕。彼らは、世界が提供してくれるものを潔《いさぎよ》く受け入れるのであって、提供してくれないものを、無理やり取り出したり、かすめとろうとしたりするようなことはありません。彼らは、自分たちが食べるものから栄養を得るのと同じように、この捧げ物から栄養を得て、食べ物と同じようにそれを消化します。しかし彼らにとって、消化とは、何よりも生命と成長のプロセスです。知識を生産することで、彼らは知る人として自分自身を生産してもいるのです。彼らはもちろん、そのようなプロセスにある程度の摩擦が伴うことは承知しています。すべてのものが成長に組み込まれるわけではないし、未消化のままなものもあります。素材を加工する時、ホコリや削りかす、切り屑、端材など、大量のごみを生み出さない工芸品などありません。それは、知性の工芸品でも同じです。しかし、このもうひとつの世界では、ごみは知識ではありません。それは、生のプロセスに再投入された時にのみ知識になるのです。

しかし、いかなる生き物も際限なく存続することなどできないし、孤立して生命を維持することもできません。生の継続、ひいては知識の継続のために、他の生を誕生させ、他の生が新たな生を生み出すのにどれだけの期間がかかろうと、その生を維持する役割を果たすことが、あらゆる存在に求められます。森の木であろうと、群れの中の獣であろうと、共同体の中の人間であろうと、すべての生も知識も本質的に社会的なものです。社会的な生は、一つの長い応答《コレスポンデンス》なのです。より精確にはそれは、すべてが同時に進行している応答《コレスポンデンシーズ》しつづけることのもつれ合った網であり、それは互いに、そしてその周囲に織り込まれています。それらは、流れの中の渦のように、あちこちでトピックを紡ぎながら走っているのです。そして、それらには三つの特徴的な性質があります。第一に、あらゆる応答《コレスポンデンス》は**プロセス**であり、それは続いているのです。第二に、応答《コレスポンデンス》は**開放系**です。それは、言われることや行われることが後続を招くため、目的地や最終的な結論を目指さないのです。第三に、応答《コレスポンデンシーズ》は**対話的**です。それは、孤立したものではなく、二者あるいは多数の参加者同士の間で行われます。知識が継続的に立ち現れるのは、こうした対話的な関わり合いからです。応答する《コレスポンディング》とは、考えることが思想という形にまさに安定しようとしている場面にいつでもいることです。それは、考えが流れに洗われて永久に失われてしまわないように、その初期段階の発酵の中で、その場で考えを生け捕りにすることなのです。

アマチュアの厳密さ

この本の主題である応答《コレスポンデンシーズ》しつづけることの中で、私は学術的な伝統の束縛を解き放って、アマチュアとして恥ずかしげもなく書く自由を楽しんできました。真の学者は皆、アマチュアであると私は信じています。文字通り、アマチュアとは、プロフェッショナルのように、キャリアを積み上げていくためではなく、関心、個人的な関与、責任の感覚に突き動かされて、愛するがためにそのトピックを研究する人のことです。アマチュアは、応答《コレスポンデンツ》する者です。そして研究の中に、世界における彼の生き方全体と調和する生き方を見つけるのです。確かに、市井の、教育のない人たちの常識に耳を傾けるよりも、自分たちの地位や特権を強化することに関心のあるエリートの技術官僚の姿勢として、専門的な知識が日常的に却下されるような政治情勢においては特に、このようなアマチュアリズムの強調には、落とし穴がないわけではありません。アマチュアであるとはいったいどういうことなのかという、私たちの定義に対して何かを加えなければ、粗野なポピュリズムに陥《おちい》る危険を冒すことになるでしょう。

よく考えてみると、私たちに必要なのは、厳密さと精密さという二つの言葉だと思います。アマチュア研究は、その名に恥じないように、厳密さと正確さが求められます。しかしこの二つの言葉には、少々説明が必要です。厳密さについて考えると、まず、私自身がアマチュア音楽家として、生涯をかけてチェロをマスターしようとしていることが思い浮かびました。何年にもわたって練習し、苦労し、挫折し、苦痛を伴うこともありますが、それにもかかわらずアマチュアたちは、個人的に大きな充実感を得ます。厳密さは報われるのです。しかし最近、アーティストで映像人類学者でもあるアマンダ・ラヴェッツの論文を読む幸運に恵まれ、改めて考えさせられました。[※4] ラヴェッツは、あらゆる種類の研究がますます厳格な評価体制の下に置かれている中で、アートを「研究のプロセスである」と言うことの意味について考察しています。現在、研究の最高の水準は、独創性、厳密性、重要性の三つにあります。ラヴェッツは、芸術的な研究を意義やオリジナリティで評価することは不合理ではないと考えています。でも、厳密さは芸術的な研究を殺してしまう危険性があります。でもその厳密さは、私がチェロの練習に注いでいる厳密さと同じなのでしょうか？

この厳密（Rigour）という語の語源を問うこともできるでしょう。ラヴェッツは、中世の耕作者の用具から、動物の背骨、家の屋根の棟までを意味する中世英語の rig の異形にたどり着きました。しかし私の辞書によれば、その語源はラテン語の rigere で、「硬い」であり、さらに正直、厳密性、痺れ、不健全という意味合いも含まれています。どちらの語源を選ぶにせよ――おそらく両者は関連してもいます――硬さと厳しさがその中心にあるようです。厳密さとは、感情を排除し、経験の何ものにも頼ることなく、接触する可能性のある生きているもの、あるいは動いているものに瞬時に麻痺を引き起こすのです。これがいわゆる「ハードサイエンス」のやり方なのでしょうか？　そうであれば、それは、アマチュアの研究者が断固として反対しなければならないものです。彼あるいは彼女のすべての人生と存在を研究の対象に合わせることを選んだアマチュアは、よりソフトで親身なアプローチを求めるのです。つまり対象の呼びかけに対して答え、さらに次にはその答えにも答えうるというものです。その反応《レスポンス》は、責任と好奇心と気づかいを伴っています。ラヴェッツが「感じられる生命力を伴う応答《コレスポンデンス》」と呼ぶものがあるのです。そして彼女にとって、この応答《コレスポンデンス》は厳密なものではまったくありません。といってもそれは、軽率であったり、淡白であったり、違いに鈍感であったりするという意味ではありません。専門知識と常識との既存の対立は、前者を、そのようなものではない、均質で特徴のない台地から立ち上がる知識の頂点から構成されていると想像させがちです。しかし、応答《コレスポンデンス》の景観は、無限に変化します。事物に応答《コレスポンド》することは、この変化に従うことです。ラヴェッツが言うように、「モノと結び合う思考」は、「不均質で、創発的で、状況的かつ曇っています※5」。それは、常に感情に、生きられた経験に触れています。それでは、このようにして研究していくことには、いったいどのような意味があるでしょうか？

ここでは、二種類の考えることを対比してみようと思います。事物を繋ぎ**合わせる**ように考えることと、事物と**ともに**加わっていくように考えることです。一方は、事物はその形成過程から、データとしてすでに析出されており、タスクはそれらをそれぞれ再接続することです。もう一方では、事物は常に発生しつつあって、タスクは、それらの進行中の生成の前方の動きの中に入っていくことです。例えば、ユークリッドが点と点を結ぶ最短の距離として定義したことで有名な直線を考えてみましょう。点が決まれば、もう線は決まったも同然です。この線には幅がありません。それは、抽象的で不可解です。それは、一定の重さと太さを持ち、さらに弓を引いたり弾いたりすると、曲がったり振動したりする、私のチェロに張られた弦のようなものではありません。それは、農夫が常に慎重に注意を払いながら、隣のトレーラートラックとの距離を保ち、並んで進んでいって付ける、まっすぐな鋤《す》き跡のようなものではありません。それは、緊張と弛緩を交互に繰り返して、流れる風に応じて帆を正確に調整する、船の艤装品を仕掛けるようなことではありません。それは、アーティストのハイメ・レフォヨが私にフリーハンドで描くことを教えてくれた完璧な直線のようなものでもありません。ハイメは、私自身の身体の中で力と筋肉の緊張の一定のバランスを見つける方法を最初に教えてくれた後に、周囲の環境に対する私の知覚の意識を高めることを求めました。これらの線に厳密さがあるとすれば、それは不動なものでも無感覚なものでもありません。その厳密さは、チェロの弦の張力が振動によって決まった音程を生み出すように、農夫が畑に注意を払うように、航海者が風に注意を払うように、私が自分の身体とその周囲に注意を払うように、緊密に同調することの精密さにあるのです。

　厳密さには、事実上、正反対の二種類があるように思えます。一つは、客観的事実の不屈の世界を記録し、計測し、統合することに精密さを求めるものであり、もう一つは、意識的な気づきと生き生きとした素材との間の継続的な関係において実践的な気づかいと注意を求めるものです。前者ではなく後者にこそ、応答《コレスポンデンス》の厳密さがあります。そしてここでまさに、的確さが求められるのです。それは精密さと混同されてはなりません。例えば、踊り手たちは、自分たちの動きを互いに合わせるための観察において、精密さよりも的確さを重視します。ここでは、的確さは他者の動きに応じて柔軟に対応する能力に基づいています。工芸品の場合も同様で、そこでは、職人の技術とは、線、面、スケール、および比率という諸関係を呼び起こすように、道具や材料に感覚的な身体の動きを合わせる能力の中にあります。踊り手と職人はアマチュアです。彼らがアマチュアであるのは、彼らの踊り、彼らの工芸品が生き方に沿って進行するからです。彼らの練習は気づかいに溢《あふ》れ、注意深く、厳密ですが、その厳密さは、第二の種類のものです。アマチュアの厳密さとは、柔軟で、生を愛する厳密さであり、硬直と麻痺を引き起こすプロフェッショナルの厳密さとは対照的です。

アートの方法

できる限り厳密かつ的確に対応しながら、私はこれらのエッセイの中で、事物の核心に近づこうとしてきました。私は、しばしば「理論」と呼ばれる考えることの実践が、超抽象の成層圏へと飛び立たなければならないこと、あるいは、自らの起源である経験という基盤から遠く離れてしまった概念と想像の中で混ざり合い、その基盤との繋がりを失わなければならないこと、を意味しないということを示したいと思っています。それとは全く逆に、理論的な仕事は、他の技巧の振る舞いと同じように、住まわれた世界の素材や力に根ざしているのです。住まうことの様式として理論を実践することは、自らの思考の中で、世界の質感と混ざり合うことです。これは、こう言ってよければ、文字通りの真実を比喩的に受け取るのではなく、**比喩的な真実を文字通りに受け取ること**です。理論家は、詩人になれます。例えば、シェイマス・ヒーニーの詩にインスパイアされて、私は自分が言葉を掘ることを農夫が泥炭《でいたん》を掘ることに、自分のペンを鋤《すき》に喩えるかもしれません[※6]。私はその比較の中にもっと深い真実が潜んでいるのではないかという直観に駆られるでしょうし、それこそが、理論化する際に、私が発見しようとしている真実なのです。そして、離陸してしまうよりも地上に降りたほうが、それを発見するチャンスがもっと大きくなるということを私は知っています。私は鋤を手に取り、掘るべきなのです。そうすることで、鋤が土地について何を語っているのか、いや、鋤をとおして土地が何を語っているのかを考えねばなりません。そうして初めて、学んだことをページの上で考えることへともたらすことができるのです。

しかし、比喩的な真実を文字通り受け取ることは、詩の方法だけではなく、アートの方法でもあります。というよりも、たぶん何よりもまずアートの方法なのです。アーティストの仕事は、そのような真実を具体化することであり、それらを私たちの目の前に直観的に提示し、私たちがそれらをすぐに体験できるようにすることです。ここに集められたエッセイの大部分は、アーティスティックな挑発に応えて書かれたものです。アーティスト自身や彼らの作品のキュレーターから依頼されたものもあれば、私自身が自発的に書いたものもあります。私の目的は、アートそれ自体に対して、美的かそうでないかにかかわらず、何らかの判断を下すことではありません。また、専門的な解釈や分析を行うものでもありません。私はプロフェッショナルな評論家ではなく、アマチュアの回答者として書きます。しかし、言葉という媒体の中で仕事をして、私は自分の声をその応答《コレスポンデンス》の中に挿入しようとしました。正直なところ、そうすることを大いに楽しんできました。学術的なペルソナを捨てて、自分の声、手、心で書くことに安堵を感じたのです。そして何よりも、新鮮な考えを受け入れる自由と、それによって揺さぶられたり、悩まされたりする自由の両方を味わいました。

この本を構成する二十七のエッセイは、六つのパートに分かれています。私たちは森に入り、樹木と対話し、海から陸へ、空へと弧を描き、ふたたび地上に戻ってきます。元素の混ざり合う大地へと向かい、自然の収集物から本のページに至るまで線や糸を辿って、手に言葉を取り戻したいという悲願とともに、結末を迎えます。世界から言葉へと徐々に進んでいく旅そのものは途切れることなく展開しますが、この旅は特異な要素群で組み立てられており、そうした要素のそれぞれは独自の個性と整合性を持っています。それはまるで鳥の巣のように、ぴったり合うようには決してできていない、さまざまな断片を寄せ集めて作られています。巣の偶発的なまとまりと、その構成要素に与えられた自由度は、最も不利な気候条件下でさえも一体となって持ちこたえることができる弾力性をもたらします。不規則性こそがそれを支えているのです。この本も同じで、読者には好きなところから入って、好きな順序でエッセイを読み、たぶん一周してまた読み返すことになる自由度があります。森の中を歩いている時のように、別のルートがたくさんあります。本書のページはあなたが歩くための地面であり、行《ぎょう》は通り道であると考えてください。どうぞ楽しい旅を！

森の話

はじめに

森の木々ほど、ともに生き、ともに成長していく、ともに生きるさま《コンヴィヴィアリティ》のより良い例などあるでしょうか？　木々は人間よりもはるかに社交的です。人間は往ったり来たりし、過ぎ去った悩みに執着します。しかし木々はしっかりと立っています。木々は物語を語り、仲間同士でコミュニケーションを取り、老木は、祖先たちの根の中から芽生えた若い苗木を見守っています。私たち人間は、彼らの長く壮大な会話を立ち聞きするちっぽけな存在にすぎません。図書館や大聖堂に入る時のように、ある種の畏敬の念を持って、森にお入りなさい。社会学はここから始まるのです、木々とともにするあなたの研究から。あなたの前には、本棚の本の列や身廊の柱のように、幹の列が並んでいます。それぞれの幹――それぞれの**写本**《コデックス》（古代人は幹と本の両方をそう呼びました）――は、本のように、表紙と裏表紙の間にではなく、大聖堂の屋根の扇形ヴォールト〔訳注：ゴシック様式で用いられるヴォールトのうち、リブがすべて同じ曲線で、扇に似た形で等間隔に置かれるもの〕

や、その窓の枝分かれしたはざま飾り［訳注：定規とコンパスで作った窓の飾り］のように、上方に向かって、その物語を保持しています。この物語を読むには、首に力を入れなければなりません。

天蓋に目を凝らし、熱心に耳を澄まし、樹皮や苔の質感を、あたかも自分の肌や爪の下にあるかのように感じてください。目の前に木々があることで、生きていることをよりいっそう実感できるというのは確かです。しかし私たちには、木々は謎めいた言葉を発しているように思えます。その意味を理解しようと努力しても、はっきりとした理解に向かっていくようには感じられません。森の中では、あらゆるものがとても複雑《コンプリケイテッド》なのです！　複雑という言葉は、ラテン語のcom（ともに）とplicare（折り畳む）から来ていますが、全く文字通り、ともに折り畳まれているのです。そこに集まっている木々は、どこからどこまでが一本の木で、どこからが別の木なのかわからない。モザイクの破片のように隣り合っているのでも、背中合わせになっているのでもなく、それぞれがそれ自身の中に沈み込んでいるのです。むしろ木々は、先端に行くにつれ、互いが互いに折り重なっていきます。あなたが進むのを阻むように根が張りめぐらされている地面、尾根状や畝《うね》状になっている木の皮、波打つ風に揺れる枝葉を観察してごらんなさい。群れのあらゆる線は、しわくちゃな世界の布の折り目なのです。

しかし、しわくちゃは、私たちの秩序への願望とは無縁です。私たちは、理性の呼びかけに対して答えをくれる世界を好みます。私たちが建てたり作ったりする時にはいつも、物事をまっすぐにして、単純化しようと努めます。私たちは、外側の表面は滑らかで平らであり、角度はシャープであることを好みます。木々の複雑なともに生きるさま《コンヴィヴィアリティ》をたぶんうらやましく思っているのです。平和で穏やかに、ともに生きる仕方を木々が楽しんでいるのかもしれないという、自分たちにとっては計り知れない考え方を私たちは受け入れることができません。「彼らか私たちかであって」と私たちは言います。「両方のための場所などもはやありません」。牛やプランテーションのための土地、船のための木材、製紙産業のためのセルロースを必要として、人類は歴史を通じて森を切り拓き、またそれを燃やしてきたのです。私がこの文章を書いている間にも、地球上のさまざまな地域が炎に包まれ、住人たちは命からがら逃げ出しています。炎上した後、森はふたたび灰の中から蘇《よみがえ》るでしょう。しかし人間社会はどうでしょうか？　もしかしたら蘇るかもしれない。いや、そうじゃないかもしれない。

北カレリアのあるところで……

二〇一六年の元旦、私は他のおおよそ三〇人とともに、作家で放送作家のティム・ディーから、私に個人的に語りかけてくる場所というトピックについて、エッセイを書いてほしいという依頼状を受け取りました。ディーは、環境保護にかかわる現代の文章にたいそう浸透している事実と精神性の組み合わせの麻痺に飽き飽きしていて、普通の場所が、どれほど私たちにとって貴重であるか、そしてなぜ私たちがそのような場所を大切にしつづけることがそれほど重要なのかを示したいと考えていました。場所であれば、どんなものでも、どんな場所でもいいと言われました。それは、空洞のある木かもしれないし、通りの角かもしれないし、子どもの寝室や下水処理場かもしれない。道路や建物がある都市の舗装された世界でも、畑や森がある田舎の植生の世界でもいいのです。重要なのは、それが、私たちの心に近いということです。これらのエッセイは最終的に一冊の本にまとめられることになりました。『地上の仕事』というタイトルで、その本は二〇一八年に出版されました[※1]。

私は、自分にとってとりわけ大切な場所に焦点を当てようと決めました。確かに、この本に集められた考えの多くは、最初にそこに根付いたものです。このエッセイは、それゆえに、これからの応答《コレスポンデンシーズ》しつづけることに乗り出すのにふさわしい場所であるように思えたのです。

北カレリアの森のどこかに、巨礫《きょれき》があります。かつてそれは氷河に乗って安定せず、氷の力で花崗岩の岩盤から引き剥がされました。その後、氷が溶けると、巨礫は無残にも急な斜面に捨てられてしまいました。それは今にも丘を転がり落ちそうになっているものの、決して完全に転がり落ちることはなくそのまま残っていて、その周囲には土やコケ、地衣類、低木や樹木が育っています。その巨礫はそれ自体が環境となり、下側の植物には日陰や避難所を、他の植物には成長していくための表面を提供しています。てっぺん近くの割れ目には、松の苗木でさえ根付いているのです。それを見つけるには、森の奥深く、岩を乗り越え、草木の絨毯をかき分けて行かなければなりません。目に飛び込んでくるのは、高さ約四メートル、周囲四メートル約二〇〇トンの岩で、それは地面に平らに据えられているのではなく、斜面をゼロの速度で落ちています。それを支えているのは、不確実な力のバランスだけです。しかしある時——たぶん数千年前に——この岩は裂けてしまいました。水が亀裂に沁み込んで、それが凍って膨張し、巨大な力で岩を上から下まで引き裂き、巨大な石板を壊し、同時におおよそ七〇センチほど横に移動することになったのです。くさび形の割れ目はそのてっぺんに開いたまま残り、そこに小さな石の塊が落ちてきて、下から三分の一ほどのところで詰まったまま残っています。もう一つの石の破片は割れた面から滑り落ち、落ちた時と全く同じように、その石の尖った部分によって支えられています(図1)。こうしたことはすべて、ある一瞬の出来事だったに違いありません。私は森の静寂の中で、この出来事が立てた爆発音を、そしてそれがその景観にどんなふうに響きわたったのかを想像しようとしました。塊の上の破片、亀裂の中の塊、巨礫の中の亀裂、傾斜の上の巨礫など、不安定なバランスで組み合わされたものを見ていると、私は爆発の内側の静寂に身を置いているような気がしてきました。それはまるで自然が、この巨礫の中で永遠に息を止めているかのようでした。いつかそれは崩れて、その巨礫は転げ落ちるでしょう。それがいつかはわかりません。その時に、その下にいないことが最も大事です!

この森のどこかに、一本の特別な木があります。その木は大きくもなく、それほど高くもありません。足元には氷河でならされた岩があり、その根は岩の周りをぴったりと覆っています。岩からは太い、ふしくれだった幹が蛇のようにとぐろを巻いて伸びていて、その幹は、最近生えてきた先端に向けて細くなるにつれて、最終的には垂直方向に伸びていき、針に覆われた枝や小枝の中に溶け込んでいっています。この木は松なのですが、大きな湖のほとりに位置しているために極端な風や寒さを知っていて、もっと大きな、内陸側にあるその従兄にあたる木が、そうした風や寒さからいくらか守られているのです。幹がねじれているのは、まだ若くて細い苗木だった頃、風雨にさらされていた証しです。この木の奥深くには、その苗木がまだ存在しています。何十年もかけて成長し、蓄積されたものの下に埋もれているのです。今では年を重ねて固く、ふしくれだっているため、私の木は、自然が投げかけてくるどんなものにも耐えることができます。しかし、私にとってこの木が特別なのは、岩と空気の間で、ある種の会話を成立させているように見えるためです。根元では、木はほとんど石になっています。根は、露出した岩層の輪郭に沿ってその隙間に入り込み、力強くつかんで岩を支えています。しかし上の方では、繊細な針状葉がほんのわずかな風のそよぎに振動し、特有のループ状の歩き方で小枝を測る小さなシャクトリムシを迎えています。そのような無時間的な頑丈さと儚い移り気と

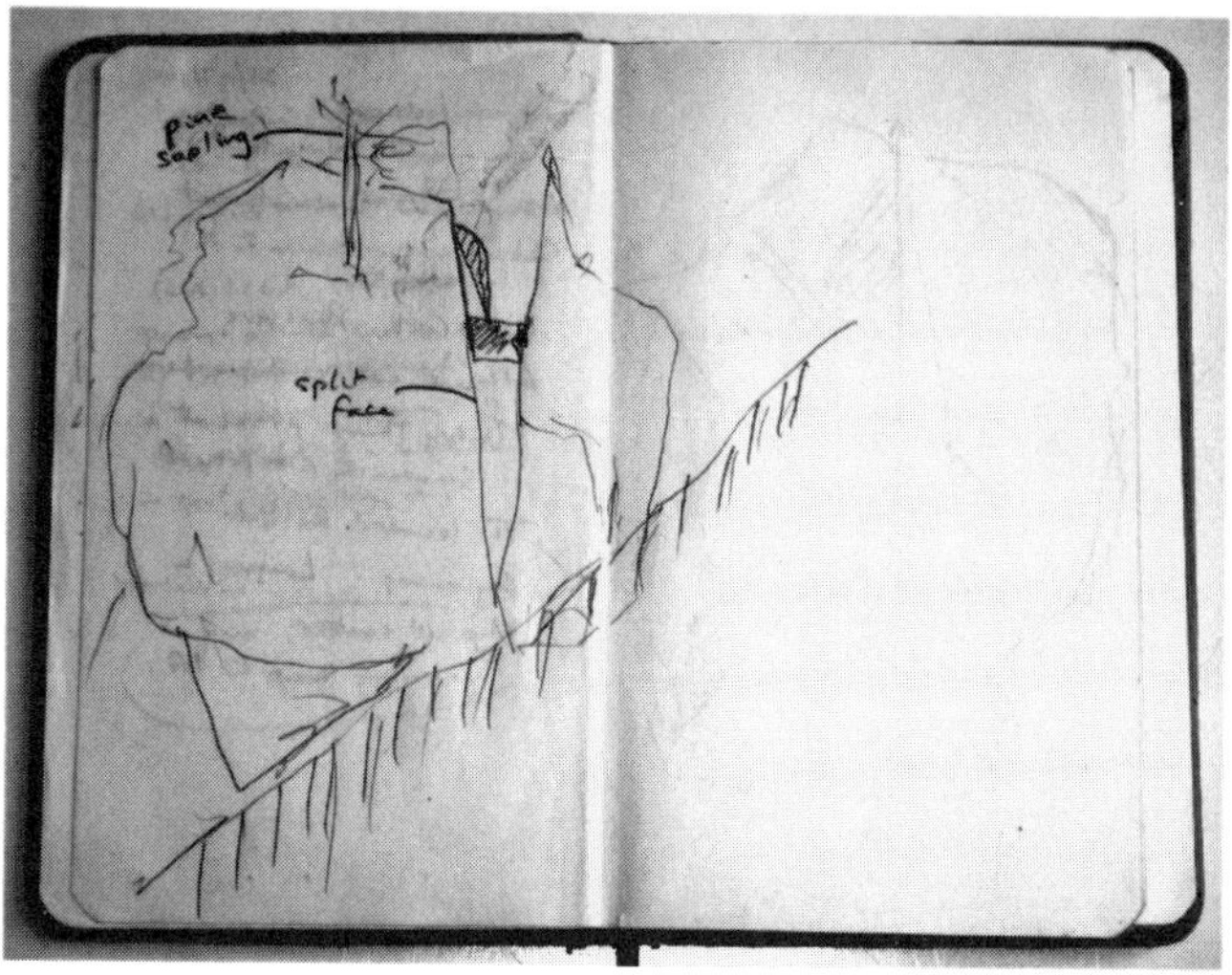

図1　巨礫

私のスケッチブックの1ページ

筆者撮影

が一体となることは、どのようにして可能なのでしょうか？　これが私の木についての不思議です。この木をとおして、岩は空に出会うために開かれ、一年の季節の移り変わりは永遠のように思われるもののうちに横たわるのです。私がしたように、この木とともに過ごすことは、瞬間に存在することであると同時に、無時間的な白日の幻想の中に沈んでいくことでもあるのです。

この木々の中では、森のアリたちが巣作りをして働いています。巣は遠くから見ると、平面が円形で縦に鐘型を形作る、完璧に造形されたマウンドのように見えます。しかしよく観察してみると、アリの軍団が互いに争ったり、持ち帰った材料——主に、砂粒や松葉

――を奪い合ったりして、活発に動いていることがわかります。中心部からは四方八方にアリの道が広がっています。それを見るためには、地面を覗き込まなければなりません。それらは、まるでトンネルのようで、大地を覆うコケや地衣類の密な絨毯の中を潜り抜けているのです。私たちにとってはたんなる小石であっても、もしあなたがアリの大きさだったら、絶壁の登りや垂直の断崖があって、木の根っこは山脈のようで、その通路にある障壁の数々は手に負えないでしょう。しかし、何千、何万というアリが出たり入ったりして、往来を制止するものは何もないため、外に出ていくアリたちは、その山に加えるべき材料を背負って帰還するアリたちとしばしば衝突するのです。森の中を一人で歩いていると、自分の足元に、想像を絶する奇妙さと複雑さを持つ、何百万匹もが暮らすミニチュアの昆虫帝国があると思うと、不思議な気がします。

森の中には風が吹いています。特にポプラの木々の間をとおって、遠くから風が吹いてくるのが聞こえてきます。それぞれの木が風を隣の木に伝え、一瞬、葉っぱたちがみなで同じ曲を歌います。幹がほんの少し揺れるだけでも、すべての葉っぱが震えるのです。その後、すべてがふたたび静かになります。突風は去りました。湖面には波紋が広がり、反射した光が、最初は二重、次に一重に点滅して、小さな太陽の中に集められます。波紋が湖岸に達すると、葦が身をかがめ、一斉にざわめき、そしてやがて静かになります。木々は、葉っぱを落とした手足を振って、一陣の風を起こすのでしょうか？　水は波打って、風を起こすのでしょうか？　葦はカサカサと音を立てて、風を起こすのでしょうか？　もちろん、そんなことはありません！　でも確かに、クラリネット奏者には、彼の息を音楽にするためのリードが必要です。だからもし、私たちの耳に届くその音楽、あるいは私たちの目に届くその太陽のダンスを、風によって表すならば、それは葉っぱ、波紋、葦こそが風を作るということなのです。私が風の音を聞いたり、湖面に風を見たりする時、私が見る光は波紋によって作られたものであるのと全く同じように、私が聞く音は葉っぱによって作られたものです。

草刈りをしたばかりの草原で凧揚げをした時のこと。紐を引いていると、私の凧も、木の葉と同じように、向きを変える空中の風を音楽に変えるための楽器のように思えてきました。しかしこれまでの凧揚げでしばしば絡まっていた糸は、何ヶ所も切っては結び直して修復されてきたものです。いつもとは違う強い風が結び目の一つを圧倒し、私の凧は糸が切れて飛んでいってしまいました。凧は風に煽られて、木々の上を飛んでいきました。凧は新たに見つけた自由を満喫したのだと想像します。「私を見て」と、凧は叫んだのでしょう。「私は空の生き物だ。野原も森も、私には全く同じだ！」。しかし凧の見た夢は、漂いながら地上へと下りてきて、不幸な結末を迎えることになりました。おそらく落ちてくる時に、曲がっている木の枝に引っかかったのでしょう。私は二度とそれを見つけることができませんでした。しかし私は確信しています。その凧は木々のどこかで、うち捨てられたように枝からぶら下がって、すっかり途方に暮れているのだ、と。

私もまた、草原から森へと移動する際に迷子になる危険があります。私は森の中を走る古い道を知っていますが、その道がどこから始まるのかはっきりしませんし、終わるところもどこかわからないのです。ずっと昔、その道は、何度も踏みかためられることで作られました。人々は毎年毎年、熊手や鎌、ピッチフォークを持って、湖の周りの農場から遠くの草原に干し草を刈りに行きました。干し草は野原の納屋に保管され、馬やソリで運ばれてきて、冬の間、家畜小屋にいる牛たちの餌になる。しかしそれは過去の話です。すべての農場がトラクターを手に入れたため、最初に、馬がいなくなってしまいました。その後、酪農よりも林業のほうが利益を生むようになったため、草原が放棄されたのです。そして牛が売り払われ、最後に、人が去っていきました。年間をとおして人が住んでいる農場はほとんどありません。そうして、この古い道は使われなくなり、徐々に消えていったのです。場所によっては、それは完全に消えてしまっています。木が倒れていたり、あるいはその真ん中に木が生えていたりします。私は、地面の落ち葉に生えたかびの具合の微妙な変化、地表を覆う地衣類の隙間、岩の上の土の薄さなどの線を辿ることで、道があることを知ることができます。私がその道の上にいる限り、その線に目を走らせることで、道を見分けることができます。しかし私が道のどちらかの端に移動すると、線が消えてしまうことを知っています。実際、こうしたことがたびたび起きたのです。蟻塚や甘酸っぱいビルベリーに目を奪われて、帰路で道を外れたことに気づかず、道を横切って反対側に行ってしまったのです。それに沿って歩いていればこそ見ることができるこの道を、いったいどのように考えればよいのでしょう？　それは歩くことによってできる線です。人間の活動が土地に刻まれたものです。しかし道とそれが刻まれている地面とを区別することはできる――あくまでも微かに、そしてその現れに合わせて調整された目をもってすればということですが――のだとしても、地面から道を切り離すことはできないのです。地面は、すべての特徴が、舞台セットの景観のように取り付けられている土台ではないからです。それはむしろ、何度も折り畳まれ、くしゃくしゃにされた表面です。道は、地面の中の折り目のようなものなのです。

北カレリアのどこかには、まだ牛がいます。しかしここには一頭もいません。草原は何年も前に静かになってしまいました。かつて私たちは、攪乳器《かくにゅう》を携えて、ボートを漕いで湖を渡り、酪農場から温かくて新鮮なミルクを分けてもらっていました。しかし最近では、数頭の牛の世話をしても、お金にはならないのです。とにかく、年寄りが引退したらいったい誰が乳搾りをするのでしょうか？　母親の後を追って牛小屋に入りたいと思う女の子などいません。常に女性の仕事だと思われていたものに憧れる男の子もいません。現在、牛は、大きな生産施設に集められており、その経営者たちは、かつて放牧されていた土地を借りて、一年中飼料の供給をしています。時々私は、牛たちがまだそこにいて、幽霊のように草原をさまよっているのではないかと想像します。憂いを帯びた月のような目を凝らしているのを見たり、牛の鳴き声や草を食《は》む音、下草をかき分ける音が聞こえるように思います。そしてふたたび静寂が訪れ、ダイシャクシギの悲しげな鳴き声だけが耳をつんざくのです。かつて牛が生きながらえていた場所では、奇妙な白い楕円の形のものが、草原のあちこちに散らばっていたり、線路脇の周辺に並んでいたりします。人々はそれを「恐竜の卵」と呼びます。本当は、機械でカットされた巨大な干し草の塊です。機械が干し草をカットしながら転がし、ロールができ上がると、自動的に白いビニールシートに包まれて――大きな卵のように――地面に置かれるのです。後になって、この「卵」は回収され、遠く離れた、現在すべての牛がいる場所に運ばれるのでしょう。森と湖に囲まれた草原の中に、古い木造のコテージがあります。私たち家族は、ここでよく夏を過ごしました。コテージには、リビングルーム、二つの小さなベッドルーム、ポーチと小さなベランダがあります。外には木製の階段があり、そこから玄関に出ることができます。毎朝、私はその階段に座って考えます。子どもたちが最初の一歩を踏み出した時から、彼らがそれぞれの家族を持つまでの間、この場所で過ごしてきたすべての人生について考えます。鳥の声に耳を傾け、花の受粉をするミツバチを観察し、木々の間を通り過ぎる太陽を追いかけ、マグカップのお茶を飲みます。そしてその日何を書こうかと考えます。天気が良ければ、外にある小さな木のテーブルで、丸太から切り出したベンチに座って、庭の向こう側の木々を見やりながら執筆するのです。テーブルの上にはビニールコーティングされた布が敷かれていますが、そこには蚊取り線香を取り付けた缶が置かれているだけで、何もありません。端っこに火をつけると、ゆっくりと煙が出て、甘い香りが漂います。それは、私の執筆空間に侵入してくる蚊を追い払うのだそうです。たぶん気候変動の影響なのでしょうか、最近は蚊の数が減っているので、それはほとんど必要ありませんし、蚊が煙を気にするかどうかさえもわかりません。しかし私はこの匂いがとても好きなので、とにかく燃やします。それは、私が考えていることのしるしです。忌避物質の渦巻がゆっくりと消費されていくと、私の思考も、煙のようにゆらゆらと立ち昇り、空気中に漂っていくように思われます。

一年のうち、ここにいない時には、ベンチやテーブルのこと、コテージへの階段のことを夢見ます。これほど静かな場所は、他にはありません。平穏な時にだけ、私の心は考えを巡らせることに耐えることができるので、これほど集中的に考えることができる場所はありません。また氷河から大気まで、世界のさまざまなリズムが、これほど完璧に重なり合っている場所はありません。ひび割れた巨礫、ねじれた木、アリの帝国、ため息のような風、湖面の波紋に反射する太陽、失った凧の記憶、消えゆく道といなくなった牛、恐竜の卵、私が座る階段、そしてこの文章を書いているテーブル。これらは、私のお気に入りの場所に織り込まれた多くの物語の一つです。私の秘密が漏れてしまうので、その場所を正確に言うことはできません。しかし、それは北カレリアのどこかです。

真っ暗闇と炎の光

デイヴィッド・ナッシュは、木を丸ごと使って大きなスケールの作品を作る彫刻家です。最近彼は、木を燃やすというやり方をしています。ある作品（Black Trunk, 2010）では、セコイアの木の幹を板で包んで、それに火をつけました。しばらくの間、燃え上がる炎は空を照らしていましたが、それが終わると幹は立ったままでした。幹は痩せ細って、炭のように黒く今でも立っています。しかしその黒さは、死や破壊を意味するのではありません。むしろ反対に、その炭化した幹はあたかもブラックホールのように、それ自身の中に炎のエネルギーを吸い込んでいるかのようです。それは、いつでも命を吹き込むことのできる、強さと力と生命力を集中させたものとして残っています。

ナッシュの作品を見て、素材の母である木が、光、すなわち生命の源とどのように関係しているのかを考えました。松を燃やすと、固形の炭の他に液体の残留物が出てきて、それが樹脂のように凝固することを思い出しました。炭よりもさらに黒いこれは、いったいどのような種類の物質なのでしょうか？ また、その黒さは、樹脂のように暗い夜の黒さと比べてどうなのでしょうか？[※1]

最初に、一本の松の木がありました。それは、固い地面に根を張り、直立した幹はしっかりとしていましたが、先端に向かって細くなり、すべてが申し分のない緑色の針に飾られて、枝や小枝は風に揺れ、太陽の光を受けて震えていました。

その後、海軍が大きな船を建造するようになり、そのために大量の木材が必要となったのです。私たちの木は、数え切れないほどの近隣の木々とともに伐採されました。製材所へと運ばれて、幹は四角い板や梁《はり》に切り分けられました。しかし少なくともしばらくの間は、切り株と根は地中に残ります。しかし船に必要なのは木だけではありません。帆やロープ、艤装品《ぎそうひん》などの防水や防腐のために、脂が必要だったのです。また水漏れのために、すなわち木材の接合部に水が入らないように、樹脂も必要でした。このために、残った切り株が根こそぎにされたのです。それは、細かく切られて、炉に入れられて焼かれました。木は炭になりましたが、炉の底に、暗褐色の粘り気のある液体がパイプに沿って流れ出て、最後にバケツの中に集められました。これが脂です。樹脂を作るには、脂を大釜で煮て、水性成分を蒸気として取り除きます。その結果、粘性の高い濃厚な液体となり、それが乾燥すると硬い塊となるのです。しかし乾燥するとどんなに硬く見えても、樹脂は液体です。とてもとてもゆっくりと流れていくのです。色も、これ以上ない真っ黒です。

木の物語では、太陽の白光で始まったものが、針葉樹の天蓋《てんがい》に捕まり、火にくべられた根や切り株から採れたコールタールの黒で終わります。ここで樹脂になった木に起こったことはまた、消滅した光に起こったことでもあります。この物語は木と光について語っているのであり、両者の親和性の中に、物語のテーマがあります。

このテーマを追求するために、幹が梁《ビーム》に製材された製材所に戻ってみましょう。最近では、「光の柱《ビーム・オブ・ライト》」という言葉もあります。天空の低位置の太陽光が、雲の切れ目からちらっと見えることを、私たちは「太陽光線」を見ると言います。ラテン語では radii solis、つまり「太陽の輻射《ふくしゃ》」と呼ばれていました。しかしこの輻射が英語でなぜ「梁《ビーム》」と呼ばれるようになったのでしょうか？　太陽光と木の梁には、何らかの共通性があって、両方に同じ言葉が使われるようになったのでしょうか？　それは、明白にまっすぐであるということでしょうか？　木の梁とは、重い構造物を担《にな》うよう前もって決められた、分厚くて長方形の面がある、真っ直ぐな材木のことです。光線は、太陽やロウソクから発せられる平行な線の束です。これらに共通するのは、明確な直線性だと思われます。

しかし木のすべての梁には、その木目、節、輪の中に、かつて切り出された生きた木の痕跡が潜んでいます。そしてこれと同じように、この言葉自体にも過去の使用方法の痕跡があります。古い英語では、「梁《ビーム》」は単に、まだ切られておらず、生きて地面に生えている木を意味していました。こうした使用法は廃れてしまったものの、シデ《ホーンビーム》、ウラジロナナカマド《ホワイトビーム》、ナナカマド《クイックビーム》（rowan や mountain ash としても知られる）などの一般的な樹木の名前に残っています。この元々の意味において、木が梁であるのは、それが特にまっすぐであるからではなく、大地から柱のように立ち上がっているからです。beaming とは、上へと伸びる成長のことです。

驚くべきことに、このことはまた、光の柱と聞いてパッと思い浮かぶイメージでもあります。これは、火の光だったのです。ビームとは、木の幹が地面から立ち上がるように、空中に向かって発射される炎のことで、完全に真っすぐではなく、大気の状態に応じて曲がっています。それは、聖書の円柱の光、聖書の出エジプト記でイスラエル人が夜道を案内された「**光の柱**」

と同じものです。尊者ベーダは八世紀に書いているのですが、聖人の体から立ち昇る光や火の柱を描くのに、まさにこのような仕方で、「ビーム」という語を使っています。ベーダにとっては、木の幹が大地から伸びるように、聖人の体から光が立ち昇るのです。[※2]

しかしこのように考えられた光の柱は、光線《レイ》とは全く異なります。光線とは、車輪の中心からのスポークのように、エネルギー源から放出される放射線のことです。太陽やロウソクの炎を描く時、光線をあらゆる方向に広がる直線として描くのが一般的です。この慣例が、よく知られた尖った星の形になっています。それに対して、ビームは完全な直線ではなく、またあらゆる方向に伸びているというわけでもありません。ビームラインは、光源から出ているというよりは、光源自体の成長や動き——文字通りビームを出していること——を描いています。それは激動の線です。ロウソクの炎のように揺らめいたり、叉状《さじょう》稲妻のようにジグザグになったり、流れ星のように疾走したりします。初期中世の資料では、太陽光さえも、大きな火の玉の渦巻く炎として描かれています（図2）。

光線《レイ》とビームは、光について考える別の仕方を提供するのだと、私は言いたいのです。つまり、光が何であるか、どのように動くか、そしてどのように認識されるかについて。一方では、光《レイ》は、広大な何もない空間を横切って、点光源と受信者の目を結ぶエネルギーの衝動です。他方で、ビームは、視覚的な認識の作用——つまり、見る者の目と見られる世界の両方に点火する爆発です。そうした理解の瞬間に、目と宇宙が一つになるからです。もし木が見ることができるのなら、その葉はミニチュアの目となり、そして一枚一枚の葉のきらめき——それは太陽の下で精一杯、自分の居場所を見つけようとします——は、小枝や枝を伝って大きなビームとなるでしょう。私たち傍観者がしっかりとした幹を見ているであろうところで、その木は自分の視野の中で燃える世界に向けて開くのでしょう。それは、光の生きものとなるでしょう。

　しかし、それは暗闇の生きものでもあるでしょう。光について考える二つの仕方があるのなら、闇もまた異なることを意味しうるのです。それは例えば、太陽の光線が、固くて不透明な物体に当たって、地面に影を落としたり、夜になって地球が影を落としたりするように、影の暗さを意味することがあります。あるいは、火を消したことに由来する暗さを意味することがあります。これは、光を遮るのではなく、消してしまうことです。ビームの「影」は、そう呼んでもよいなら、炎上から落ちてくる物質的な残留物です。かつて太陽光線を浴びて、地面に影を落としていた同じ木が、火の炎の中では光となり——光線《レイ》ではなく、ビームとして——、またその影を灰や炭、最後にはコールタール《ピッチ》という物質的なものの中に残すのです。古代や中世の思想家たちは、コールタールは火という元素から生まれると信じていました。※3

図2　太陽と月

中央ノルウェーの13世紀のオール教会の木造天井画の細部

オスロ大学文化史博物館提供

真っ暗な夜のことを、私たちは「真っ暗闇だ《ピッチダーク》」と言います。しかし真っ暗闇とコールタールの暗さとは別ものです。一方は、放射状の光の不在という否定的な定義であり、他方は、物質が存在するというポジティブな定義です。輻射光――つまり太陽の光――は、白いと言われています。それは、例えば、カラーホイールで飾られたコマを回転させ、可視スペクトルのすべての色合いを混ぜ合わせることで得られるものです。例えば、コマが静止している時には、種々の色合いを識別できますが、回転している時は、それらは白色に融合してしまいます。これらの色合いは波長に対応しており、私たちに虹の色を与えてくれます。色はすべて光の中にあります。光がなければ色もないのです。黒は、光と同じように色を持ちません。しかしコールタールの製造では話が違ってきます。

最後に、私たちの出発点である木に戻りましょう。製材所に送るために、木材用に幹を切った後、根と切り株に火をつけます。火をつけると、何が出てくるのでしょうか？　褐色のタールです。タールを煮て水分を排除すると、何が得られるのでしょうか？　黒いコールタールです。よく知られているように、ヨハン・ヴォルフガング・フォン・ゲーテは一八一〇年に発表した『色彩論』の中で、黒とは色の不在ではなく、色が最も濃縮された状態であると主張しました。[※4] コールタールがタールの抽出物であるように、黒は光の抽出物です。それは、光を消した後に残る本質《エッセンス》です。逆に言えば、素材に火をつけることは、その色を薄めることです。火が燃えている間は――ナッシュの黒い幹のセコイアのように――炎や煌々《こうこう》とした燃えカスが、黄色や赤色の色合いを生じさせています。しかしいったん火が消えれば、すべての色は黒に戻ってしまいます。コールタールの黒は、無ではなく無限の密度の指標であり、そこから、色が私たちの視覚の発火装置の中に爆発するのです。すべての色はコールタールから注がれます。そしてすべての色は、最終的にコールタールに戻るのです。

樹木存在の影の中で

　ある裏返しになった世界を想像してみてください。そこでは、息は凝固しますが、肺は気化します。そこでは、影が体であり、体はその影です。そこでは、風景全体が何も見ていない眼球に映し出されたり、その眼のまぶたの下に集められたりします。そこでは、木々は先端から根元まで、外から内に成長します。そこでは、これらの同じ木々が私たちを見て、話しかけ、手を握り、手紙を送ってくることもあります。そこでは、森は私たちを指先や爪の下に置いています。そこでは、呼吸は葉のざわめきであり、その神経系は有刺低木です。

　これは、一九六〇年代後半から一九七〇年代前半に起こったイタリアの芸術運動「アルテ・ポーヴェラ」の創始者の一人、彫刻家ジュゼッペ・ペノーネの世界です。このエッセイでは、ペノーネについても、彼のアートについても書きません。それに全く言及しません。私が辿る道は私自身のもので、しかもペノーネと同じように、森や自然、そして人生の中を曲がりくねっています。彼のものと私のもの、私たちがそれぞれ自分の道を進んでいくと、多くの場所で点ができます。私はこれらの接線《タンジェント》に興味があります。これから行うのは、作品ではなく言葉で、同じ流れに沿って考えてみる練習です。それは、類推と反転によって進められる思考法であり、そこではすべてのものとすべての人々――私たち自身も含めて――が己の分身を持ち、その分身を復元することで全的なものになるのです。

しかしそれはまた、多くの点で、言葉が得意としない方法でもあります。このエッセイ――もともとニューヨークのガゴシアン・ギャラリーから、ペノーネの四〇年にわたる芸術家としてのキャリアを振り返るために依頼されたもので、ここではその要約版を再掲しています――は、書くのは簡単ではありませんでした。[※1] 実際に、私の努力は、応答《コレスポンド》した作品と比較するとみすぼらしく見えます。研究者の、説明したいという言葉の衝動には、いつもながら、経験の濃密な織物を解きほぐしてしまう恐れがあるのです。しかしもちろん、この織物こそが重要です。だからこそ、アートに代わるものは存在しないのです。ですから、説明や解釈を期待したり、私がアートを社会的、文化的、歴史的な文脈に置くというようなことを期待しないでください。そのようなことはしません。私の目的は、アートとともに考えることです。

身体

すべての身体には二つの部分があります。片方は肉でできていて、皮膚に包まれています。それは、私たちが見ることのできる半分です。もう半分は、普段は見えないのですが、空気でできています。私たちが息をしている間にさえも、この二つの部分は、互いに出たり入ったりしています。このようなことが可能なのは、皮膚が、内側の生体物質と外側の空気の媒体とを隔てる単純な覆いではなく、位相構造的にきわめて複雑な表面であるからです。環境との代謝交換を可能にする多様な開口部で折り畳まれて、内部では枝分かれした送水管、細管、毛細血管の真の迷宮に道を譲ります。体の空気でできた半分は常に私たちとともにあるのに――そしてそれなしでは生きていけないのに――、私たちは自分が完全に肉からできた生きものであると信じて、それを無視する傾向があります。

森の中では、私たちは木というものについて半分だけしか見ない傾向があります。風を忘れているのです。風は木の半身です。息をしない生命体が存在しないのと同様、風なしで生きている木などありえない。木の息づかいは、私たちの目には見えませんが、風が葉を包み込む時、そのざわめきのうちに聞くことができます。葉脈と血管とともにある葉っぱの表面は、外側を覆うものではなく、内部の折り目です。そこでは、木の目に見える部分が、自らの目に見えない半身と接触しているのです。あらゆる表面は、世界の布の折り目です。葉っぱと同じように、皮膚も身体の折り目であり、そこでは、肉が空気と接触しています。体を裏返しにして、息は大地のもの、肉は空気のものであると想像してみてください。それはどんなものでしょうか？そのような体を、粘土で作ってみましょう。口は、口腔の輪郭に合わせて形成され、奇妙な形の塊のように見えます。そして、息を吐き出すたびに、巨大な壺のようなものが形成されます。吐き出された息は、丸みを帯びた底面に向かって幅が広くなっており、その底面で、周囲の大気の中に注ぎ込まれます。そうして活気づいた乱気流によって、息は壺の側面に沿って波立ちます（図3）。今や空気となった肉については、私たちには何も見えませんが、肉の中で木のような構造が作られます。その木の幹が気管、枝や小枝が気管支の管、葉が小窩《しょうか》［訳注：歯の噛み合わ

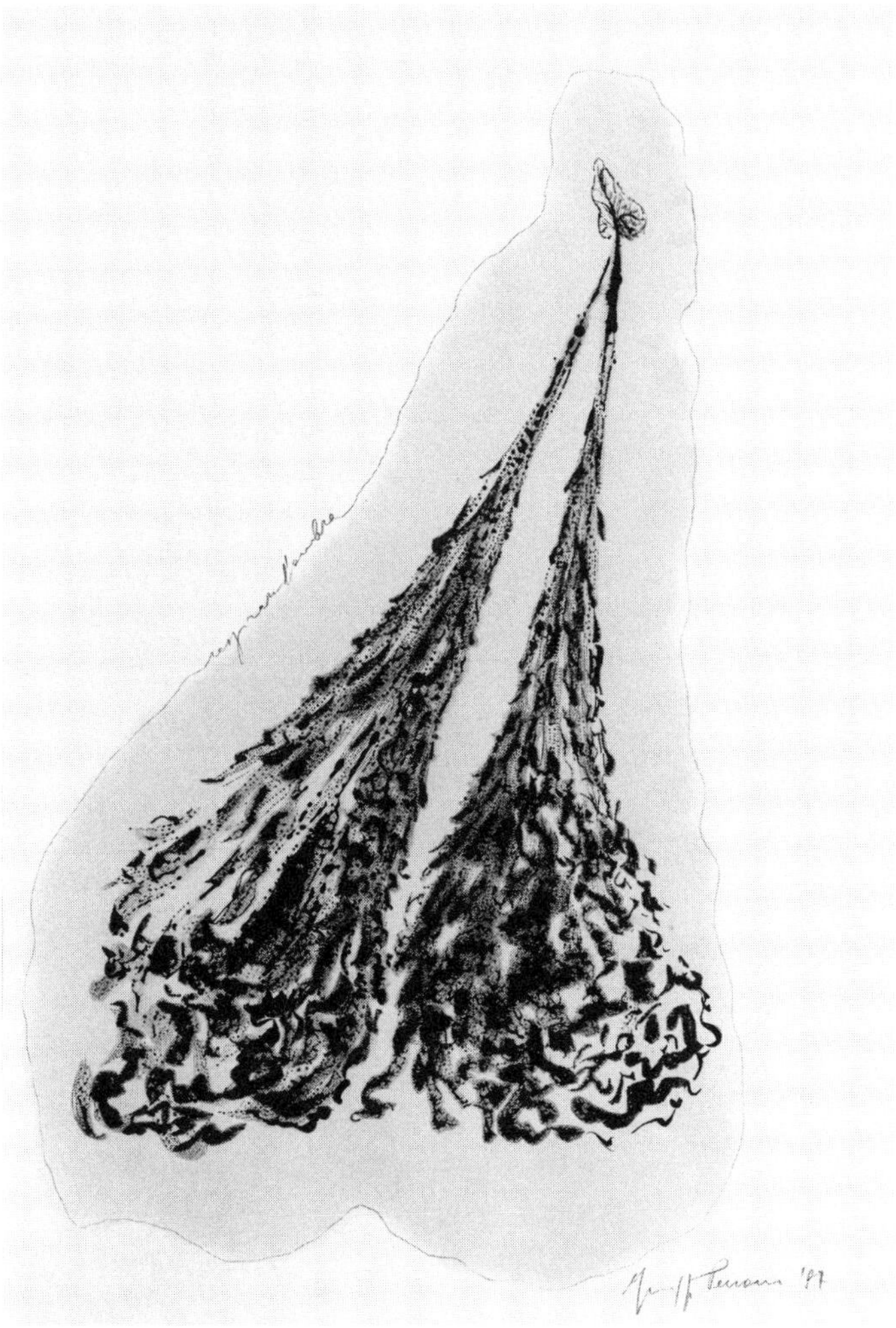

図3　Respirare l'ombra［影を呼吸する］
1987年のジュゼッペ・ペノーネによるドローイング

ガゴシアン・ギャラリー提供

せ面にできる小さなくぼみ」といった具合です。木は見たところ下向きに、発生源の根から口の中へと伸びていっています。

私たちが創造した図は、樹木存在であることが判明しました。人間存在の体の中で実質的なものは、樹木の中では空気のようなものであり、その逆もまた然りです。樹枝状の構造は肺を、根元の球は口を、天蓋の形状は息を表しています。樹木に口が与えられれば、フルートのように歌うでしょう。しかしフルートと樹木――同じ木管楽器ですが――は、逆に働きます。フルートなら、風が木を通り抜けて音を奏で、樹木なら木が風を突き抜けて成長の線を生み出していく。あらゆる枝や小枝は、メロディーラインの固形の等価物です。樹木は逆さに呼吸しています。人間が吸い込んだものを、樹木が吐き出すのです。体と樹木は、手と手袋のようなものです。

影

この世に存在するすべてのものは、大地に縛られると同時に太陽の下にあり、前者は重力に、後者は光に支配されています。樹木存在は、空と大地、風と土、光と音の創造物です。大地の上、燃える太陽の下にある固体は、影を落とします。体には実体があるのですが、影には、それが投影されている地面の実体を除けば、何もありません。また影は現れたり消えたりします。雲が太陽の光を遮ってしまえば、影は消えてしまいます。それは、雲が太陽光線を遮るからではなく、太陽光線が大気中の水蒸気によってあらゆる方向に散らされるからです。この儚《はかな》い幻想的な影は、私たちに何を語りかけているのでしょうか？　それは、存在が時間的なものであり、私たちのもろい命が天と地の間に常に宙づりにされていて、一日の時間、季節の移り変わり、天候の気まぐれに影響されていることを教えてくれるのです。影は、私たちが、光と空気の元素の混合物で形成された気まぐれな生き物であることを明らかにしてくれます。

しかし光を生きている木にたとえて、光線《レイ》ではなくビームとして考えるならば、影は別ものです。光線の場合、影は投射であり、影が落ちた事物の土台の上で輪郭を描くのですが、入射の角度や土地の状態によって引き伸ばされ、歪んでいる。しかしビームの影は、そのネガであり、足跡や手形、あるいは写真プレートのマークにより近いひとつの痕跡です。ビームが大地から柱のように立ち上がれば、影はその跡に沈殿物として落ちます。灰は焚き火の影、崩れたロウの山はロウソクの影、樹脂は松の影。油脂は私たちが使う道具、ドアを開けるハンドル、読み込まれた本のめくられたページの上の、指や汗をかいた手のひらの影です。灰、ワックス、樹脂、油脂。これらの影は実体を持ちます。これらの影は堅固な形が投影されたものではなく、物質の流れ、混ざり合いおよび突然変異の残滓《ざんし》です。

すべてのものは何らかの影の痕跡を残します。しかし、事物の本体がその影から切り離されることは、それが存在する世界から切り離されることと同じようにありえません。私たちは、土に残された足跡によって、ある人物がいたことを知るのです。解剖学的にはおそらく、肉と骨の構造として、足は身体の一部であるかもしれないのですが、私たちの歩く経験においては、それは大地と接触している足でしかありません。そして、私たちが歩く大地は、足でそれをどう感じるかによってのみ、私たちにとって存在する。そのように、足は人間に属しているのですが、足跡は大地に属しているとは言えません。むしろ、足も足跡も、大地＝人間という一つのものの相補的な側面なのです。樹木と何か違いがあるのでしょうか？　落葉樹は、毎年秋になると葉を落とします。そしてそれは、周囲の地面に厚い絨毯を形成します。絨毯は、光り輝く木の物質的な影であると、私たちは言います。しかし、葉は、自分が育った枝や小枝から切り離されたとしても、樹木存在との生き生きとした繋がりを失いません。たくさんの足が残した足跡のように、無数の木の葉が混ざり合い、地表に影のパリンプセスト［訳注：書かれたものを消して、別の内容を上書きした羊皮紙の写本のこと。「じゃんけん」の章も参照〕を形成します。

接触

森に入って、手の親指と他の指で幹を簡単につかめるくらいの細長い木を見つけましょう。木をしっかりと、樹皮のギザギザが肉に食い込むのを感じるほど、とてもしっかりと握ってみましょう。あなたが木に触れていることは間違いありません。しかし木はあなたに触れているのでしょうか？　皮膚が樹皮と出会う、目に見えない表面と表面のその接触では、いったい何が起こっているのでしょうか？　さらに、ほんのわずかな部分だけしか手の下にないのに、あなたはどうして木に触れていると確信することができるのでしょうか？

樹木と人間は、表向きには、全く異なる種類の存在です。人間は神経系を持っており、そのおかげで、あらゆる触覚を認識するだけでなく、それを配置することができます。システムのどこかの点で誘発された感覚は、システム全体に影響を与えます。だからこそ、樹木をつかむ時、それを感じていると確信するのです。さらにその感覚は、接触した部分から全身に広がっていきます。全身で樹木を感じるのです。手の代わりに、金属で作られたレプリカがあっても、そのような感触も感覚もないでしょう。しかし樹木はどうでしょうか？　それは、人間の手とその金属製のレプリカの違いに気づくのでしょうか？　果たして樹木は何かに気づくのでしょうか？

樹木には神経系がないので、人間のように感じることはできません。しかしそれにもかかわらず、樹木は生きものなのです。樹木は呼吸をします。樹木は大地からの栄養分を樹液に取り込みます。樹木の表面――根、樹皮、葉などの――は多孔質で、上にある空気や下にある土と絶えず物質を交換しています。そのため、樹木は金属の手でつかまれることで作用を受け、その樹木を構成する諸々の物質が、自身の流れや変容の中で、侵入してきた存在に応答《レスポンド》するという仕方で応じるのです。侵入者の影響のおかげで木々が膨らむと、手は次第に吸い込まれて、抜け出せなくなります。長い年月をかけてともに成長した樹木と手は一体となるのです。

接触といっても、単なる物理的な接触なのか、有機的な反応なのか、あるいは神経的な刺激なのかによって異なります。人間の皮膚は最も敏感な表面であり、神経の終着点がとても密集しているので、拡大すると、それが接触するあらゆる表面が棘のベッドになってしまいます。イバラの木に触ると、棘を感じるのは、イバラの木ではなくあなたです。樹皮は、ざらざらしているのだけれども、剥《は》いでも同じように感じることはありません。しかし樹木の皮は、指で絞る時にその指の周りを包み込む湿ったスポンジのように、圧力によって変形します。刺すにせよ絞るにせよ、触覚のパラドックスとは、これほど親密な接触はないのに対して、感覚するものと感覚されるものの分離を確認するのに、これほど際立ったものもないということです。この分離が確立されるのは、その表面においてです。なぜなら、もし表面が溶けてしまったら、触《さわ》るものと触られるものは、水滴が出合って合体するように互いにぶつかり合い、文字通り区別がつかなくなってしまうからです。

時間

考古学者は時間を遡ることを好みます。発掘作業では、何層にもわたって物質を取り除き、その中に埋もれていた人工物を、「記録」と呼ばれるものの中の適切な位置に配置するように割り当てます。これは、すべてのものがその中で日付を持っているタイムラインです。この石器は一〇万年前のもの、この象牙の彫刻は一万年前のもの、この土器の破片は、わずか千年前のもの、というふうに。しかしこれらのモノがある古さを持つというのは、どういう意味なのでしょうか？　それらが、何年前のものであるのかを尋ねることには意味があるのでしょうか？　なにしろ石は、切り出されて、道具として組み立てられる前から長らくそこにあったし、今も私たちのそばにあるわけです。象牙は、ステップやツンドラを歩き回っていたマンモスの牙として成長し、粘土は、陶芸家が彼の原料としてそれを掘り起こすずっと前から、地中に堆積物として形成されていたものです。私たちが人工物に割り当てる日付は、それらの素材の終わりのない生の中で、過ぎ去ってゆくほんの一瞬でしかありません。

さてテーブルのような普通の家具を考えてみましょう。私たちはその家具が作られた年を知っています。それは、乾燥させた木から製材され、鉋《かんな》で削られ規格化された梁や板とともに、大工が組み立てた年です。しかし、あらゆる梁や板はそれでもなお、切り出された元の樹木の証拠なのです（図4）。この樹木は、テーブルよりも古いのです。ではどのくらい古いのでしょうか？　もちろん、親の種から発芽した時もあったでしょう。しかしその時は、それはまだ樹木ではなく、苗木でさえもなく、柔らかくて繊細な緑の新芽だったのです。樹木はテーブルよりも古いだけではなく、その森よりも古いのです！　それだけではありません。その種子は、自分がかつてその上で成長した木と、命にかかわる決定的な繋がりを保っています。親木も苗

図4　Gli alberi dei travi［梁の木］
1970年のジュゼッペ・ペノーネによるドローイング

ガゴシアン・ギャラリー提供

も、同じ生命のサイクルの一部なのです。要するに、樹木には起源がありません。なぜなら、樹木は全時間の起源となるものだからです。そして、絶えず起源となることは、端的に、成長することの別の表現です。

そこで、樹木の素材に注目してみると、木のテーブルはもはや、記録の中のひとつのモノとしては現れません。むしろ、記録はモノの中にあり、発芽と成長の物質的な歴史の中に埋め込まれているのです。ある種の逆考古学で、記録の中にモノを発見するためではなく、モノの中に記録を発見するために発掘するのです。テーブルや大きな木の梁、あるいは倒れた幹を手に取って、年輪に導かれて何層にも切り取っていくと、その中に、最初の苗木にまでまっすぐに遡って、これまで以上に細長い木々が入れ子状になっているのを発見します。あらゆる樹木の中には、それ自身のかつての若いバージョンが隠れているのです。しかし若ければ若いほど、より長くそこに存在しているという意味においては、古いバージョンです。逆に言えば、樹木のバージョンが古ければ古いほど、若いということです。だから、樹木を掘り下げていくことは、時間の仕事を元に戻すことです。それは、何世紀とまでは言わないにせよ、何十年もかけて撮影された樹木の成長のフィルムを、高速で逆再生するようなものです。

アート

身体は、皮膚によって束ねられた固体形式です。息は空気のものであり、肉は大地のものです。光は、不透明なものに遮られると影を作ります。木の幹は、私たちが手でつかんでも、何も感じません。成長は不可逆です。皮膚の表面、特に指や唇は、接触に敏感です。葉っぱは風に吹かれます。トゲは刺さります。私たちはこうしたことを、自分が日々の生活の中でやっていくのと同じように当たり前のことだと思いがちです。それは、必ずしも間違っているわけではありません。しかしよくあるように、それらのことが言うまでもなく進む時には、それらの真実が成り立つための最も根本的な条件に、私たちは気づくことができなくなります。これらは、世界の中にある私たちの存在の条件に他ならないのです。だから、それらに注意を払うことで、私たちの経験がより豊かなものになる、ということは理にかなっています。

そのために、私たちが想定しているすべてのことを覆すような実験をしてみるのは、ひとつの方法です。息が固体で、体が空中にあるとしたらどうでしょうか？　光は風のように天に渦巻き、影が落ち葉の堆積物の中にあるのだとしたらどうでしょうか？　樹木をつかむのではなく、樹木が私たちの手をつかむのだとしたらどうでしょうか？　時間の流れを逆行させて、樹木を縮ませることができたらどうでしょうか？　風が樹木の葉の息づかいであり、肌がイバラのベッドであるとしたらどうでしょうか？　こうした実験およびそれに類する実験は、身体について、感覚について、記憶や時間について、私たち自身や私たちが住まう世界について、私たちにいったい何を教えてくれるのでしょうか？

これらの実験は、確かに科学的ではありません。データを抽出することなどありません。仮説を検証することもありません。自然を手の届くところに置くことこそが、科学的な客観性の原理です。つまり、調査者は研究対象となる現象の状態に動じないし、動揺すべきではありません。しかし客観性の追求を、真理の探求と勘違いしてはなりません。前者が、世界との繋がりを断つことを要求する一方で、後者は、私たちの全面的かつ手放しの参加を要求するからです。真理の探求は、世界を私たちの認識に対して開き、そこで起こっていることを知り、そのようにして、私たちがそれに答えられるようになることを求めているのです。そうすることで私たちは、自分の注意を引きつける素材に合わせた知覚の鋭さを、私たち自身の仕事のやり方の中に取り入れます。素材が変われば、それらとともに仕事をすることから来る経験も変わります。あるいは要するに、素材と経験が応答《コレスポンド》しているのです。ジュゼッペ・ペノーネの作品では、樹木や体、風などに応答《コレスポンド》しているのです。このエッセイでも、私は同じようなことを試みています。それにより、私自身の、言葉での応答《コレスポンデンス》を、彼のアーティスティックなそれに結びつけることができていることを願っています。

Ta, Da, Ça!

私は、これらの文章を、アーティストのエミール・キルシュの仲介で執筆しました。タイトルの「Ta, Da, Ça!」は、哲学者で記号論者でもあるロラン・バルトの著作から引用したものです。彼によればこのフレーズは、サンスクリット語のtathata（文字通り訳せば、「あれ、そこにある、ほら！」）から来ています。[※1] バルトは、小さな子どもが何かを指差して「ほら、あそこに！」と叫ぶのを想像している。その干渉自体に必要なのは、最小限の装置のみです。長さ一センチ、直径〇・五センチ以下の、磁化されたスチール製の小さなチューブで、一端は開いていますが、もう一端は円形のつば《フランジ》によって閉じています。この小さなモノは、つばの平らな表面によって、わずかな跡も残すことなく、磁気の影響を受けやすい人工物には何にでも自発的にくっついて離れようとはしないのです。しかし、チューブの端が開いているため、ほぼちょうどの直径の小枝にはぴったりとフィットします。Ta, Da, Ça! のために、キルシュは、森から小枝を集めて彼のチューブに突き刺し、それらを家の回りや都市の中の金属のモノに貼り付けました。突然、暖房器具、台所用品、金属製家具、手すり、排水管および道路標識などから、屋内外を問わず、小枝が生えてきたのです。Ta, Da, Ça! は、私たちがしばしば当たり前だと思っている身の回りの人工物に注意を引きつけるだけでなく、モノの秩序についての私たちの従来の理解を、遊んでいるうちに覆してしまいます。私たちが完璧だ、落ち着いている、飼いならされていると思っていたモノが、発芽したり、成長したり、増殖したりするように思えるのです。ある種の荒々しさが生まれます。ここでは、Ta, Da, Ça! とともに私自身が行った実験によって刺激を受けたいくつかの思考を提示します。森の中の自然環境から小枝を取り出して、都市の人工的な環境にそれらを植えると、はたして何が起きるでしょうか?

小枝——「枝や茎から出ている細長い枝」。森の中にはたくさんの小枝がありますが、オックスフォード英語辞典から抜粋したこの簡潔な定義は、私たちが知りたいことをすべて教えてくれます。特に注目すべき点は三つあります。第一に、木質材料としての小枝について言えば、それは限りなく細いということです。樹木の成長において、小枝は、芽や葉っぱになる前に究極的に細分化しています。第二に、小枝は、決定的な終着点のない成長線に沿って発育し、ただひとつの目的、すなわち光への道を見つけるために、即興で進んでいくのです。そして第三に、小枝は逸脱します。親枝がどのような線を取ろうとも、小枝は別の線を歩むことにこだわります。枝は、すでに太陽の下での居場所を確保しており、小枝はどこか別の場所を求めて出発します。ところがすべての小枝は、さらなる逸脱の可能性を内包しており、その先の側枝との関係において、それ自体が枝になります。それが、連続して分割された小枝の、特徴的に不規則な、分岐した構造を生み出すのです。森の地面に散らばっている小枝を見つける時、小枝自体がかつてそれを生みだした枝から離れてしまっているように、多くの分枝はすでに折れて落ちてしまっています。その時、分枝だったものが、鋭く折れ曲がったものになるのです。小枝は真っ直ぐでもなく、優美な曲線でもありません。それらは、常に折れ曲がっているのです。

森に住む動物たちは、小枝の不規則性にどう対処すればいいかを知っていて、それを自分たちの強みにすることもできます。例えば、多くの鳥にとって、小枝は巣作りに理想的です。小枝をまとめると端がボロボロの構造ができますが、それでもその分解状態の中で一体感を保持しています。それはまさに、小枝の一本一本が、節や分枝、曲がった部分であらゆるものを受け止めるからです。巣が置かれた枝が風に揺られても、他ならぬ構造の緩さのおかげで耐えることができるのです。人間はと言えば、動物のさまざまな技量を観察して学び、それを籐《とう》細工の技芸の中で、新たなレベルにまで発展させて、小枝を編んだり編みこんだりして、ペン、罠、籠、ゆりかご、椅子、その他たくさんの、日常生活に必要な構造物にしてきました。また家庭では、小枝を束ねて一端を縛ったり、杖に結んだりしてブラシや箒《ほうき》にします。これらは、ざらざらしたでこぼこの面の上で散らばったものを掃き集めるのにぴったりです。いずれにせよ、当の用具は、組み合わされた素材の持つ弾力性と摩擦力によって一体となっているのです。小枝は、もともと大きな構造物になるような性質を持っていません。つまり、全体の一部ではありません。それぞれの小枝は、その正確な構成において、ユニークなのです。ところが、それらは一緒になった時、ある種の安定に向かうのです。

しかし私たち人間は、かつてのように森の中でくつろぐようなことはしなくなりました。むしろ私たちは、素材を幾何学的に規則正しい固体の形に切り取り、成型し、こねて、自らがデザインしたモノに囲まれることを選んだのです。それが私たちの人工物です。人工物は、原理的には、人間が製作したものであれば何でもいいのですが、実際には、モノの形の特性と、そのデザインに属するものこそが、モノを人工物たらしめるのです。デザインされたモノであるがゆえに、人工物は小枝がそうでないものすべてです。なぜならば、その堅固さは、成長の線に沿って段階的に生じるものではなく、ある形の滑らかで均一な面のうちにすでに宿っているからです。小枝が制御不能なまでにどこまでも伸びていくのに対して、人工物は塊であり、その内部は、それを取り巻く外部のものから遮断されています。一方は成長と逸脱の原理、他方は前成と抑制という反対の原理を体現しています。前者にとっては、緩やかな先端は将来の成長と繁栄のひとつのしるしであり、後者にとっては、それは未完成もしくは崩壊のどちらかを意味しているのです。紀元前五世紀の書き手であるソフィストの作家アンティポンほど、この対比をうまく言い表した人物はいません。アンティポンは、地面に木製ベッドを植えると、それは根を張り、新しい芽を出すかもしれないと述べています。しかし、出てくるのは新しい木であって、新しいベッドではありません！[※2]

私たちが持っているのは、二つの異なる互いに全く相容れない秩序です。つまり、植物的な秩序と人工的な秩序です。植物的な秩序――小枝の秩序――は、成長の力によって構成されています。人工的な秩序は、知性の力によって構成されていて、物質世界に自らのデザインを押し付けます。これには種々さまざまなモノが含まれます。森の中では、植物的な秩序が支配的です。すべてのものが芽を出します。そこに人工物があるのだとすれば、それらはなくし物か、おそらく通行人によって偶然落とされたものでしょう。しかし町では、後回しにされるのはそういう小枝のようなものです。籐細工でさえ時代遅れになってしまいました。あなたの小枝の束は、人工物の集合の滑らかな表面の上ではどんな利点もなく、掃除機に取って代わられてしまいました。すべてが内側に囲い込まれたのです。何も芽生えません。この二つの秩序は、共存的に結びつくことができるのでしょうか？　一見すると、これはあり得ないことのように思えます。なぜならば、小枝のようなものが、それらのそれぞれの要素の逸脱と絡まり合いによって結びつけられているのだとすれば、人工物の統合性は、すべての断片が、より大きな全体の一部として自らの居場所を見つけるような連動性に依存しているからです。小枝は、人工物の秩序の中で結合するものを見つけることができません。逆に、人工物は、草木に付着するための芽を持たないのです。しかしこの区分はたぶん、実際にはそれほど厳格なものではありません。あらゆる事物は、塊になったり、端がほつれたりすることがあるのではないでしょうか？

問題は、モノがどのように結合されるかです。人工物の世界でさえも、完璧に適合するものはありません。さまざまな種類の接着剤、クリップ、バネ、ピン、ネジ、プラグなどによって事物は固定されなければなりません。すべてに共通しているのは、それらが、モノ同士の繋ぎ目となっている面の統合性を損なってしまうことです。例えば、ほとんどの接着剤は、長いタンパク質の分子で形成されており、塗られた表面に浸透し、効果的にそれらを結合します。肉眼では一体化しているように見える表面も、分子レベルではふるいのようなものです。それは、穴だらけなのです。クリップやバネが機能するのは、それらを形作る素材の弾力性のおかげです。つまりその形を変えて曲げられる能力と、その形に戻ろうとする性質のおかげです。ピンは、表面に穴を開けますが、ネジはそれ以上に、ネジ山が素材の肉の中に食い込み、それをきつく引っ張ります。またプラグは、ソケットに適合するように精密にカットされているとはいえ、ソケットを押し込むのに求められる力と同等の摩擦力によってその場に固定されているのです。最後に磁気という可能性が残っています。磁気のおかげで、金属の表面に穴を開けずに、ある金属のモノを別のモノにくっつけることができます。重力と同じように、磁石の引力は、外見上の形に関わりなく、内部の質量を別の質量に引き付けるのです（図5）。

ちょっとしたことで、人工物の世界の表面に傷をつけ、そうすることで、人工物のケースから素材の植物的な力を解放し、都市を森に戻してやることになります。モノを埋めれば、都市は——アンティポンのベッドのように——芽を出し始めます。繊細で細い成長の線がその表面から突き出て、光の中への道を模索し、進むにつれて、分岐していくのが観察されます。住民たちは、立ち止まって、不思議そうに眺めています。彼らは驚きます。それは何を示しているのでしょうか？「私たちは、都市が常に建設中であることに慣れているけれど、パイプや電化製品、道路標識や手すりから小枝が生えていることには慣れていない」と彼らは言います。それが、Ta, Da, Ça! の問いなのです。

図5　Ta, Da, Ça!（棒、磁石、ラジエーター）
撮影：エミール・キルシュ　2017年

作家の好意による

吐き、登り、
舞い上がって、落ちる

はじめに

一一世紀にダブリンのパトリック司教によって語られ、二〇世紀に詩人のシェイマス・ヒーニーによって語り直された中世アイルランドの物語では、礼拝中の信徒たちが、空に浮かぶ船を見つけました。そこから錨《いかり》のロープが降りていたのです。錨自体が祭壇の手すりに引っかかって、船は揺れながら止まってしまいました。一人の乗組員が、錨を外そうとロープを伝って下っていきましたが、外せなかったのです。その男が溺れてしまうと悟って、修道院長は、信徒たちに助けを求めました。ついに錨は外され——間一髪でしたが——乗組員はロープを伝ってふたたび上船し、その船は漕ぎだして見えなくなりました。*1

私たち死すべき人間が生きるために吸っている空気という媒体は、天空の船員にとっては死の罠だったのです。修道院長の時宜を得た介入がなければ、彼は死んでいたことでしょう。塩分を含んだ海は、もし波の下で長らく過ごすならば、私たちをも殺してしまうのではないでしょうか？　海でも陸でも、私たち人間は空気を吸わなければなりません。私たちは、必然的に空の下、あるいは大地、空気、水が出合い、混ざり合う場所に形成された表面上に生きています。水と空気が交わる面があります。それは、風や海流によって巻き上げられる波のようなものです。それに対して、空気と大地が出会う地面や、大地と水が出合う海底があります。空気は水の上にあります。水は大地の上にあります。地上で生きている人々は、水中で生きていることになるのでしょうか？　パトリックの物語の幽霊のような船乗りたちには、そう見えたに違いありません。しかし下方の信徒たちにとって、彼らの船は天空それ自体を航行しているように見えたのです。それは天の船でした。聖アウグスティヌスが見たように、神のいる天空の観点からは、天は神の創造物である物質的な地球、その土地と海を含んでもいる地球に属しているのです[※2]。

けれども、私たちの船もまた、深海の住人にとっては天空のように見え、多くの人がこの天空の領域から落ちてくる不思議な事物に驚いたに違いありません。金の箱、大砲の弾、錨の鎖、そしてもちろん、まだ死んでないけれども溺れている人間存在です。今日、海にはかつてないほど、船から海に投げ出されたもの、洪水で流されたもの、沖合の風で塵となって運ばれたものなど、陸上での人間の生活の残骸で溢れています。しかし海は、受け取ったものをふたたび吐き出します。そして、私たちはここから――波が海岸を叩く水際で――、続く四つのエッセイへと旅立ちます。内陸に出て行って、神の目の視点を得るために虚しい試みをしながら、より高く丘や山に登っていきます。鳥とともに飛び立って、気球のように、山頂を越えて空に舞い上がるのです。しかし私たちは死すべき人間であって、上昇する海抜によって押し上げられた水蒸気が、最後には凝縮して雨や雪として落ちてくるように、最後には地球に落ちてくる運命にあるのです。

泡立った馬の唾液

二〇一六年の元旦、私が住んでいるアバディーン市の、北海に面している海岸を歩いていました。十日間続いた容赦ない雨と東風は、荒れ狂うディー川とドン川の間近の家々に暮らす多くの人々に苦難をもたらしました。二つの川の河口は、それぞれアバディーン市の南と北に接しています。住宅は浸水し、道路は水没し、橋は破壊されました。ハウストレーラー用駐車場は流されました。それとともに、人々の所持品だけでなく、数え切れないほどの休暇の思い出が、川を下って海へと激流となって流れ込んでいったのでした。都市自体は比較的傷を負わずに生き残りました。しかし海岸で私の目に飛び込んできたのは、今まで見たこともないような光景でした。宇宙の侮辱に激しく怒ったように泡を立てているのは、海だけではありませんでした。砂浜それ自体が深さ一メートルほどのわずかに灰色がかった白色の噴煙の下に埋もれていました。そしてその噴煙は、風に吹かれて空中に浮いている破片を内陸に送りながら、不自然で不気味に生き生きとしていたのです。この物質の中に足を踏み入れて、奇妙で不思議なほどに当惑させられました。空気のように軽く、何の抵抗もないにもかかわらず、それは、今にも飲み込まれそうな液体のように、足元にまとわりついてくるのです。噴出物をかき分けながら、私は、数年前にグラスゴーのコモン・ギルド・ギャラリーで見た、アーティストで彫刻家でもあるキャロル・ボヴェの作品の展覧会を思い出しました。展覧会のタイトルは「泡立った馬の唾液」でした。

この謎めいたタイトルによって、ボヴェは何を言わんとしていたのでしょうか？　何の説明もありませんでした。展覧会に馬はいませんでしたし、唾液もありませんでした。調べてみると、紀元前四世紀に、アレキサンダー大王の宮廷画家であったアペレスが、喘ぐ馬の泡立つ唾液を描けなかったことに激怒して、彼の筆を洗うことになっていたスポンジを取って、その絵に向けて投げつけた、という伝説に出くわしました。すぐに望ましい結果が得られたわけです。それから約五世紀後に、この話はギリシア・ローマ時代の医師、セクストゥス・エンピリカスの著書の中にふたたび現れました。彼はこの話を、感覚の対象と思考の対象という二者の間で判断できないことで、自分と同じように苦しんでいる、懐疑的な哲学者の苦境を説明するために用いたのです。セクストゥスによれば、その懐疑的な哲学者は、判断を留保して――いわば、スポンジを捨てて――、偶然に判断させました。そうした判断留保によって、その哲学者は苦悩からの解放と心の平安を見出すのです。このことこそが、ボヴェのアートにおいて、彼が行ったことのヒントになるのではないでしょうか？　生と死、成長と分解を繰り返す世界で、整然とした、結晶のような格子状の私たちの概念が、豊かさと過剰さに直面する時、いったい何が起きるのでしょうか？　それらは、ある種のバランスの中で宙づりにされうるのでしょうか？　そしてこのバランスは、諸要素の混乱の中で、静けさの感覚を回復することができるのでしょうか？

その展覧会は二つのフロアから構成されていました。上階の作品の一つは、長方形の台座の上に置かれた垂直の金属製の台でした。台には枝や鉤が取り付けられていて、さまざまな海の貝殻を支えています。貝殻はそれ自体がとても美しいものです（図6）。しかし貝殻は作られたものではありません。人工物ではありません。宙に浮いたシャボン玉のように、それらの丸い形は、人間の思考にではなく、成長の数学にすべてよっています。それとは対照的に、直線的

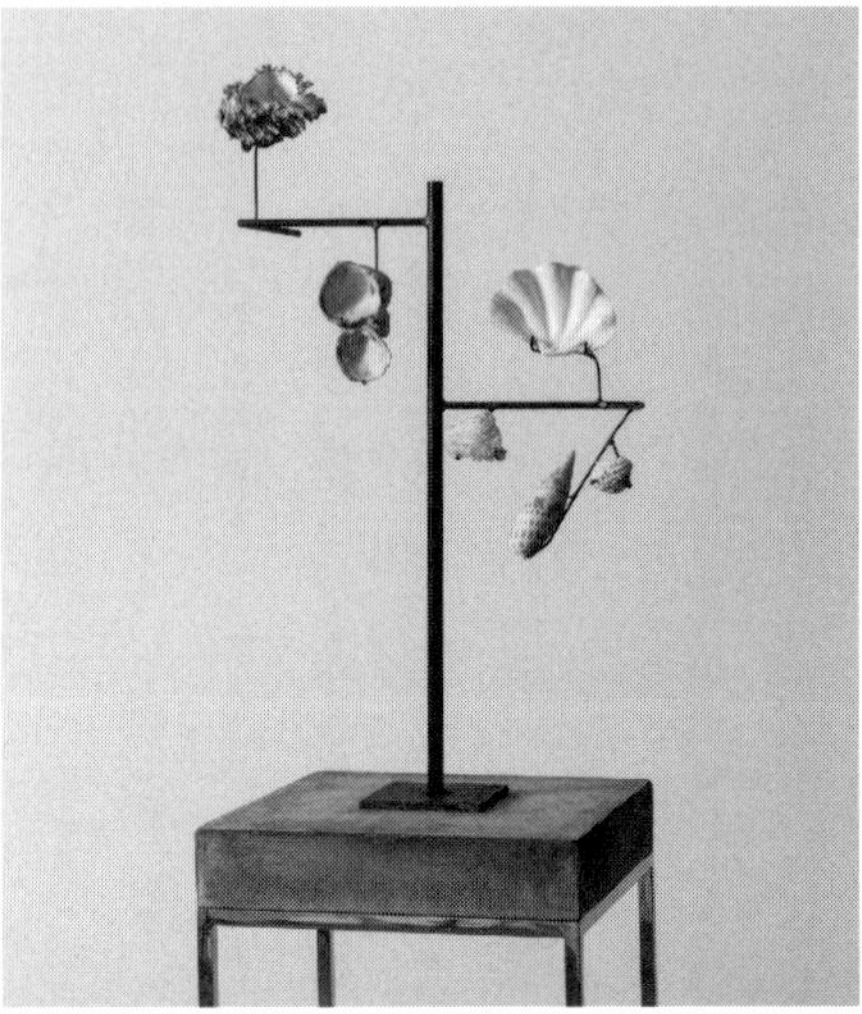

図6　台の上の貝殻

キャロル・ボヴェ『馬の泡立つ唾液』より

©キャロル・ボヴェ　2011年　オヴィッツ・ファミリー・コレクション提供　ロサンゼルス　ロレンツォ・ヴィットゥーリによる写真

な台は、思考にすべてを委ねています。枝や鉤とともに、三次元の図式こそが、おそらくは分類学的、形態学的な計画の一部として貝殻を互いに関連づけ、配置しているのです。この図では、感覚の対象（貝殻）は、思考の対象（台）によって吊り下げられ、また支えられています。それは上の階で、いわゆる海面上なのです。私は下の階で、マントルピース上に同じような台と同じような貝殻を見ました。しかしひとつを除いて貝殻は台から落ちたようで、マントルピースの上に散らばっていました（図7）。海面下では、世界の乱れがそれを抑えようとする力に勝っており、事物が私たちの概念的な描写に従うことはないでしょう。上と下、海上と海中のこうした対

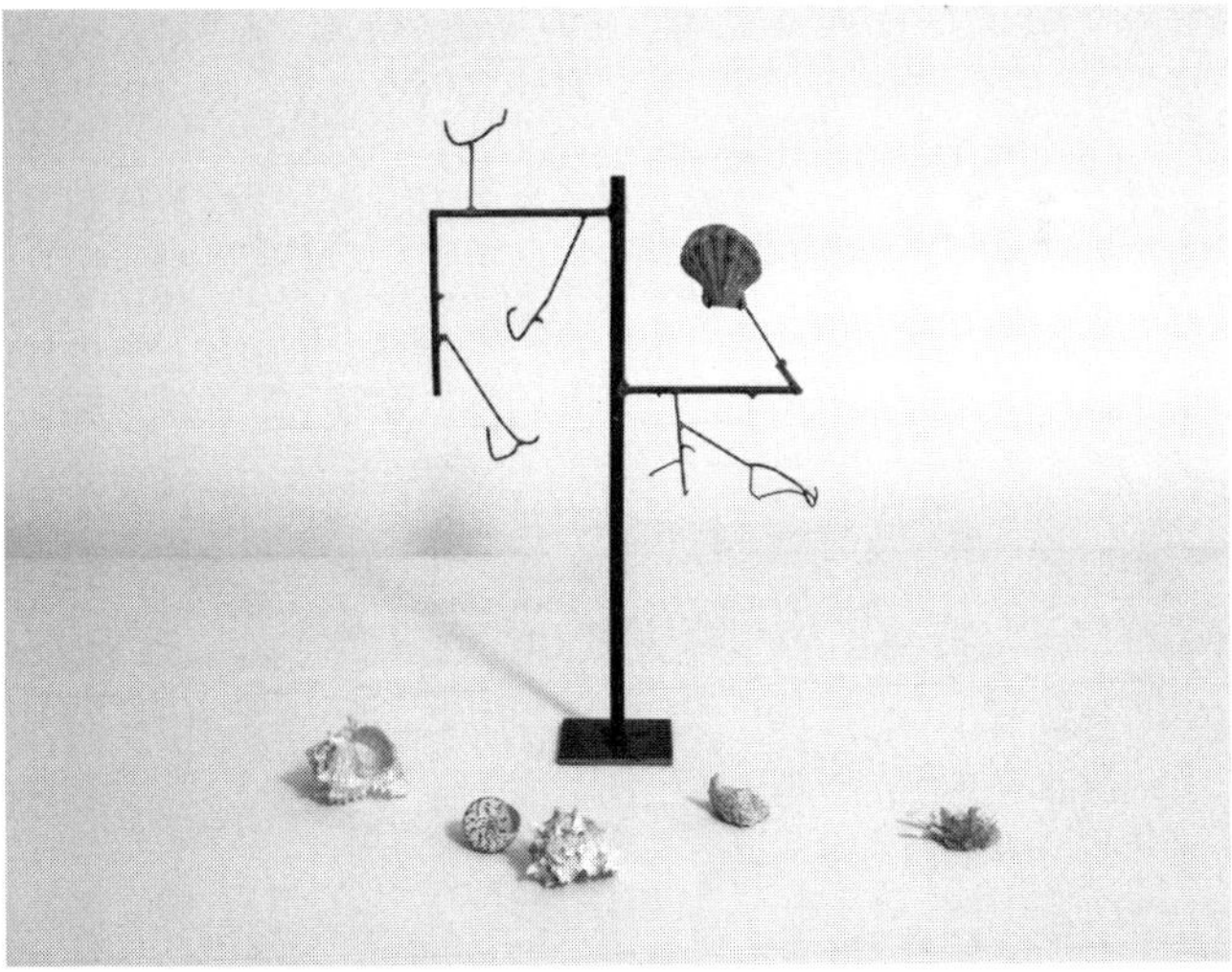

図7　海の貝殻のオフスタンド
キャロル・ボヴェ『馬の泡立つ唾液』より

©キャロル・ボヴェ　2011年　オヴィッツ・ファミリー・コレクション提供　ロサンゼルス　ロレンツォ・ヴィットゥーリによる写真

比が、展覧会全体のフレームを確立していたことが分かります。しかしこの展覧会のタイトルには、もうひとつのヒントもありました。泡立った馬の唾液？　それはもちろん、海のなぞなぞです。

すべての馬は泡で覆われた波であり、その展覧会は、海の白馬が岸辺に吐き出す事物をテーマにしていました。数えきれないほど何世紀にもわたって、海は人間が作った事物を飲み込み、また――さまざまな時間の後に――ふたたび吐き出したのです。荒れ狂う海の泡に翻弄されて、タンクやドラム缶、網やこなごなにされた木材の残骸が私たちの目の前に広がっています。まさに腐食や風雨や諸要素が打ち寄せる過程においてこそ、かつてはきれいだった人工物が奇妙で素晴らしい形になり、その表面――元々は磨きをかけられて反射する皮膜となっており、この皮膜が下や中にある有害物質を隠していたのでしょう――がそれ自体、地球の表面のようなものになるのです。それは、無限に変化し、多様な質感があり、混成で、反応的なものです。これは、ボヴェが見つけて展示した錆びた油ドラム缶に起きたことです。錆びたドラム缶は、新品の状態では完全な円筒形をしており、立面は直線、断面は円形です。塗装され、ピカピカになった表面は、それが含んでいる油膜を感じさせません。目に見える外観と目に見えない内部は完全に分かれていました。しかしその中身がなくなって久しい今となっては、ドラム缶の歪んだ表面は、布地のひだのように外部を包み込む一方で、錆の粒子は、それ自体が剝がれようとする過程にあるか、あるいはすでに剝離して散らばっていて、表面と媒体の境界が徐々に崩壊していることを示しています。

同じく下の階に置かれているもう一つの作品は、自然と人工物の間での海の争いを語っています。巨大な流木の塊が、幾分斜めになって立っていますが、かつては岩場の柱だったのかもしれません。柱の片側にはボルトがいまだに残っていて、そのボルトによって支柱を支えていたのでしょう。この木材は、海に向かってしっかりと立ち、その高波の力を防ぎ、下にある砂や礫の堆積物をその場に留めていたのでしょう。しかしそれは、いつまでも耐えられるものではなく、たぶん嵐の激しさに耐えられなくなって流されてしまいました。その後その運が逆転し、かつて海を破った塊は、今となっては、海のなすがまま、白馬に翻弄され、その泡立った唾液の中で陸に吐き出されています。海の中では、人間が持ち上げるには重すぎるこの巨大な塊は、浮いている時には軽かったことでしょう。地上に戻ると、この塊はふたたび重く無気力になり、肉のごつごつしたところ、結び目、擦り切れなどでその旅を語り、その中で、その木目がとてもくっきりと現れているのです。それだけでなく、匂いや黒ずんだ表面は、かつて瀝青で塗られていたことを物語っています。そして、私をアバディーンの海岸で自分が立っていた場所に、驚きとともに引き戻したのは、展示品の中のこのアイテムの記憶なのです。なぜなら、私は四方を泡立った馬の唾液に囲まれていたからです。

海岸にはずらっと防波堤が並んでいます。嵐の中を無傷で生き延びたのだけれども、防波堤は、海が投げ出したものをつかまえ、洗い流されて戻ってしまわないようにもしていたのです。すべての木が根こそぎ倒れ、巨大な木材や、草で飾られた枝が海岸に散乱していて、その中には、マッチ棒のように投げ出されたかのごとく、防波堤の上に危うく乗っているものもありました（図8）。そしてスーパーマーケットのショッピングカートもありました。捨てられた靴、どこにでもあるプラスチック製の小物類、金属製のドラム缶、自動車のタイヤなどと並んで、人間の製作物のごみの中で最も多くうち捨てられていたのが、ショッピングカートでした。それらのほとんどは、何年間も水に浸かっていたかのように見えました。枯れ草の堆積を含め、打ち上げられたものの多くは、明らかに川から海に流れてきて、波の力によって岸に戻されたものでしたが、密集したドラム缶、タイヤ、ショッピングカートが、水辺の環境にとって目新しいものではないことは明らかでした。それらはたぶん、海の上で過ごす時間よりも、海の中で過ごす時間のほうが長かったかもしれません。しかし人間がつくり出したものの残骸や、その人工的な具現物の数々は、海岸に投げ出され、半分砂に埋もれたり、流された木の枝に寄り添ったりして平安を見出し、ある種の美しさを湛《たた》えているようにさえ見えたのです。

この光景を見ていたのは、私だけではありませんでした。多くの市民が私と同じような好奇心で海岸にやってきて、恐ろしい調査能力を持つ犬を連れ、驚愕のトランスのような状態で道々瓦礫を拾う一方で、海鳥たちは、こんな贅沢な思いをしたことがないとでもいうかのように旋回していました。私は海岸を歩きながら、未来の都市を見ているのではないかと思いました。プラトンの時代から続いてきた、**ポリス**と海との対立が、ついには海面上昇という避けられない事態に屈したのです。私たちは、二千年以上もの間、この二つを切り離し、理性に支配された都市の秩序を、その崩壊の脅威となる海の騒動から守ろうと努めてきました。今日でさ

図8　アバディーン海岸のグロインズ
2016年正月の嵐で打ち上げられた木の幹が、4年経った今も柱と柱の間に挟まっている

筆者撮影

え も、戦いに敗れた都市があります——最も有名な例は、ヴェネツィアです——が、勝利は暫定的なものに過ぎず、より巨大で、ありえない工学的な偉業を必要としているようです。懐疑論者のセクストゥス・エンピリカスのように、どこかの時点で白旗を掲げ、抽象的な理性の支配と、私たちが生きることを運命づけられている気象世界の物質的な騒乱との間で、和解を探らなければならないでしょう。都市は海と和平を結ぶことができるのでしょうか？　あるいは、都市が海となり、建物が船のように浮かぶような時代に私たちは入りつつあるのでしょうか？

登山家の嘆き

二〇一四年一一月、デヴェロン・アーツ——アバディーンシャーの片田舎、ハントリーの町に拠点を置く芸術団体——は、ケアンゴーム丘陵の高台に位置する小さな町、トミントールで二日間にわたるシンポジウムを開きました。※1 そのシンポジウムには、地元の人々、丘歩き好き《ヒルウォーカー》、多数のアーティスト、人類学者（私自身）、そしてこの機会のために特別に招待された、一人の世界的に有名な登山家《マウンテニアー》が参加しました。丘歩き好きやアーティストたちは、慣れ親しんだ足跡や道を辿って、高地を探検したことについて熱心に語ってくれました。彼らはその風景の中に身を置きながら、その中に無窮の驚きの源を見出したのです。刻々と変化する空、光と影と色の戯れ、動物の出入り、植物の芽吹きと開花、魅惑的な石や岩の形、そしてこの地域に人間が住んでいた長い歴史を証明する考古学的な発見。常に何かが人の目を引き、さらなる追求がなされているのです。

しかし、登山家が話す順番になると、それまでの祝賀ムードから一転して落胆の色が濃くなりました。そこには、地球上で最も高く、最も困難な山のいくつかを最初に征服した男がいました。聴衆は、息を呑むような探検と発見の物語に耳を傾けていました。スライドには、主に、手強い地形のパノラマ写真や、ギアやゴーグルをつけた男たちのクローズアップ写真が掲げられました。しかし彼が語ったのは勝利ではなく、悲しみでした。なぜなら、あらゆる山が征服され、その多くが彼自身によって征服された今、他の惑星で新たに始めることはできず、探査の唯一の未来は、地下にあると彼は考えていたからです。それは、人類の聖火を最も高い場所ではなく、これまでよりもさらに深いところへと運んでいく、ある種の逆さ登山だったのです。「探検家はもういないのだ、洞窟探検家だけだ！」と彼は嘆いたのです。

この偉人の発言があまりにも多くの不協和音を響かせたので、私は彼の発言の残りの部分にはほとんど注意を払いませんでした。丘歩き好きとアーティストは、終着点なしに探検を続けることができる一方で、どうして登山家はすべてが終わってしまったと確信していたのでしょうか？　彼も私たちも、いったん登られた山が、いつまでも登られつづけてきたのだと信じているのはなぜなのでしょうか？　このことは、知覚、想像力、記憶についての私たちの理解に関していったい何を語っているのでしょうか？　実際この一言には、山とは本当は何か、なぜ山は人を惹きつけもすればはねつけもするのか、どんなふうに山は人間性に関する私たちの考え方や生きていることの意味を刺激するのか、大地と空と、それらの間に広がる地面を私たちはどんな具合に経験するのか、そして人間の居住空間をどのように測っているのか――距離と高度で――について考えるための、すべての検討課題が隠されているように思えました。

私たちは皆、幼児としてこの世に生を享《う》けたのですから、そこから始めることにしましょう。幼児にとって、自分の知覚に徐々に開けていく世界は、驚きの連続です。周囲のあらゆるものやすべての人々が幼児に動機を与え、どんな手段を使ってでも、より多くのことを発見しようと動き出させます。幼児や小さな子どもは、やむにやまれぬ探検家であり、どんなに時にでも何かを発見している最中なのです。家から遠く離れた場所に行かなくてもそうです。むしろ、家の近くで発見することの方が多いのです。よく親しんでいる場所では、ストラップやハーネスやその他の保護具に縛られることなく、比較的安全に歩き回ることができるからです。しかし大人になると、慣れ親しんだ場所にあるものはすでに知っていて、冒険するためにもっと遠くへ行き、地平を広げ、準備を整えなければならない――精神的にも肉体的にも――と確信するのです。大人の探究心は、子どもとは正反対のようです。子どもには求心力があり、大人には遠心力があります。若い子どもたちにとって、知覚と想像力はひとつです。それは、彼らの世界が、事実ではない空想の世界だからではなく、子どもたち自身が、さまざまな事物が自己へと生成していく過程に没頭しているからです。すべてのもの、すべての人々には、それぞれの物語があります――それは、もっと言えば、それぞれの物語そのもの**である**ということです。物語とは、あるものが生成する仕方のことです。子どもの探検家は、自分の道を進みながら、自分の物語と彼らの物語を応答《コレスポンデンス》の中で結びつけ、それは、人生が続く限り、行われていくのです。子どもにとって、身近な世界は、無尽蔵の発見の源なのです。それに対して大人は、自分の世界が完全で、全く整っているのだと理解しています。想像を現実に、空想を事実にするためには、大人はすでに知られている臨界点を超えなければならないのです。このことによって、大人の探検家はさらなるフィールドへと掻き立てられるのです。

それでは、人間存在のライフサイクルの中で、子どもの探検が終わり、大人の探検が始まるなんらかの時点があるのでしょうか？　あるいは、年を重ねるごとに、ある種の言説――縄張り意識や征服、人間による自然の支配といったイディオムに満ちた言説――が心を支配するようになるのでしょうか？　この言説には、二種類の探検と二種類の発見があります。ひとつは、すべての子どもが教育の過程で履修することが期待されている、過去の人類の功績が凝縮されたカリキュラムを確立することです。この大人中心の学習概念では、先人がすでに知ったことを自らが発見し、先人が登った山を登って、子どもは先人たちに追いつくのです。二つ目は、人類史全体において一度として存在しなかった、一度もなされたことがなかったかのように主張する探検や発見の類です。ここでは、探検家＝発見者――一般に男性であると想定されている――が第一歩を踏み出した跡に残りの人類を引き寄せるのです。このような小さな一歩から、人類の歴史は作られていくのだと、私たちは言います。残念がった登山家の嘆きの背景にはこのような歴史の想像力があるのだと、私は確信します。歴史を作ることが、かつて誰も行ったことのない場所に足を踏み入れることなのだとしたら、初めて立つ山頂がなくなってしまったら、人類の歴史はいったいいかに続いていくことになるのでしょうか？　その偉人はほとんど、多くの山を独り占めして、後世に何も残さなかったという事実への謝罪をしているかのように見えました。私たちは今でも、かつての栄光の過去を延々と繰り返すことを運命づけられているのでしょうか？　洞窟探検家の逆登山が唯一残された選択肢なのでしょうか？　あるいは、他の惑星に野心を向けた方がいいのでしょうか？　火星には登るべき山があるのかもしれません。

領土征服の語り《ナラティブ》の中では、想像された山頂は記憶された山頂に段階的に変わり、目撃者の証言は、山を**真実の物語**として、フィクションではなく事実の出来事として描きます。しかしそのように描くことは、山に対して、山それ自体のどんな物語も認めないことにもなります。一度登ってしまえばあとは何度でも登れるというのは、山自体は昔のままである――歴史は動いていたとしても山は不変の自然の側にある――と決めてかかるということです。しかし自然は不変ではありません。哲学者のアルフレッド・ノース・ホワイトヘッドはかつて、「自然を静止させたままにはできないし、自然を見ることはできない」と述べました。[※2]私たちと同じように、山にも物語があるのです。登山家が到着するまで人間を見たことがなかった山頂は、それから後に、もっと多くの人間を見てきました。彼らは、その渓谷に階段を作り、その岩肌にスパイクを打ち込み、ありとあらゆる場所にごみを残してきました。しかし地震や噴火によって、山を下る氷や水の巨大な力によって、また極限的な天候によって、何年もかけて形成されてきた山にとって、人間の痕跡は、ほとんど取るに足りないものであるに違いありません。眠っている偉大な巨人にとって、征服する英雄は、その鼻先についたハエのように、小さな刺激物にすぎません。山は、征服されたとも、飼い慣らされたとも、文明に触れたとも、人間の群れに組み込まれたとも感じません。誰かが山頂に立って恍惚とした表情で腕を振っていることなど――たとえそれに気づくことがあったとしても――すぐに忘れてしまうのです。ただそこにいて、自分のことをしているだけです。山が日常的にあって、身近な存在である先住民たちは、敬意を払って山を扱うことを知っています。探検家が「初めて」登るようになるずっと前から、先住民たちは何度も山々に登ってきたのです。それは、自分のものだと主張するためではなく、山の保護と繁栄のため、好天と豊作を祈願するためでした。

紀元前六世紀、ギリシアの哲学者ヘラクレイトスは、流れる川の同じ水に二度入ることはできないと言い放ったとされています。山も同じではないでしょうか？　すべての登山は初のものではないでしょうか？　これは、山をどのように定義するかによります。もしかしたら山を、遠くから見た、特徴的な横顔を持つ地形として認識するかもしれません。「ここにエベレストの写真があります」とあなたは言います。「エベレストは山です」と。山から遠く離れているからこそ、山は山のように見えるのです。もちろん、どんな輪郭も、見晴らしの良い別の場所から見れば、多くの、しばしば全く異なる輪郭となるでしょう。しかしそれらはすべて、永続性のあらゆる兆候を示す記念碑的な現れになります。いったん登ったとなると、その後同じ山に登ることは、同じことを繰り返すことになります。バリエーションを導入する唯一の方法は、ルートを変更して、別の斜面に挑戦することです。しかし斜面や山頂にいる登山家にとって、山は一つの輪郭でも、一つのルートでもありません。実際には、山はまったく山のようには見えません。山はむしろ、一つのもののように感じられるのです。そしてその感覚とは、足元の岩と土、上空、およびそれらの間に広がる植物の絨毯、湧き出る小川の水や淀んだ沼の水、鳥や獣、雨や雪、雲や渦巻く霧などから成る全体の中へと没入することのうちのひとつなのです。ここで、あなたは登っているのですが、山に登っているのではありません。むしろ、あなたは**山の中を**登っているのです。さらに言えば、同じ山に二度登ることはできません。なぜなら、山があらゆる流れであるならば――ヘラクレイトスが、川について観察したように――一度登った山にずっと登りつづけるという考えは、まったくもってばかげているからです。

だから、残念がった登山家が、あらゆる山に登ったし、征服できていない山は残っていないと私たちに言ったのは、彼が**山の中に**いない者の視点から山を理解したからです。彼は山に住んでいるのではなく、兵士が作戦に乗り出すように、敵と思われる相手に対して自らを合わせ、武力による勝利を望んで山に乗り出すのです。そして山頂に到達し、歴史の中に彼の場所を確保した後、去るのです。彼の写真が、誰もいない遠景の写真か、寸分のすきもなく武装し、装備をした人たちのいる近景の写真のどちらかであるのは、このためです。住民たちにとって、山は身近な存在でありながら、刻々と変化する世界の一部であり、一瞬たりとも同じものではありません。住民たちは、この世界に道を通すことで、この世界を知るようになります。生は足どりで測定され、地面に沿って辿られるのです。しかし登山家は居住者ではなく、占有者です。登山家の線は、歩くことにおいて辿られるのではなく、初めは、結びつけられた点のつらなりが、麓から山頂までをどのように行くのかという謎に対する解決策として投影され、その後、ロープとスパイクを用いて、現場で実行されるのです。このことによって、逆説的に、最も遠くに離れた山頂は、麓《ふもと》で人々が住んでいる農村地域よりも、あらゆる探検隊が通常出発する大都市の中心部に近いところに位置します。登山家の望遠鏡的な視野は、丘を越えて山頂に到達し、そのアングルは、遠くの景色の中に縁取られるのです。その間にある土地は単に通過するだけです。そこに住む人々は探検隊の荷物を運ぶポーターとして働かされるかもしれません。今日でさえ、登山家たちは、動物の放牧や急斜面での干し草の刈り取りなどの仕事をしている地元の人々を見かけても、あたかも風変わりなものを見ているかのように、自らの功績を語ります。

人々は、生活の実地の中で歩いていきます。しかし登山家の目的はただ一つ、上に行くことです。彼の野心は垂直性によって枠づけられています。彼にとって重要なのは山頂であって、山頂はたまたま高所になっているだけの、巨大に隆起した岩の塊ではありません。もしあなたが農夫や牧夫、あるいは旅人であって、頂上まで登ることよりも、風景の中を進むことに興味があるなら、それを山と呼んではいけません。丘と呼びましょう！　山は登るためのものであり、丘は歩くためのものです。登山家は、山という資格を与えるには高さが十分ではない地形として、丘のことを軽蔑的に語る傾向があるのですが、それらの真の違いは、土地と形状、あるいは地面と特徴の間の関係をどのように理解するのかという問題に帰着します。歩く人は、上り坂でも下り坂でも平地でも、足によって地面と継続的な接触をしています。そのため、地面自体は波打っているように見え、丘や谷は、その襞《ひだ》なのです。この波形は、重力に沿っても、あるいは逆らっても、筋肉の中に感じられます。しかし登山家はそうではありません。登山家の望遠鏡からの眺めでは、地面は、三六〇度に広がる平面として、地平線に向かって開かれ、海と水平で、それらの上に、あたかも土台のように、形状や特徴が置かれている。地面それ自体が備え付けられたように見え、その家具の中でも山は圧倒的に大きく、最も印象的な特徴になっている。こうした知覚においては、山は地面ではなく、そこから立ち上がる構造物であり、土台、側面、頂上を有しています。登山家が山の斜面を測る時には、自分自身をさらに上へと引き上げていくのです。丘歩き《ヒルウォーキング》が世界に住まう方法、あるいは内在性の実践であるのに対して、山が占有者である登山家に提供するものは超越性です。だからこそ登山家は、生命と身体を危険にさらす準備ができているのです。

飛行について

ボリビア南西部のアンデス山脈には、世界で最も広大なウユニ塩湖があります。ウユニ塩湖が薄い水の層で覆われると、空を完全に映し出す鏡になります。アーティストのトマス・サラセーノは、この状態の時にウユニ塩湖を歩くと、昼間は雲の中を、夜は星の中を歩いているような感覚を覚えることを発見しました。この感覚から、彼は地面ではなく空気が主要な生息の媒体となるであろう時代のことを想像しました。彼はそれをアエロセンと呼びました。太陽光だけをエネルギー源とし、暖かい空気の流れに乗って、あるいはクモの巣のような細いフィラメントから吊るされて、アエロセンに生きる生命は、軽量で繊細です。風に運ばれ、国境に縛られることなく、それは自由に移動するでしょう。サラセーノは、自分のビジョンを追い求めて、世界中に広がる支援者のコミュニティとともに、プラスチック・バッグのごみを集め、それを巨大な気球に仕立てました。それは、太陽エネルギーによる飛行の記録をすでに更新しています。以下のエッセイは、来るべき時代を祝うための一冊に向けて依頼されたものです。その本は、二〇一七年に出版されました。[*1]

私がこのエッセイを飛行機の中で書いているのは、たぶん適切なことです。ロンドンからシカゴへの定期便の民間飛行機です。私は飛んでいて、飛行機を運航している会社の好意によって座席のポケットに入っている雑誌『High Life』にも、そう書いてあります。しかし私にとっては、飛行機に乗っているという感覚はありません。私は何百トンもの重さがある機械の中に閉じ込められ、足の指をくねらせる程度の動きしかできない座席に拘束され、外気から遮断された状態で、同乗客の息を循環させる空気を吸っています。私は猛烈に縄張り意識の強い動物になり、不機嫌な隣人と、彼がいつも広げている新聞が侵入してくることから、自分の肘掛けとトレイ・テーブルを一センチたりとも譲らないよう防御しています。少なくとも、私は窓際の席に座っているので、眼下に広がる地球を眺めることができます。イギリス北西部の上空を通過していますが、そこには、ほんの一〜二時間前に飛行機に乗るまで私が送っていたのと同じような人生を送っている人々がいるのだと思います。しかし私は彼らとは何の繋がりもありません。それは、通り過ぎる列車から見物人に手を振るような、つかの間の繫がりでさえないのです。こうしたきまり悪さは、間違いなく、逆の立場にも当てはまります。私は自宅から、飛行機が頭上を通過し、機体が太陽に照らされて、蒸気の跡で空を描いているのを見て、このような遠く離れた物体――とても遠くの、神秘的な――の中に、私のような人間がいて、たぶん食事を楽しんでいるし、もっと言えば、座席スペースの小さな区画を守っているのかもしれない、と驚嘆したことが何度もあったのです。生命がこのようにパッケージ化され、カプセル化され、地球の表面を超えた場所へと送り出されるという奇妙な考えは、いったいどこから来たのでしょうか？

誤解しないでください。飛行機は素晴らしいモノであり、美を備えた対象であり、技術科学の想像力の勝利であり、二〇世紀の航空の驚異的な歴史の証でもあります。それは、創意工夫や耐久性、そして勇気と、かつて想像もできなかった規模での焼夷弾の暴力とを組み合わせた歴史です。私は、乗っている飛行機が、数時間以内に目的地に無事到着することに感謝しています（そうでなければ、あなたはこれを読んでいないでしょう）。その目的地に辿り着くには、昔ならば、何週間も海の旅を耐え忍び、その後陸路で危険な旅をしなければなりませんでした。私の主張は、飛行機に反対することではありません。むしろ、飛行機が空を飛ぶことができる、あるいは人間が飛行機に乗って空を飛ぶことができるという考えに反対しているのです。確かに、飛行機は地面を離れます。そしてもちろん、空気中で推進力を得ます。しかし同じことは、クリケットボールから大砲の弾まで、他の多くのモノにも言えるかもしれませんが、そのほとんどが、ミサイルという一般的なカテゴリーに属しています。また、9・11以降、飛行機もまたミサイルになりうることをわざわざ思い出す必要はほとんどないでしょう。ミサイルの軌道は、重力と、推進力の方向の組み合わせによって決まります。それは、目標物からのフィードバックによって誘導されることがあるのかもしれません。しかし飛ぶことは、そのような機械的な決定に身を委ねることではなく、出発点から目的地まで弧を描くことでもありません。それはむしろ、大気中の空気の流れや循環の中で、自らの道や自らの存在を見つけることです。つまり、飛ぶことは機械的なことではないのです。それは、実存的なことです。鳥が飛ぶのは、鳥であることとは同時に空に〝属する〟一羽の鳥《とり》であることだからです。同じことが、空飛ぶ昆虫からコウモリまで、他の翼のある生き物にも言えます。翼竜もかつてはそうだったに違いありません。

しかしそのことが人間に当てはまるかどうかが、問題なのです。よく言われるのは、人間存在は助けがなければ飛べないということです。それは、人間には必要な背筋《はいきん》がないから――

A・A・ミルンの不朽の寓話の中で、賢いが傲慢なフクロウがくまのプーさんに言ったように――なのです。プーさんが気球を使って空に舞い上がり、ハチミツを手に入れるためにミツバチと交渉しようとしていたことが思い出されるでしょう。プーさんは、自らが実際に、雲に近い、宙に浮かぶ存在になることができると思っていたのですが、ミツバチたちは――プーさんはたいそう当惑したのですが――そうではないと思っていたのです。たぶん多くの人が空を飛ぶことに最も近づくのは夢の中でであり、夢の中で私たちは、肉や羽根を持ったモノとしてではなく、空気と動きの組成物として**鳥になる**のです。その中で、夢を見ている人は上空に飛ばされ、運ばれていくのです。[※2] しかし私たちは、夢の中だけでなく、日常生活においても、地上の位置認識を失うことさえなしに、飛ぶことができるのではないでしょうか。強い風の中を歩いていると、特に高い場所では、まるで飛んでいるかのように感じることが時々ありますし、たぶん私たちは飛んでいるのでしょう。それは爽快な体験です。この飛行機の中で座っている時よりも、丘の上を歩いている時の方が、鳥に、そして空を飛ぶ経験にとても近いと感じることは間違いないのです。では、なぜこのような時には――そのような時に私たちがいつもするように――歩いているのであって、飛んでいる**のではない**と言わなければならないのでしょうか？　なぜ両方を同時に行うことができないのでしょうか？　とぼとぼ歩く私たちの足が大地と交わるのと同じように、私たちの高鳴る肺は、渦巻いている空気と交わっているのではないのでしょうか？　一歩が一歩を追うのと同じように、息は息を追うのではないでしょうか？

たぶん私たちは、歩くことを、二本足で飛行することとみなすべきなのです。つまり、まだ離陸していない飛行方法であると。この意味で、飛ぶことは、航行に匹敵します。船体は波を切り裂き、その帆は風を受けます。それは、水上運行であるのと同時に空中運行でもあるのです。したがって、航行もまた、船乗りの飛び方なのです。そして、このたとえは突飛に思えるかもしれませんが、少なくとも印刷された言葉が到来する以前の時代に行われていた、書くことについても同じことが言えるのかもしれないと、私は思っています。中世の書記官は、自ら書くことと、徒歩旅行者が地形を通過することとの間に、またペンで辿った文字の線と、足で辿った道との間に、関連性を見出しました。歩くことが歩行者の道であるように、書くことは、書記官が飛ぶ道であったのかもしれないのでしょうか？　忘れてはならないのは、書記官は、かつて鳥の翼を飾っていた羽根から作られた羽根ペンを使っていただろうということです。この羽根のおかげで、そのしなやかな痕跡をページ上に残すために、飛ぶのは今となっては作家の手なのです。おそらく、書くことと飛ぶことの類似点は、東洋の伝統的な毛筆書道では、もっと明確に見えてきます。毛筆は、鳥の飛翔や薄雲の形からしばしばインスピレーションを得ています。ここでは、飛んでいる筆が紙をかすめ、乾いた地面の塵の中を通り過ぎる風の渦巻きのように、その痕跡を残します。歩行者の線、航海者の線、そして作家の線は、**すべて飛行の線**です。そして、そのような線の特徴は、たんにそれらが空中にあるというだけでなく、それらが起源と目標の明確化を免れているということでもあるのです。彼らはAからBへではなく、物事の真っ只中を通り抜けます。“to flee”（逃げること）と“to fly”（飛ぶこと）は語源的に同義であり、どちらも“flight”に連結するのは偶然ではありません。

もちろん、今日では、作家は典型的には、もはや書記官や書道家ではなく、言葉の達人であり、その言語の構成は、機械によってページやスクリーンに託されています。しかし私たちはいまだに、タイプされた、あるいは印刷された文書を「原稿」［訳注：原稿（manuscript）とは、manu 手で＋scriptus 書かれたもののこと。ラテン語の「書く」を表す scribere は「引っ掻く」というニュアンスが強く、「原稿」という語には「手で引かれた線」という意味が込められている］と呼びます。**あたかも**、その線が手の飛翔である**かのように**。飛行機の飛行や外洋船の航海について私たちが語る時には、それと同じような希望に満ちた時代錯誤が働いているのです。キーボードで文字を書くことができない――線を引いたり、線を辿ったりするという本来の意味では――ように、厳密には、飛行機で空を飛ぶことも、船で航海することもできないのです。定期便の線は、実際にはAからBに向かいます。船があたかもそれが通過する道に穴を開けるかのように、プロペラで海洋を穿《うが》ちながら進むのは、飛行機——かつてはプロペラで、今ではジェットエンジンを搭載して——が空の中を掘り進んでいくのと全く同じです。一方では水が、他方では空気が、媒体であると同時に克服すべき抵抗であり、このことは、外部の動力源を用いて、その本性とは異なる乱流を誘発することによってなされます。しかし、水の中の魚と空気の中の鳥とでは、動作が全く異なっています。それらの体は、それぞれヒレと翼を備え、媒体に**逆らって**動くのではなく、媒体**とともに**動くように設計されていて、自らのエネルギーを媒体の流体力学と結合させているのです。魚にとっての水や、鳥にとっての空気は、トンネル掘りが固い岩盤にするように執拗に穴を開けなければならない均質な塊ではありません。むしろそれは、渦巻きや上昇温暖気流——海や空の住人たちは、それらを利用して自分の利益に変えます——を生み出すべく動いている物質が織りなす、高度に差別化された質感なのです。

客席の窓から外を見ると、現在地球を覆っている雲の構成の中に、私はこうした質感を見ることができます。それは、さもなくば、私たちには見えないのです。しかし鳥はそれを感じることができるし、グライダーのパイロットや気球乗りもそれを感じることができるのだと私は思います。私自身グライダーにも気球にも乗ったことがないというのは残念なことです。また私は、パラシュートで地上に落下したことも、超軽量飛行機《マイクロライト》を操縦したことも、スカイダイビングというスポーツを楽しんだこともありません。したがって、私にはこれらの問題について書く資格はほとんどありませんし、他の人たちの証言に頼らねばならないのです。一九五九年に、アーティストのピーター・ラニヨンは、風景画の描き方をそれまでよりもっと豊かにするために、グライダー操縦を始めました。ラニヨンは、その一年後に描かれた、彼の最も素晴らしい作品のひとつ「上昇温暖気流」について述べています（図9）。「空気は、海と同じように複雑で骨の折れる活動の、とても確かな世界です。上昇温暖気流自体は、上昇する熱気の流れであり、最終的には、雲に凝縮されます。それは目に見えないし、グライダーのような道具によってしか理解することができません。すべての上昇飛行の基本的な源は上昇温暖気流です[※3]」。しかしこの絵は、グライダーで飛ぶことだけを示しているのではありません。それは、海鳥が断崖絶壁を駆け抜けていく時の上昇も描いています。海鳥たちもまた、岩肌をかき分ける時に風が発生させる複雑な流れに乗らなければなりません。あるいはそれは、上昇気流に乗って上昇した捕食者の鷹が、地上のある場所の真上に居場所を確保して、無防備な獲物を急襲する準備をするために、筋肉と体力を鍛えなければならないことも示しているのです。鷹は、最後にはリラックスして、風に乗って飛んでいきます。鷹は、私たちにはじっとしているように見えても、鷹自身からすれば動いていて、逆に、私たちには動いているよう見えても、じっとしているのです。

気球乗りも同じで、上空に行けば、気球乗りは圧倒的な静けさの感覚を報告します。その飛行船は、風に逆らうのではなく、風とともに動いているので、まるで風がないかのようになります。下には、帽子を手で押さえている人がいるかもしれないのですが、上では、あらゆるものが静か。下では、風があなたを引き裂こうとしていますが、上では、あなたは風の中に浮かぶのです。つまりじっとしているとは、あらゆる要素が調和している動きの完璧な状態なのです。私たちはここで、紀元前五世紀にグレコ・シシリアの哲学者のエンペドクレスによって最初に唱えられた深遠な真理に触れます。エンペドクレスによれば、宇宙は、彼が愛と争いと名づけた、二つの相反する原理の恒久的な対話を通じて形成されます。愛は、その最も純粋な形においては球体です。球体の中では、あらゆる要素が互いに調和していますが、その周囲の表面において争いが起きます。しかし、まさしく争いこそが——球体の各要素を引き離し、それらを混ぜ合わせ、そしてそこから新たな組み合わせを形成することで——私たちの周囲で観察されるあらゆる物質現象を生み出しているのです。当時エンペドクレスは、それぞれ愛と争いの神であるアフロディーテとアレスの姿において自らの原理を具現化するために、神話に訴え

図9　ピーター・ラニヨン(1918-1964)作『熱』1960年
テート・ギャラリー、セント・アイヴス提供

ました。しかし、もし彼が一八世紀から一九世紀にかけて、気球飛行の草創期に生きていたなら、彼は愛の完璧な具現化を気球のうちに見いだしたかもしれませんし、気球をその停泊の状態から快く引っ張り出す風の力の中に、争いの縮図を見たかもしれません。しかし、もっと小規模なスケールのもので注目に値するのが、小さなシャボン玉です。シャボン玉は、その中にはあらゆる静けさと調和がありますが、液体媒体の表面張力によって縛られています。最終的かつ必然的に、争いが広がって、シャボン玉は破裂してしまいます。その液体は地上に落ち、その内なる息吹は空中に消えてしまうのです。

私は飛行機に乗り込んでいて、じっとしていることについて考えています！　それは逆説的なものです。私は、予期せぬ乱気流――強力な大気の力が、媒体の均質性に対する私たちの信頼を揺るがすこれらの不穏な瞬間――に備えてシートベルトをきちんと締めて、完璧なまでにじっと座っているかもしれませんが、それでもずっと落ち着かないのです。手足を動かしたい衝動に駆られながらも、動かすことができず、監禁されているようにじっとしているのを感じています。これは愛ではなく、争いです。ロンドンからシカゴまでできるだけ早く行きたいのですが、時間がかかればかかるほど、私は落ち着かない気持ちになってきます。全く時間がかからないことが、理想的です。しかし私は、浮かんでいる泡や、夏の日に漂うタンポポの時計、太陽の光に照らされた塵粒のことを考えて、落ち着かない心をなだめます。これらの写真などはすべて『High Life』誌の広告ページに掲載されているものです。そしてそれらの写真は、旅の終わりの平和とくつろぎのユートピア――条件としては、もちろん大金の支払いが必要です――を約束しています。これらの写真は、行けないという感覚を強めるだけなのですが、実際の経験や楽しい思い出と共鳴するからこそ、まさに魅力的なのです。たしかにその通りです。私の関心は時々、シャボン玉やタンポポの時計とともにさまよい、その時々に、エンペドクレスが愛として描いた静けさと、調和の意識を感じたのです。しかしこの静けさは、動きの不在ということではありません。絶対に動かないということは、死に等しいのです。生きている体は呼吸をし、心臓が鼓動します。血液はその血管に循環します。このような身体のリズムが私たちの周囲の動きと調和している時に、私たちは静けさを感じるのです。だからこそ、鷹は上昇温暖気流に乗って飛び上がる時に静止し、魚は水の中できょろきょろ動き回る時に静止し、風船は風の吹くままに漂っている時に静止し、私の注意は浮いている泡に心を奪われている時に静止しているのです――泡がはじけてしまうまでの間ですが。

これらが生きていることの静けさであり、強制された静けさというよりもむしろ、調和のとれた音の静けさです。動きに逆らって争うのではなく、動きの中で保持される静けさです。紀元前五〇年頃、ローマの哲学者ティトゥス・ルクレティウス・カルスは、散文詩『物の本質について』の中で、このことを端的に表現しています。

ここでは不思議に思わない
物事の種がすべて
永遠に動いて、全体はまだそのまま
最高に静かだ[※4]

ルクレティウスはエンペドクレスを敬愛しており、エンペドクレスの「自然について」という詩を、自らの説明のモデルとして用いたことさえあるのです。しかしルクレティウスにとって宇宙は、その最も純粋あるいは原初的な形態において、球形ではなく直方体でした。それは、無数の原子から成り、無限の空間と平行に、絶え間なく降ってくるのです。しかしそれらの原子は、少し軌道を変えただけで互いに衝突し、またその衝突の連鎖の中で、無限の物質の順列と事物の組み合わせからなる世界が形成されるのです。しかし私たちは、形を見ているのであって、流れを見ているのではないと、ルクレティウスは主張しました。哲学者のアンリ・ベルクソンは、その二千年後、二〇世紀初頭にこう書いています。

一陣の風に巻きあげられたほこりの渦のように、生きているものは、生命の大きな爆発に支えられて自分自身に向き合う。したがって、それらは、比較的安定しており、動かないふりが上手なので、私たちはそれらの一つ一つを進歩というよりはむしろモノとして扱い、それらの形態の永続性が運動の輪郭にすぎないことを忘れてしまうのである。[*5]

ベルクソンはルクレティウスとともに、生命は動きの中に与えられていると考え、さらには、特定の生物が存在するためには、この動きが向きを変え、それがなければ絶対的に直線的だったコースから逸れることが必要だと確信しているのです。しかしルクレティウスとは違って、ベルクソンはその動きを下向きではなく、上向きであると考えていました。ベルクソンは、気球飛行が全盛であった時代に書いており、「生命の大爆発」と書いた時、彼が熱気球を念頭に置いていた可能性は十分あるのです。

しかし、この旅客機に乗っている私自身はどうなのでしょうか？　確かに私は、生の息吹ではなく、化石燃料を燃やすジェットエンジンの爆音によって浮き上がっています。そして、私の身動きのとれなさは、動きの輪郭というよりも、動きの制約の産物なのです。私は死の爆風に包まれ、誘導ミサイルで目的地に向かって投げ出され、泡とタンポポの時計を夢見ながら……駐機場の車輪の音で不意に目覚めます。飛行機が着陸したのです。私は入国審査の列に並ぶために、よろよろと歩き出しました。ターミナルを出て、外の空気に戻れば、空を飛び始めることができるかもしれないのですよ！

雪の音

気候変動の影響で、かつては当たり前だった寒冷現象が珍しくなってきている今日、それらを表現する語彙を私たちは失いつつあるのではないでしょうか？　こうした疑問から、バスク出身のアーティスト、ミケル・ニエトは、冬のフィンランドを訪れて、雪の音を録音するとともに、それらを、フィンランド語で、それとは異なる状態や性質のための多くの違う言葉に結びつけたのです。このプロジェクトに合わせて、『世界が立てる「しっ」という囁き声』（*A Soft Hiss of This World*：未邦訳）という本にエッセイを寄稿しないかとニエトに誘われて、私は喜んでこの誘いを受け入れました。[※1] その本は、白い背景に白い文字で印刷されており、文字や言葉が、雪の結晶のように静かにページの上に降り積もっているかのようでした。その文字は、ある光の下でしか読むことができないのでした。このエッセイで私は、雪の音について、そしてそれらがフィンランド語やスコットランド語の言語の中でどんなふうに現れているのかについて考えます。

あなたは雪の結晶の音を聞いたことがありますか？　すべての雪の結晶は音なのでしょうか？　それは雨粒のようなものではありません。雨粒は地面を打つと、その形を失うのですが、私たちが聞くのはその音なのです。水たまりや湖に落ちた場合は、ポタポタと小さな音がしますが、実際には、跳ね返りのために、別の雫が瞬間的に形成される音です。草や葉っぱの上にそれが落ちれば、ポタポタと音を立てて、走っていきます。舗装された地面に落ちた場合は、それは飛沫となります。しとしとと降る雨の中では、目を閉じればすべての景観が聞こえ、そのさまざまな表面の質感が音のパターンとして浮かび上がってきます[*2]。しかし雨が雪に変わると、その景観は聞こえなくなるのです。まるで誰かが音を消してしまったかのようです。確かに冬の初雪は、特にその密度において、みぞれに近い状態であれば、雨のようにガラガラと音を立てます。雪は、まだ溶けていなければ、地面を打つことですぐに溶けてしまうのです。しかし地面が凍ってしまうと、溶けなくなります。冷たい剥き出しの表面に落ちた雪片は、落ちた場所に横たわり、羽毛のような形が損なわれないまま、期待に胸を膨らませるのです。いつでも風に拾い上げられて、どこか別の場所に運ばれてしまうことがあるかもしれません。それは、雪片が集まりやすい場所の一つ——ドアの出入り口や木の切り株の風の当たらないところなど——です。

雪の結晶はそれぞれ異なっています。基本的な六角形の形状は一定ですが、雪片は落ちながら形成されるので、ある軌跡が別の軌跡と全く同じだということはありえません。まさにその形でもって、雪片は、その地面への旅を物語っているのです。多くのことが道中で起きます。それは、降着して成長したり、溶けて再凍結したりするか、あるいは他の薄片にくっついて、空に浮かぶ不規則なしみのような、大きな多結晶の集合体を形成したりします。静かな風の中では、あなたはそれらを目で追うことができます。それらの進路は、空気のどんなにわずかな揺らぎに対しても敏感で、ゆっくりかつ不規則であるのと同時に、しばしば上昇したり下降したり、目に見えない流れによってあちこちに跳ね返されます。雨粒——それは、窓ガラスの上のように斜めに落ちない限り、それらを確認できないほどの速さで落ちてきます——とは違って、雪片は地表に落ちようとはしません。地表を掃く風が雪片を運んでくれるので、最終的に着地した時には、地面を叩くのではなく、鋭角に滑空して降りてくるのです。多くの雪片が落ちてくればくるほど、それぞれの雪片は、ほとんど音を立てずに、同じような他の雪片の上に降ってきて、その先行者たちの間に入り込みます。徐々に、気づかないうちに、地上に白いマントルが形成されます。そうすると、地面は——そう思えるのですが——深い眠りに落ちていくのです。すべての音が消されます。沈黙が耳を聞こえなくするのです。風は、ため息をついて木を揺らしたり積もった雪を吹き飛ばしたりするだけです。

ふつう、雪が降っている間は、風が吹けば、体の芯まで冷えることはあっても、空気は特に冷たくありません。これは、冷たい空気と暖かい空気が混ざることで、降水につながるからです。本当の寒さがやって来るのは、雪がやんで、空が晴れ、風が弱まった時です。骨のような渇きと、高気圧における大気は、凍りついた大地の上に重く横たわります。家々や工場の煙突から、煙が垂直に空に向かって上がっていきます。ふたたび、沈黙は圧倒的なほどです。しかしそれは、新雪が降っている時のような、こもった沈黙ではありません。全く反対です。僅かな音——氷が割れ、小枝が折れ、犬の吠える声や人の声——は、何マイルにもわたって響き渡り、ピンで刺すように、沈黙を中断させます。これには、物理的な説明があります。というのは、音は、暖かい空気中では冷たい空気中よりも速く伝わるからです。暖かい空気が上にあり、冷たい空気が下にあると、音波は下に向かって屈折し、そうして、最も遠くの音が私たちの耳に届くのです。私たちはその音波を点の散らばりとして聞くのですが、これは私たちが夜空の星を見る仕方と違っているものではありません。

それは、風が吹いて、チクチクするような静けさが、すべてを呑み込んでしまう大騒ぎに道を譲るまでのことです。横たわっていた場所から雪が手早く準備して、ふたたび漂って上がっていくのです。スコットランドの方言では、この雪の上昇流（erd-drift あるいは yowden-drift）と、下っていくための下降流（cloon-come）を比較するのです。[*3] 吹雪のホワイトアウトの中では、大地と空の区別がつかず、旅人は地平線のない虚無の中に投げ出されます。しかし風が何の助けも借りずに音を出すことはありません。空気を振動させるためには、空気の動きを妨げる、あるいはそらす何かがなくてはなりません。都市に住まう私たちは、冬のヒューヒュー鳴る風から、風が頭上の架線や屋上のアンテナを弾いたり、建物の亀裂や割れ目をすり抜けたりする時のうめき声を連想します。しかし人里から離れて、森や沼地、山の中では、別の音が聞こえてくる。木は木管楽器のように、沼はスネアドラムのように、山は金管楽器のように振る舞うのです。風が吹く時、風が奏者になります。風はフルートのように木々の間を歌い、ドラムのように凍った沼地の葦の原をガタガタ鳴らし、トロンボーンのように山の谷間を吹き抜けるのです。

風こそが雪を、その最初の生、つまり芽吹きつつある雪片としての大気中の生を通じて、発展させていく。しかし雪が定着すると、雪は第二の生、ますます厚い塊となった地面上での生に入ります。この生は、数時間、数日、数ヶ月、移りゆく季節、数年、数百年、数千年を通じて存続しうるのです。雪の塊の下には、過去の時代の証拠が埋もれているかもしれませんが、世界が温暖化し、雪解けが加速するにつれて、それが今になってようやく明るみへと出ようとしています。内部では雪片が固まって氷の塊になります。その塊には、気泡や土の粒が散りばめられています。それは、とりわけ、周囲の温度や、氷の塊が横たわる地面の中の熱交換、さらなる落下による圧縮によりながら、一貫性を保ちつつも絶えず変化するのです。表面の反射特性も同様に変化し、くすんだ暗い色から、白い色合いとまではいかないまでも明るく輝く色まで、多くの色調を生み出しています。そしてその音もまた、ほとんど聞き取れないほどのパチンという音から、凍った氷の弾ける音や破裂する音、雪崩の轟音、それよりも規模は小さいながら、傾斜した屋根から雪のドサッと落ちる音までさまざまです。

雪の表面と密接に関わりながら生きている動物たちは、とりわけその雪の音を聞き、それが自分自身の行動とこすれ合う——雪の下にある食料源にたどり着くために、しばしば掘ったり、削ったり、引っかいたりする——中で、その音を認識します。雪解けと再凍結の繰り返しで、地殻は鉄のように硬くなり、飢えや飢餓を招くことにもなります。冬眠できるならば、賢明な選択は冬眠することです。冬眠すると、春の音で目覚めるまで何も聞こえません。しかし人間にとっては、雪の音はほとんどの場合、動いて進んでいる時に足元から聞こえるものです。霜が降りた雪は、踏むと、その小さな結晶の板が互いに擦れ合って、キーキーと音を立てます。湿った雪は圧縮されるとカサカサと音を立て、最後まで溶け残る深い跡を残します。この跡は、残りの部分がなくなった時に地表にくっきりと表れます。硬くなった表面は、スキーやソリで滑った時には耳障りです。しかし今日、最も大きな音は、スノーモービルの通奏音であり、他の音をすべて掻き消してしまいます。遠くからは、これらの騒々しい機械は、季節外れに唸るブヨのように聞こえ、またそのように見えるのです。

雪の音は、私たちの話し言葉の中に反映されます。ほとんどすべての言語では、天気を表す言葉には、豊かなオノマトペが注ぎ込まれていますが、雪を表す言葉も例外ではありません。例えば、スコットランド語の話者でなくても、glushie（ぬかるみ）の意味を理解することができますし、フィンランド語の話者でなくても、lumi と räntä という二つの単語のどちらが「みぞれ」で、どちらが「雪」なのかを推測するでしょう。英語の単語と同様に、フィンランド語でも、硬い子音と柔らかい子音、尖った母音と丸みを帯びた母音は対照されます。それらは、ガラガラと音を立てるみぞれの滴と、柔らかくささやく雪の結晶の違いを心に呼び覚まします。

しかしこの二つの言語にはある違いがあって、それには、より遠大な射程を持った意義があります。英語では、snow（雪）という言葉には、rain（雨）と同じように空から降ってくるという意味がすでに含まれています。水あるいは水分は、落下するして初めて雨になります。それゆえに、地上であろうと地下であろうと、停止し、流れ、横たわっている水は、雨にはなりません。しかしフィンランド語では、落ちるという観念と落ちるものとは、厳密に分かれています。「空から落ちてくる」という意味の動詞は sataa だけで、空から落ちてくるものはすべて sade です。

その動詞は、その再帰的な対応部分である sattua（「降りかかる」）とともに古代のもので、その起源は時間のかすみの中に失われてしまっています。前者からは収穫を意味する sato が、後者からは物語を意味する satu が派生しています。収穫とは、実際に空から降ってきたわけではないのですが、天候のおかげで、またそれを定めた天の恵みによって、穀物が降ってくることです。物語とは、落ちてきたモノ、つまり起きたことについての記録です。フィンランド語では、雨が降るとか雪が降るとかという言い方はしないのですが、水と雪はたまたま落ちてくることがあります。動詞 sataa の後には、それが水であれ、雪であれ、みぞれであれ、あられであれ、穀物であれ、比喩的な猫や犬であれ、何が落ちているのかを、正確に続けなければなればなりません。したがって、雨はvesisadeであり、雪はlumisadeなのですが、水を表す言葉（vesi）も雪を表す言葉（lumi）も、空から降ってきたことの兆しを含んでいることはありません。水の根本条件が走ることであるように、雪の根本条件は横たわることなのです。

フィンランドのような国では、雪は——水と同じように——第一に、空ではなく大地に属するものです。湖が多く、一年のうち四〜六ヶ月は雪があるのがあたりまえの国では、このことに何の不思議もありません。しかし春に、雪が沈んで溶け、湿った毛布のように崩れると、土地は突然水浸しになり、川が氾濫し、畑がしばしば水浸しになるのです。水は至る所で流れます。しかし極北地域ではどこでもそうであるように、気象パターンが変化しつつあります。季節の変化は以前ほどはっきりしなくなっています。真冬の降雨および真夏の降雪は、もはや例外ではありません。鳥や虫は、不規則に出入りします。未来の冬には、雨音や水音が響いて、夏には鳥や虫の声が聞こえなくなるかもしれないと考えてみると、とても驚かされます。空が、地球をめちゃくちゃにしているように思えます。フィンランド語ではsemmosta sattuu（それが起きていることである）だと言う。それは、私たちに降りかかってくるもの、あるいはスコットランド人ならdoon-comeと発音するだろうものです。騒がしい冬と静かな夏。私たちはそれらに慣れていかなければならないのかもしれません。

地面に逃げ込む

はじめに

見えなくなって、姿を消してしまう最もいい方法とはどのようなものでしょうか？　もしあなたが犯罪者、スパイ、奇術師、あるいはもしかしたら野生動物の写真家であったなら、これは実践上の重大さを持った問題になるかもしれません。あなたは、痕跡を消し、身を潜め、身を隠すように勧められます。何をするにしても、目立つことは避けなければなりません。しかしあなたは当惑しています。物事を隠すこと、高く立つのではなく低くあろうとすること、地に足をつけることとはいったいどういうことなのでしょうか？　答えを得るのは簡単ではありませんが、以下のエッセイで私はいくつかの可能性を試してみます。ここでは、序論として、これらの実験が展開する三つの重要な用語について説明します。つまり、覆い、低さ、地面です。

隠れるための一つの方法は、顔を隠すための仮面や、体を着飾るためのコートで変装をすることです。仮面やコートは覆い隠しますが、本当のあなたがその後ろに残ります。覆われているものはまた、覆いを取ることもできます。しかしあなたの顔や体はどうでしょうか？　それは皮膚で覆われていないのでしょうか？　もし私たちが、皮膚もまた内面の自己を隠す変装であるとみなすのでなければ、覆いは隠すだけでなく明るみに出すこともできるということを私たちは認めなければなりません。顔には仮面と同様に表情があり、体にはコートと同じように労苦があるのです。ある種の覆いは剝ぎ取ることができますが、他のものはきれいに拭き取ったり、消し去ったりすることしかできません。潜入捜査官は、ある種の覆いをあたかも他の種の覆いであるかのように提示することで、覆いの両義性そのものを欺くための手段として利用することができるのです。これが、カモフラージュの策略です。

しかし地面もまた欺くことができます。高いところにいる人からは何かを建てるための堅固なプラットフォームに見えるものは、人間であろうとなかろうと、低いところにいる者にとっては、居住環境全体——建物のためではなくて、住むための地面——に対して開かれています。高いところと低いところは、ここでは別個に現れます。すなわちそれは、エドウィン・アボットの古典的な寓話に登場する、幾何学的な平面の二次元に限定された世界を持つ平地人にとってそうであるように、地上に住まう生き物にとって未知の三次元ではなく、上昇と下降の経験なのです。地面の襞《ひだ》の中に落ち着くと、自らの体が浮いているのを感じます[※1]。ただし――夢の中でそうなるように――落ちると思ったら自分が奈落の底にいることに気づき、やがてちょうど目覚める時に助かるまでは。低く横たわっていることは、生と死を隔てるのがほんの薄い膜でしかないために、軽いこと、かつ注意深く忍び寄ることを意味します。

では、地面**とは**何でしょうか？　すべてのものを支える地盤？　生の場、居住の場？　あるいは、生者と死者の世界の境界線？　これらのもののうちのどれか、あるいはすべてかもしれません。しかし、時間、記憶、忘却についての私たちの考えは、地面が何であるかに依存しています。仮に農夫の鋤《すき》のように、天地を返すことで地面が更新されるとしましょう。そうすれば、時間もまた循環します。現在が下がり、過去が上がってくるのです。埋もれていたものは、それが表面に出てきて、きれいに取り去られるまでは、決して忘れられるようなことなどないでしょう。しかしもし、地面が天地を返されるのではなく、何層にも重ねられていくのであれば、時間は直線的な継起として刻まれるでしょう。層を重ねれば、その前の層は過去の中に深く沈んでいきます。それらがふたたび出てくることはないでしょう。埋もれた過去は、永遠に消えてしまうほど深く沈みこみ、まるでそんなものはなかったかのように忘れ去られてしまうのでしょうか？　これは現在によって提示された問題なのですが、それに答えることができるのは未来だけです。

じゃんけん

地面とはいったい何でしょうか？　辞書によれば、それは、モノや人が立ったり動いたりする表面です。しかしこれでは多くの疑問が残ります。これは、どのような表面なのでしょうか？　一面なのでしょうか、あるいは二面になっているのでしょうか？　それは、地球を覆っているのでしょうか、あるいは覆い尽くしているのでしょうか？　上には何があって、下には何があるのでしょうか？　このような疑問が積み上がってくると、地表——他のあらゆるものの基礎であると私たちがしばしば当たり前のようにみなしているもの——が、ますます謎になってきます。私たちは、どうやってその謎を解いたらいいのでしょうか？

このエッセイのアイデアは、二〇一九年一月に、私の故郷であるアバディーンからオランダのユトレヒトへ向かう旅の途中で生まれました。私は、「記憶研究と物質性」というテーマのセミナーで講演するための旅の途上でした。私は、記憶がどのようにして地面の中に書き込まれるのかについて考察することを約束していたので、インスピレーションを求めていました。お読みいただければわかるように、それは、思いもよらないところからやってきました。このエッセイは、セミナーでの私の発表に基づいています。

Ｉ

地面があるところには、三つのモノが存在するに違いない。一つ目は大地、二つ目は空気あるいは大気、三つ目は成長し、動き回って、生きている存在です。つまり地面とは、これら三つのモノ、すなわち大地、大気、住まう存在が一緒になったものなのです。地面の問題は明らかに、これらが互いにどのように作用し、あるいはどのように影響を被るのかによって決まるのです。そんなことを考えていたら、子どもの古い遊びのことを思い出しました。それは中国で生まれ、少なくとも二〇〇〇年以上の歴史がありますが、今ではたいそう普及しているので、どこの読者にとっても馴染みのあるものだと確信します。そのゲームは、「じゃんけん」と呼ばれています。

二人のプレイヤーが、座ったままあるいは立ったままで、三つの可能な形のうち一つを同時に出します。一つ目は、人差し指と中指を伸ばしてV字型を作ったもので、ハサミを表します。二つ目は、手のひらを平らにして、指を伸ばした状態で、紙を、三つ目は、握った拳で、石を表します。両者が同じ形を出せば、そのラウンドは引き分けですが、そうでなければ、ハサミは紙に、紙は石に、石はハサミに勝つというルールです。このゲームの美しさは、どの手も万能ではないという事実にあります。ハサミは紙を切ることができますが、石には刃が立ちません。紙は石を包むことができるのですが、ハサミには切られます。石はハサミの刃を駄目にしますが、紙には包まれてしまいます。それぞれは、行為する側でもあり、行為される側でもあります――働きかける側でもあり、あるいは、受ける側でもあるのです。やることとやられてしまうことは、循環の中に包み込まれているのです。

合わさって地面を構成する三つのモノも同じではないでしょうか？　住まう者をハサミに、大地を紙に、大気を石に置き換えてみましょう。すると、どうなるでしょうか？　第一に、**住まう者**が移動したり成長したりすることで、大地の布地に印をつけたり、道をつけたり、道を編んだりします。第二に、**大地**は巨大な地形学的な力に壊されて、曲がりくねったり、ゆがめられたり、折れたり、ひび割れたりします。そして第三に、天候すなわち風、嵐、雨などを伴う**大気**、地球の表面を浸食し、住まう者の通った跡や道を消してしまいます。つまり、**刻印**の過程で、住まう者は地球を凌駕します。**噴火**という出来事では、地球が大気を凌駕します。**浸食**の過程では、大気が住まう者の足跡を凌駕します。そのようにして、ハサミ、紙、石のゲームの代わりに、私たちには、刻印、噴火、浸食の循環があるのです。それぞれは異なっており、どれも万能ではありませんが、すべてが地表の継続的な形成に関わっています。それぞれを順番に考えてみましょう。

刻印が進みます。線は、芸術家のパウル・クレーが彼のドローイング練習を「散歩のために」と表現したように、「散歩に出かける」のです[※1]。一枚の紙に、フリーハンドで線を引いてみてください。鉛筆を持つ手の動きは、鉛筆の芯の先が紙の表面に着いた時にはすでに始まっており、それが去った後にも続いていることに気づくでしょう。紙の表面に残るのは、動きの痕跡です。その痕跡は、鉛筆の先が紙に触れている間だけ続くのですが、その動き自体には始まりも終わりもありません。それが住まう者の痕跡です。生命や時間であり、それらはひたすら続いていくだけです。

噴火とは、あなたが線を引いた紙を、両側から一度にスライドさせて、山折りにすることと等しいのです。表面がより硬くて脆い素材であれば、折り目がついたり、あるいは結局は、ひび割れの線に沿って破断したりするかもしれません。褶曲《しゅうきょく》、割れ目、折り目は、もともとの素材自体に内在するストレスやひずみによって引き起こされる表面の妨害です。それらは、すでに刻まれた線にはまったく敬意を払うことはありません。それらはまた、全長にわたって同時に与えられます。これについて証拠が必要だというのであれば、大地震によって引き起こされた亀裂や断層を考えるだけでいいのです。

浸食は、刻印と噴火のどちらとも全く似ていません。鉛筆の線が引かれた紙に戻って、消しゴムを手に取って、こすってみましょう。このことは、「ぬぐい取る」と表現するのが最もふさわしい、前後に揺れる身振りに値します。すべての動きが点に集中して描かれる刻印に比べて、ぬぐい取ることでは動きは、表面上に分散します。ぬぐい取ることは、それが消し去ろうとするあらゆる境界線を常に越えていく。それと同じように、風と雨は、大地をごしごしと洗い流してしまい、住まう者の足跡や痕跡を拭き取るのです。「痕跡は長くは続かない」と、アパッチ〔訳注：北アメリカ南西部の先住民〕に訓練されたニュージャージー州の猟師トム・ブラウンは書いています。「痕跡は徐々に消えていき、乾くにつれて、風は痕跡を容赦ないレベルで吹き飛ばし、地表を横断する痕跡の道を取り除くのです※2」

＝

これらの三つの動きをまとめてみましょう。刻印と浸食から始めて、噴火へと進みます。ふたたび、ページ上の線の運命は、地球上の刻印で何が起こるかについての好例を私たちに与えてくれます。しかし今のこの例は、紙の上に鉛筆で描くことではなく、羊皮紙の上にペンで書いた中世の習慣から来ています。書く素材として、羊皮紙は吸水性に優れています。インクが染み込むのです。今日の大量生産された紙に比べ、羊皮紙は高価なものでした。こうするために、同じ紙を何度も何度も使いまわすことがふつうでした。このため、その表面は、それまでに書いた痕跡が消えてしまうまで、ナイフ――羽ペンを研いだり、罫線を引いたりするのに使われたのと同じもの――で削られたでしょう。でも、完全に消すことはできませんでした。以前の刻印の痕跡は常に残ってしまうのです。部分的に消される前に使われた刻印を負っている羊皮紙の上に書き直すことで、古文書学者が**パリンプセスト**と呼ぶものになります。

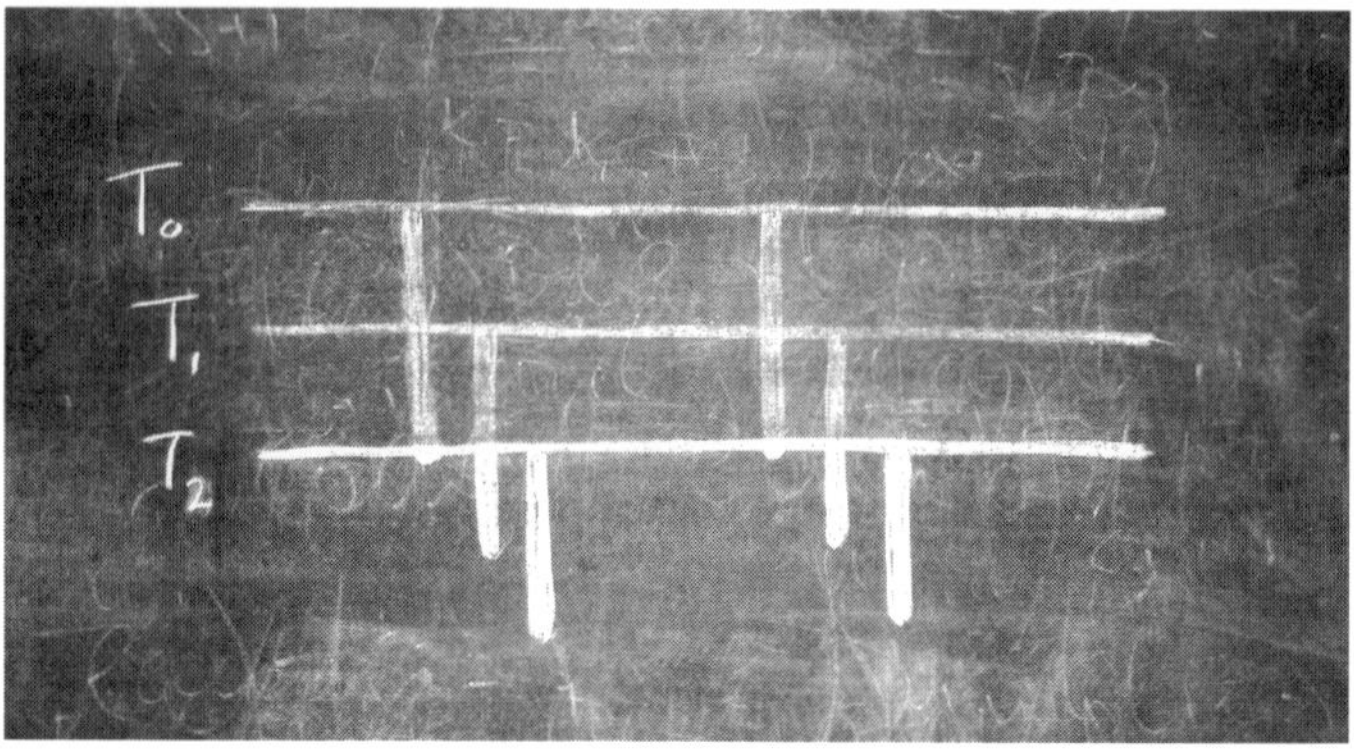

図10　誇張されたパリンプセストの断面図

筆者撮影

パリンプセストで際立っているのは、それが、それ自体の刻印のそれぞれとともに、文字が書かれた層を重ねるのではなく、それらを取り除くことで形成されるということです。その結果、より古い痕跡が表面に浮かび上がり、より新しい痕跡が沈んでしまうのです。これがどのように起きるのかが最もよく分かるのは、図によってです（図10）。この図は、断面を誇張した羊皮紙を示しており、インクの線が、線の太さと同じくらいの幅、インクが羊皮紙の生地に沈むくらいの深さで、垂直方向のマークとして現れています。図の中で、時間T_0に刻まれた二本の線を示しています。その後、T_1の時点で、表面は削られ、古い線の近くに二本の新しい線が刻まれます。同じことがT_2の時点でも行われます。さて、T_2での表面を見て、痕跡に対して何が起きているのかを見てみましょう。T_0からの原初の痕跡は、表面自体にわずかに見えるだけで、羊皮紙がふたたび使用されれば、消えてしまうのは確かでしょう。T_1からの痕跡は、以前よりも浅くなっていますが、まだはっきりしています。すべてのうちで最も深いのは、T_2からの最新の痕跡です。

考古学者や景観史研究者はパリンプセストという概念を採用して、時代を超えて何度も使われ、浸食され、また使われてきた地面のことに言及しました。羊皮紙に刻まれた最古の刻印のように、何世紀も前から足で踏まれてきた最も古い足跡は、今ではその表面にわずかに残っているだけで、消えてしまう寸前です。専門家の目で見なければ、分からないかもしれません。人工的に保存しない限り、天候はそれらをまもなく消し去ってしまうでしょう。それとは対照的に、地形に刻まれたばかりで、まだ大きな浸食を受けていない新しい切り込みは、跡が強く残っています。その間にあるのが歴史的な痕跡で、それは、明らかに天候に叩きのめされて、時にはぼんやりとしてしまっていますが、それでもいまだに容易に認識されます。そのように、羊皮紙の上にあるような土地では、過去は、現在の下に埋もれてしまっているのではなく、実際には表面に最も近いところにあって、現在は、過去を切り取ってしまう一方で、最も深いところまで掘り返しているのです。現在が下降する時でさえも、過去は上昇するのです。これは、重ねることではなく、**天地を返すこと**です。この天地を返すという考えについては、後で戻ってみましょう。しかしまずは、噴火の動きをもう一度導入することによって、絵を完成させる必要があります。

III

これは、空に向かって上昇するように、大地の線ではなく大地それ自体に焦点を当てることです。大地と大気の対話は、地質学的な時間を通じて、大地の噴火の力と大気の浸食の力の間で常になされてきました。その両者の間――大地と大気の間――にあるのが地面です。しかしこの地面は界面《インターフェイス》ではありません。界面とは、その定義によれば、一方の面と他方の面とを隔てると同時に、一方の面と他方の面との間にコミュニケーションのチャネルを提供する、測定可能な厚さのある表面のことです。図11で、私は、もし地面がひとつの界面であれば、地面がどのように見えるのかを、断面図で描いています。図は模式的なものなどではないこと、また、大地と大気の円弧は実際の物理的な境界ではなく（もちろんそんなものは存在しません）、情動的な水平線を示していることにどうか留意してください。

しかし現実には、地面に上も下もありません。それは、大地と大気を隔てるものではありま

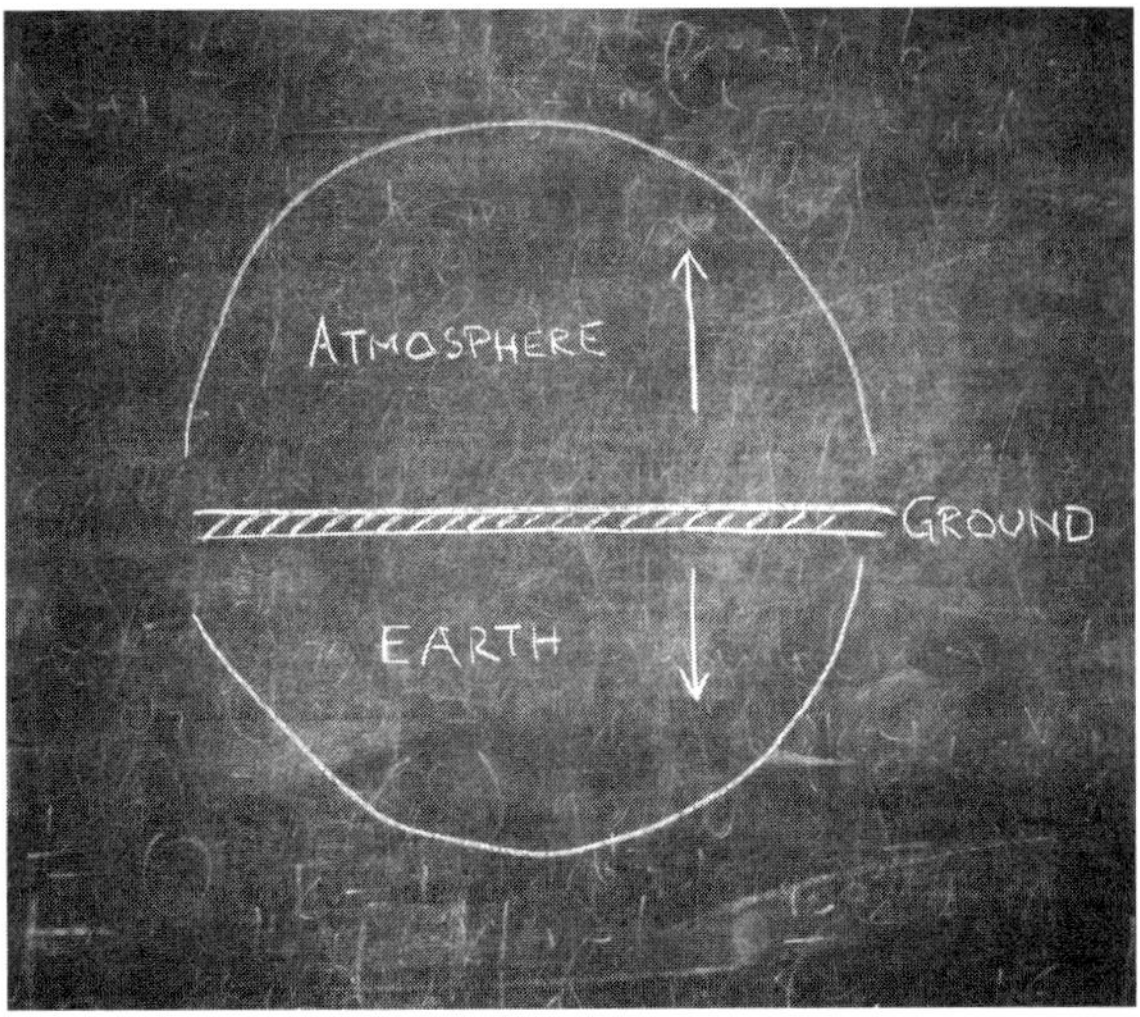

図11　インターフェースとしての地球・大気・地面

筆者撮影

せん。反対に、地面とは両者の相互浸透の域のことです。それは、物質を伴う大地と天候を伴う大気が出合い、永遠の会話を交わす場所です。それは、雨が土と出合って泥になり、風が砂と出合って砂丘になり、雪が氷と出合って表面を真っ白に覆ってしまう場所です。大地の噴火は地面を下の方から突き上げます。大気の浸食は地面を上から削ります。しかし地表には深さはあっても厚さはありません。それを測ろうとすれば、次のことが分かるでしょう。すなわち、下の方から、つまり大気の地平線から出発すれば、どんなに遠くまででも上っていくことができるし、逆に上から、つまり上の方から出発すれば、私たちは岩の底に到達することなしにどこまでも下っていくことができるのです。図12

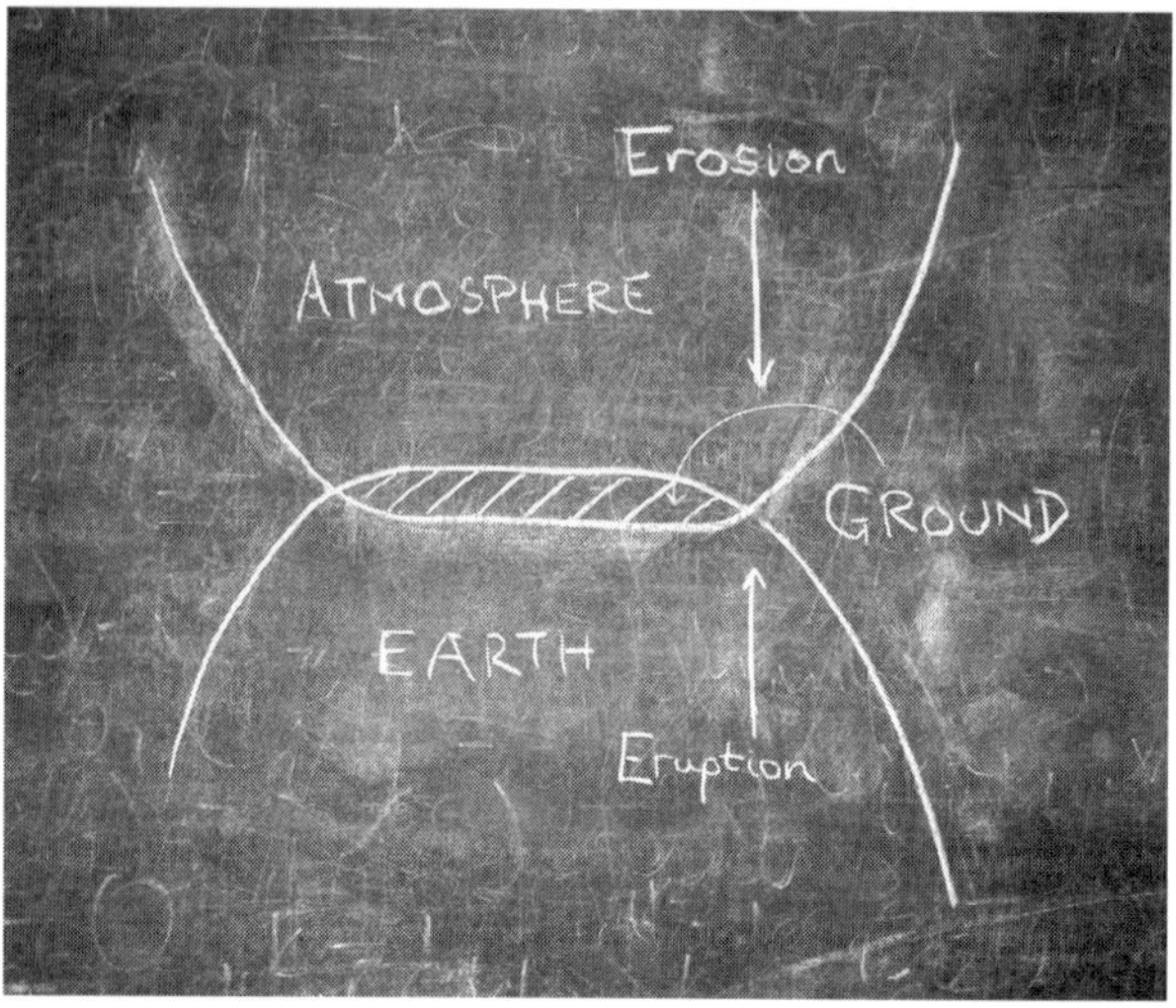

図12　地球と大気の出会う地面

筆者撮影

は――ふたたび模式的に、断面図で――これがどのように見えるのかを表したものです。

草原や森、湿原や山などの風景を観察して、ヴィクトリア朝の美術評論家であり、驚異的な社会思想家でもあったジョン・ラスキンは、大地が「不思議な中間存在のヴェール」に覆われていると考えました。ラスキンは、大地は死んでいて冷たいが、表面では、このヴェールをとおして、住まう者に奉仕していると主張しました。「それは息をしているが声はない。動いているが、決められた場所を離れることはできない。意識なしに生を過ごしている……」[*3]。それは、覆い隠すが覆い**尽くして**しまわないヴェールであり、住まわれることができても、越えることのできない中間存在です。立ち上がれば、ヴェールも上がり、沈めば落ちるのです。地面と同じように、上がったり下がったりするし、通過することはできないのです。

Ⅳ

これで私たちはようやく、天地を返すという考えと、私が始めたじゃんけんのゲームに戻ることができます。住まう者がどのように、ハサミが紙を切るように大地に線を入れていくのか、盛り上がる大地がどのように、紙が石を包むように大気中に膨らんで大地を覆ってしまうのか、大気中の天候がどのように、石がハサミを駄目にするように住まう者の線を削り取っていくのかを見てきました。それらは、組み合わさることで、時の流れとともに回りつづける循環を構成しているのです。地面は循環の中で形成されます。それは、刻印、噴火、浸食が互いに関係し合う運動の中で、天地を返すことの中だけで存在しています。それは、ハサミ、紙、石のいずれにも相当しません。それはむしろ、ゲームそれ自体に等しいのです。

これらのことの一切は、私たちが記憶について考える方法にとって、どのような意味を持つのでしょうか？　あらゆるものが層をなしている——地面、樹木、建物、本、そして人の心さえも何層にもわたって構築されており、それぞれの層は、数値、図形、表など何であれ、それ自体の表記法によってすでに印づけられている——という考えによって、私たち現代人の感性は深く条件づけられています。過去は、そのようにして、現在の半透明性によってのみ見ることができるのです。しかしパリンプセストの論理はそうではないことを教えてくれます。パリンプセストでは、時間が経つと、層は増えるのではなく、すり減ってしまいます。また層を目立たせるには深く傷つけます。パリンプセストと同じように、私たちの最古の記憶が最も深いわけでも、最新の記憶が最も浅いわけでもないのです。それどころか、反対に、過去の最も遠いものが表面に最も近いのです。私たちの心の中にも踏みしめる地面にも、最近の行動や言葉が最も深く焼き付けられている一方で、遠い過去の痕跡は、現在の苦しみの風に掻き消されて、今にも消え入りそうなほど浅いのです。古い道がすっかりかすんでしまって分からなくなっているように、記憶が本当に消えてしまうのはそれが表面に出てきた時なのです。表面に出てきた時に初めて消えるのです。あらかじめ忘れてしまっているのは、不注意にすぎません。

ここには、自分の殺人行為はそれらを地中に埋めれば忘れられるだろうと信じている、どこにでもいるような暴君に対する教訓があります。彼らは、地面を隠蔽物だと想像し、その下に殺人の証拠が永遠に後の世に見つからぬよう隠しておくことができると考えています。これは文字通り、監視と怠慢の両方の意味で、過去を見過ごすことです。しかし、埋められた行為にはその報いがあり、ついに表面に現れ出て、時間という荒廃によってきれいさっぱりとぬぐい取られた時に、それは永久に忘れ去られるのでしょう。

空《アド・コエルム》へ

この作品は、人類学者のフランク・ビレから受け取った、「体積の主権」というトピックに関する短編エッセイ集への寄稿の依頼から始まりました。[※1] この作品集の背景の核となる議論は、近年のテクノロジーの発展により、国民国家が地表と地下の両方で、以前は接近できなかった領域に支配を及ぼし、植民地化しようと主張することが可能になったことでした。主権的な力が、上へ下へと、これまで以上に大きなスケールに達したことで、国家を平面ではなく、三次元のボリュームを占めるものとして再想像することが私たちに求められるようになったのです。

私はそれまで、体積の主権という概念に出合ったことがありませんでした。この概念が、変化する地面についての理解をどのように反映しているのかに惹きつけられ、不思議に思ったので、その挑戦を引き受けました。調査の過程で、少なくとも私にとっては新しい発見が二つありました。ひとつは、ひとえに長い歴史の結果として、「体積《ボリューム》」が、私たちが今日みなしている三次元的な範囲を意味するようになったということです。もうひとつは、空《アド・コエルム》へという由緒ある法的原理です。いずれもこれから見ていく中で説明しますが、それを私は、最初に公刊された版から修正しています。

Cuius est solum, eius est usque ad coelum et ad inferos.
土が誰のものであるにせよ、天国に行くにも地獄に行くにも、それは彼らのものである。

一般にアド・コエルム原則と略称されるこの財産法の原則は、一三世紀のイタリアの法学者アキュルシウスにまで遡ることができます。それは、エドワード一世（一二七二年－一三〇七年）の時代にはイギリスのコモンローに取り入れられました。これは、少なくとも理論的には、私がある土地を所有している場合、その土地は地表だけでなく、上は空気中、下は地中まで、どこまでも行っても私のものであるということを意味しています。しかし現代では、一方で空の旅の到来、他方で地下での採掘や破砕作業によって、個人の所有権の上向きと下向きの両方に関して制限が設けられ、この原則が厳しく試されてきたのです。言ってみれば、地面が身動きできなくなってしまったのです。とはいえ、より大きなスケールで見れば、個人の財産権の箱は、主権国家の箱という、より大きな箱の中に入れ子になっているため、この原則はいまだに適用されています。というのは、現代において国家の管轄権は、単に領土的なものではなく体積的なものであって、個人の権利の限界をはるかに超えた高さと深さにおいて、空域と地下資源の両方に対する権利の主張を含んでいるからです。

要するに、国家の法律は地面に体積を与えているのですが、それはもっぱら、その地面の水平な表面の二次元に対して垂直性という第三の次元を加えることによってです。しかし、それには、より古くからの起源であるという意味があります。農耕地の習慣や慣習の中に埋もれてしまっていますが、地面の表面が**内在的に**ボリュームがあるというものです。こうした意味を見出すのに、上方へであれ下方へであれ、地表から逃れるには及びません。むしろ、それを巻き上げてみたり、その天地を返してみたりしたほうがいいのです。実際、「ボリューム」という言葉は、まさにこのような操作にその語源があります。それは、ラテン語の volvere（転がす）に由来します。かくしてそれは、evolution（発展）や revolution（革命）などの言葉と同義なのです。元来の巻物《ボリューム》は、パピルスや羊皮紙の巻物であり、一般には文字が刻まれています。それを読むためには、巻物は広げられる、あるいは**展《の》ばされる**（evolved）必要があり、そのあとふたたび巻き上げられるか、あるいは**回転させられる**（revolved）のです。後になって、巻物は手書きの写本に、やがて印刷された本に取って代わられました。その結果、ボリュームの意味は、巻物から、今日私たちが知っている三次元の大きさや広がりへと変容していったのです。

写本では、連続した長さの巻物がコンサーティーナ［訳注：軽量の蛇腹楽器の一種］のように折り畳まれてシートの束になっており、それで読者は、巻物を広げるのではなく、そのページをめくり、それぞれの折り目を開いて、前の折り目を閉じるのです。**表**から**裏**へ（recto to verso）ページをめくると、それまで隠されていたものが現れ、開かれていたものが隠されます。すべてのシートには二つの面があるのですが、その間を通過することはできません。一方の面から他方の面へは、「閉じる」と「開く」を同時に行うページをめくる動作によってのみ移動することができるのです。そして読者の手の中や机の上では、写本そのものは決して閉じられることなく、常に開かれている——写本自体が、このことに適しています。それは、現代の新聞のように、その厚さにおいてではなく、そのページの広がりにおいて見られるのです。原稿が印刷された言葉に取って代わられるまで、本はついに閉じられることはありませんでした。印刷された本では、ページは一枚ずつ重ねられ、積み重ねを形成します。本を読むのにページをめくらなければならないことは変わりありませんが、本それ自体が、今となっては、シートの積み重ねでできたモノとして感知されているのです。それは上から下へ、最初から最後へと通して読まれるべきシートの層です。

図13は、開いた写本と閉じた本の図式上の断面を示していて、折ることと積み重ねることの違い、ページをめくることと読み通すことの違いを描いています。現在、本棚から「巻《ボリューム》」と呼ばれるものを取り出す時、いわれているのは層になって積み重ねられたものです。それは、表紙に挟まれた、ひとつの箱という性格を持ったもののようになっています。巻物《ボリューム》は容器となり、言葉がその中身です。ひいては、木の箱のような物質であれ、抽象的な幾何学図形のような理念であれ、あらゆる形のボリュームは、その収容能力の尺度となるのです。そしてそのことによって、ボリュームのあるものはボリューム測定的なものに取って代わられるのです。

さて、話を地面に戻しましょう。それは、巻物に喩えられるのでしょうか？　それは、絨毯のように巻き上げたり広げたりすることができるでしょうか？　絨毯を巻き上げると、下の面が持ち上がって上の面の上になり、上の面はその下になっていることに気づくでしょう。もちろん地面は、そんなふうに転がしたり広げたりすることはできません。しかしそれの天地を返すことはできます。中世の耕作者の立場で考えてみましょう。耕作者は、農業暦の季節の変わ

図13　開架式写本と閉架式書籍の断面図

筆者撮影

り目ごとに地面の天地を返していました。中世の一年には、三つの耕作の期間があったのです。春の作物のための四月、夏の終わりの収穫のための六月、冬の小麦やライ麦のための一〇月です。耕す目的は、地中の栄養豊富な土壌を表面に出し、以前の作物によってすでに栄養が失われた土壌を、残っている雑草や刈り株と一緒に埋めてしまうことです。このように周期的に天地返しをするおかげで、土地は、毎年収穫を続けられるのです。積み重ねるのではなく壊すことによって、深いところを盛り上げ、浅いところを埋めるために、鋤《すき》の刃で切り開いていくことによって、繰り返し再生されるのです。

それこそが、地表を――絨毯や写本のように――体積《ボリューム》のあるものにするのです。それは、天候の変化や作物の栽培などとともに、季節ごとの時間の経過とともにひっくり返る表面であり、現在が下に沈んでいたとしても、過去が立ち上がってくる。これは、栽培の場であるとともに、記憶の場でもあります。ひっくり返ることで、遠い昔に生きた人や起こった出来事の記憶が表面に浮かび上がり、そのようにして、住まう者はあたかも今ここにいるかのように、その記憶に直接関わることができるのです。中世においてはこのように、本は、生きた記憶を助けるものとして読まれていました。本は指で文字をなぞりながら、声に出して読まれたのです。あたかも、ページが過去の声で語りかけ、生き返るかのようでした。それと同じように、地面は、以前の収穫の恩恵とともに、農夫に語りかけるのです。ページ上の言葉のように土の中に植えられた種は、その発芽と成長の中に命を吹き返します。循環のサイクルにしたがって、過去に生まれた豊穣が現在に実を結び、それぞれの季節の作物の繁栄とともに記憶を蘇らせるのです。

しかし体積を箱や容器に変えて、中身を積み重なる層にすると、時間はもはや、地面を巻いたり、折ったり、天地返ししたりしません。時間はむしろ、矢のように連続した地面を、過去から現在へと上向きに、あるいは現在から過去へと下向きに通り抜けるのです。ここでは、あらゆる地面、あらゆる層がそれ独自の同期面を確立する一方で、層は通時的な順序で層を引き継ぎます。過去に到達するには、考古学的な発掘のように掘らなければならないのです。ここでは、記憶はアーカイヴのようなもので、最も古い記録が最も遠くの下に置かれて、積み重ねられる。記録はそこにとどまり、時間が経つにつれて、深く沈んでいく。堆積物として、過去には再生の可能性はありません。それは終わっているのです。再生は、重ね合わせによってのみ可能となります。それぞれの層は、基本的な——水平で、空虚で、硬い——土台だと理解されます。この土台の上で、地図上で表現されるように、あらゆるものが立って、それぞれがその適切な位置に置かれるのです。これは、国家の装置の中で考えられた、領土としての地面です。

国家の目から見れば、地面はひっくり返すためのものではありません。それは、占領するためのものです。その論理は領土的なものです。国家は、農夫のように土地に、あるいは文士のように羊皮紙にその道を刻むのではなく、むしろ、印刷機で文字がシートに押し付けられるように、その主権を上から押し付けるのです。それで、あらゆる新たな刻印が、新しいシート、あるいは新しい地面を必要とするのです。しかし地面自体は、それが領土としてのみ感知されるのであれば、体積はなく、面積だけです。それでは、領土が現在の地面に限定されている国家は、どのようにして体積に対する主権を同時に確立することができるのでしょうか？　それはひとえに、上と下、それぞれ空中と地中で、地表を空間のために確保することによってです。水平の二つの次元に対して、ゼロ地点より上の高さや下の深さという第三の次元を加えることが必要なのです。あらゆる動きは、三次元の抽象的なグリッドの上に置かれます。領域内では、場所から場所へと横切ることができるだけでなく、エレベーターのように、垂直的に上下することもできるのです。

だからこそ、空に突き刺すような建築を目指す建築家や、滑走路を作ろうとしている航空輸送のエンジニア、月にロケットを送ろうとしている宇宙科学者にとって、地面はひっくり返されるべき面ではなく、上昇するための水平な面――グラウンドゼロ――なのです。それは土台や滑走路、あるいは発射台のように、平らで、表面が硬く、障害物などないものです。逆に、石油やガスや鉱物を採掘しようとする探鉱者や、物質の基本的な性質に関する実験を行うためにとても深いところまで行こうとする物理学者にとっては、地面は掘り下げるための平面です。アド・コエルムの創始者たちにとって、天国と地獄、それぞれ神と悪魔の領域であったものが、今やユートピア空間の体積的な区画に分けられています。空中であれ地下であれ、そのような空間は、測量して配分することはできますが、真に住まうことはできないのです。空っぽで特徴がないので、空間には生命が根を張って成長する場所はありません。しかし今日の世界では、時間の革命ではなく、空間の計算にこそ、体積《ボリューム》が生まれるのです。

私たちは浮いているのか?

一七九四年にパリに設立されたパリ工芸博物館は、科学機器や発明品の保存と展示を目的としており、中世のサン=マルタン=デ=シャンの司祭館であったものの中にあります。さまざまな伝説があるのですが、その一つは、かつて修道士たちに水を供給していたと思われる泉や小川について物語っています。そしてそれが、元々この場所に修道院が設置されていた理由なのです。現在でも、通常は立ち入ることのできない建物の一部である礼拝堂の塔の中の敷石から、水が染み出しているのが時々確認されています。

二〇一九年、アーティストのアナイス・トンドゥールと人類学者のジェルマン・ムールマンスは、この場所を選んで、「パリは浮かんでいるか?(Paris flotte-t-il?)」と題するインスタレーションをセッティングしました[※1]。事実とフィクションの境界線上にあるそのインスタレーションは、「水はいったいどこからやって来るのか」という謎を完全に解き明かすべく塔に忍び込んだとされる占い師の奇跡的な旅を、光と音で再現しています。占い師が石を持ち上げると、足元の地面が割れて、突然地球に飲み込まれてしまいます。虚空へと落ちて、パイプやトンネル、小川の迷宮の中に入り込んでいることに気づくのですが、やがて洞窟のような夢の世界に辿り着きます。そこにあったのは、すべてのものがしたたり落ち、にじみ出ている、暗黒の脅威と不気味な美しさを漂わせた世界でした。大地それ自体が液体になっており、その上にある建物は、海洋に浮かぶ船のように漂っているか、岩盤に打ち付けられた杭に支えられているように見えます。下から見ると、この都市は本当に浮いているのでしょうか？

そのインスタレーションでは、逆向きになった潜望鏡が観客に配られます。それを通じて、この水のある地下世界を、あたかも井戸の縦穴のように覗き込んで、占い師の旅に参加するのです。観客は、私たちが地上で暮らしている時には常に当たり前のようにみなしている表面の偶発的な硬さや、住まう者にとって安全で乾燥した環境を設計するのに必要な膨大な努力について、新たな気づきとともに戻ってきます。私自身にとってそれは、地面の意味について改めて考えるきっかけとなり、以下のようなエッセイに繫がりました。これは、インスタレーションに付随するリーフレットの中で依頼され、(フランス語で)出版されたものです。本書のために加筆修正しています。

私の庭の小さな一画には、敷石が敷かれています。これらの石は地面とともにあるのでしょうか? その上に立ったり、その上を歩いたりすることができるし、石はかなりしっかりとした支えを提供しています。努力すれば、それらを持ち上げることもできます。では、その下には何があるのでしょうか? なぜかというと、そこにあるのはきっともう一つの地面だからです! しかし今回出てくるのは土の地面で、舗装の隙間に生えやすい雑草の根が張り巡らされているかもしれません。もしかしたら私は、私が無残にもさらけ出してしまった、ミミズやヤスデなどのさまざまな生き物を発見することもできるかもしれません。地面の**もの**であった敷石は、今では持ち上げられ、積み上げられ、地面**の上の**物体となったのです。しかし雑草にとって、地面はそもそも立つための表面では決してありません。それはむしろ、それらの生き物の成長と形成の環境やマトリックスそのものだったのです。ミミズやヤスデにとっては、地面は住処の表面というよりも媒体なのです。これらの生き物は、地面の上ではなく、地面の中で生活し、動くことに慣れています。地面は、支えとなる土台ではなく、通過の手段なのです。もしあなたがヤスデだったら、足は立つためではなく、穴を掘るために使うでしょう！

舗装された表面は、硬くて頑丈で、下方の大地と上方の空気との接触を遮断します。それは上側と下側を持っています。生命が繁栄するためには、両者の間に通れるような隙間や亀裂がなければなりません。雑草やヤスデ、ハサミムシは、隙間に住まう者です。土という柔らかくてぐにゃぐにゃした地面では対照的に、大地が大気――その光と影、その乱流、その熱と湿度の変化――に向かって開かれています。この開かれた地面は、大地が空を抱くように隆起する場所であり、その穏やかな表面は、二つのものが混ざり合うことによって継続的に形成されています。しかし同じように、開かれている地面、大地の隆起には裏面はありません。それはそれ自体以外の何も覆うことがありません。開かれた地面の穴はくぼみであって、開口部ではありません。そのような地面を――鋤の刃で――壊すことは、大地を刻むことであり、それに縞模様を付けることであって、短冊状に切り刻むことではありません。あなたには、開かれた地面に、つまり穴や谷に落ちていくことはできても、そこから落ちることはできません。柔らかい、開かれた地面に足跡をつけることはできますが、閉鎖された硬い舗装の上では、靴底の汚れを除いて何の痕跡も残すことなく、ただ踏みつけることしかできないのです。

舗装や土のことを考えてみると、私は、すべての地面は、開いたり閉じたり、露出したり被ったりという二重の動きに囚われているのではないかと思います。開放された地面の上に立つことや落ちることは、地面の抱擁に抱かれることであり、その計り知れない深さを感じることです。地面が提供する支えは、無条件に与えられます。しかし閉じている地面の深さは、表面においては感じられません。それは、上方と下方の間で、地殻の厚みの中に与えられた、一定の深さです。さらにそれは、その構成材料の耐荷重に依存する、条件付きの支えしか提供しません。氷のように、もし上に置かれたものの重さに耐えられないほど薄ければ、それは崩れてしまうかもしれません。しかし正確に二重になっているからこそ、地面は欺くことができます。疑うことを知らない住まう者たちは、大地の支えを確信する一方で、その下のくぼんだ空洞には気づかないままで、開けた場所を歩き回るかもしれません。突然現れた陥没穴が住まう者たちをとらえ、サン＝マルタン＝デ＝シャンの占い師のように、彼らはそれまで全くその存在に気づかなかった地下世界へと落とされてしまうのです。この地下世界にもまたその地面があり、そこでは下層の地面が隆起して、その大気に接します。しかしそのような世界に住まう者にとって大気であるものとは、私たちにとっての大地なのです。彼らが動き、呼吸することを可能にするものは、私たちの世界では、動かなくなったり、窒息したり、死んでしまうことにもなる前兆になるでしょう。

実際、何が起きようとも地面は私たちの生を築くための安全な基盤を提供するという確信に安心し切って自分の仕事をしていても、私たちはそれにもかかわらず死すべき運命という化け物につきまとわれているのです――地面は、生と死、上と下、この世と冥界の間に吊るされた、最も薄い地殻に過ぎないのだという恐怖に。生においては住まう者たちを包み込むように開いているまさにその地面が、死においては彼らを閉じ込めてしまう。この開放と閉鎖の二重の動きの中に、人間特有の埋葬の技術があります。遺体を埋葬する時、まず大地を開き、その真っ只中に遺体を安置し、その後、板を敷いてそれを閉じます。最初遺体は地面の中に置かれるのですが、最終的にそれは地面の下に埋葬されるのです。やがてその場所には植物が生え、土の層が形成されるようになり、ついには、その場所を示す小さなこぶや石があるだけで、その墓はその周囲と見分けがつかなくなってしまいます。埋葬部屋は、地表からの掘削によってそれが壊されるまで、隠されたままです。それは、詮索好きな人の目から隠されているからというだけではなく、地表では地球がふたたび空に接するために隆起しているように見えるからです。すべてのものは自然にさらされているように見えるし、また感じられます。隠蔽されているような気配などありません。

それでも私たちは、本物の喪失によってではなく、怠慢と不注意から生まれる忘却によって騙されているのです。埋もれた過去は、本当の意味で忘れられることはありませんが、誤って忘れられることがあります。本当に忘れられた過去は、表面に出てきても無になるだけですが、埋もれた過去を忘れることは、地面が私たちに仕掛けてくる錯覚に陥ることです――つまり、その上の面と下の面を持つ閉ざされた地面を、どちらも持たない開かれた地面だと勘違いすることです。現実でもフィクションでも、その欺瞞《ぎまん》に加担する努力は、数多くなされてきました。ジェームズ・ボンドの映画『００７は二度死ぬ』のクライマックスで、火山のクレーターにある自然の湖のように見えたものが、スライド式の金属製の屋根で、ロケットを宇宙に送り込む大洞窟での作戦を隠していることが分かります。壮観なスケールではありませんが、アバディーン市のプランナーは最近、市の中心部に芝生、噴水、樹木を備えた都市庭園を提案し、主要道路、鉄道路線と駐車場を屋根で覆うことにしました。実現しなかったこの計画の公告では、幸せにのんびりと過ごしている市民たちが、この牧歌的な景観の中をあてもなく歩き回っている姿が描かれていたのですが、その下には交通機関のエンジン音や、淀んだ空気に排気ガスが満ちていることに市民たちは気づかないのです。

今日、原子力技術による放射性廃棄物を、使用されていない坑道の奥深くに埋める計画が進行中の国がいくつかあります。この計画では、廃棄物が原初の森林に戻り、野生動物の天国になると計画されている土地で、住民たちに知られることなく、何千年もかけて朽ちていくべく放置されるのです。地面に住み、開放的な空気を吸っている表面の人たちは、下から陰湿に浸透してくる毒のことを知らないでしょう。記録も残らないし、将来の調査で明らかになる秘密もありません。

しかし今日のテクノクラートが、そのような巨大な欺瞞を来るべき世代に対して行おうとするのなら、過去の世代によって私たちにどのようなごまかしが仕掛けられてきたのか、我々は何も知らないことになるのではないでしょうか？　現在の堆積物は、今は砂漠の砂に埋もれてしまった今日の古代都市のように、忘れ去られてしまうことはないのでしょうか？　私たちは、大地と空の間の開けた場所で、その下にあるものを忘れて生きることを運命づけられているのでしょうか？　あるいは、パリ工芸博物館の地下のように、人間の産業の遺物や残骸と混じり合う地下世界のガラスの天井の上を、死者の魂が漂うことを運命づけられているのでしょうか？　私たちは地上にいるのでしょうか、それとも浮いているのでしょうか？　私たちの使命は、この二つの間を行き来することであるように思えます。

シェルター

　アーティストのティム・ノウルズは、ロンドンの不動産価格の高騰やホームレスの増加にイライラしていて、全く異なる環境であるスコットランドの高地でシェルターを見つける可能性を探ることを思いつきました。一見したところ人を寄せ付けないような環境に、別の住まい方のヒントがあるのではないでしょうか？　その地域は、小作人が大量に追い出された結果、歴史的に過疎化に見舞われ、たくさんの捨てられた建物が残されて、今ではほとんど廃墟のようです。今日、自由に歩き回る権利は、レクリエーションや運動のための土地利用を奨励していますが、これは、現地に所有者のいない私有地――こうした私有地はライチョウ狩りのために管理されています――の中に広大な地域が囲い込まれつづけていることと緊張関係にあります。このような風景の中に隠れたシェルターのネットワークを作り上げようとして、ノウルズは、自然の力に立ち向かうだけでなく、攻撃性を秘めた猟場番人の目を盗んで活動しなければなりませんでした。スコットランドでは、シェルターは**ハウフ**（howff）で、文字通り隠れ家であり、身体が気づかれずに通過できる場所であると同時に、その存在を周囲の環境に沁み込ませる場所です。ノウルズのプロジェクトでは、すべての**ハウフ**が、風景の中で最小限の主張を行う彫刻的介入として、彼自身にしかわからない場所に置かれていました。しかし彼は、このプロジェクトに付随する出版物の中で経験を共有してくれることになり、私はその出版物への寄稿を依頼されました。[※1] その結果が、「シェルター」をテーマにしたこのエッセイです。

シェルターは、人間の基本的なニーズであると私たちは考えます。しかしこのことは多くの疑問を喚起します。それは、人間に特有のものなのでしょうか、あるいは他種の動物にも共通するものなのでしょうか？　人間は、正確には、何から身を守るのでしょうか？　それはどのような手段で？　多くの人たちにとって、シェルターについて考えて最初に思い浮かぶのは、間違いなく、天候のことではないでしょうか。私たちは、バスを待ちながら土砂降りの雨をしのぎ、壁の陰に身を寄せて厳しい風をしのぎ、差し掛け小屋の火の前で身を暖めて寒さをしのぎ、海岸でパラソルの下に座って日差しをしのぎます。人間存在は、風雨や雪、氷点下の気温、あるいは太陽の照り返しや猛暑に耐える術を元からしっかりと備えているわけではありません。私たちは簡単に風邪を引くし、熱中症にもなります。嵐、洪水、旱魃《かんばつ》は人の命を危険にさらします。人の命だけでなく、飼い主である人間の保護に慣れ親しんで育った多くの家畜の命もです。

それに対して、人間の保護圏内の外で生きる非人間の動物たちにとって、天候は一般的にそれほど危険ではありません。大体において、彼らはしっかりと適応して天候に耐えることができます。彼らにとって、主な危険は気象の力ではなく、他の生き物に由来するものです。捕食者ではなく獲物が、シェルターを最も必要とします。小さな動物であれば、大きな敵の手の届かない、隙間や穴に隠れることができます。あるいは、ぴくりともせずに周囲の環境と区別がつかないようにして、平坦に見える場所で身を隠し、カモフラージュすることができます。しかしいずれの選択も、有蹄《ゆうてい》類の群れのような大型動物にとっては現実的ではありません。彼らは数の多さに、そして迅速に逃走する能力という最終手段に、安全性を見出す傾向があります。人間は中程度の体格で相対的に足が遅いため、肉食動物から逃げ切ることはほとんどできませんし、捕食者が到達できない隙間に入ることも簡単にはできません。しかし人間の切り札は、いろいろなものを現にある状態とは別の形に配置したり、手元にあるものを窮状に応じて再調整したりする類まれな能力です。窮地を脱するのにいつも頼りになるのはそのことです。

かつては、熊や狼、虎などの大型の肉食動物は、人間にとって重大な危険でした。現在では、これらの動物の生息地は、ほとんど人里離れた人口の疎《まば》らな地域に制限されており、彼らはもはやかつてのような脅威ではありません。人間にとって、いつの時代もそれよりはるかに大きな脅威だったのは、仲間の人間に由来する脅威でした。実際、「シェルター」という言葉は、古英語の「shield（盾）」に由来しているといういくつかの証拠があり、もっと具体的に言えば、ある種の壁を作るために組み合わされた、多くの盾からなる戦闘のフォーメーションに由来しています。時が経つにつれ、シェルターは、それを圧倒するための攻撃技術とともに進化してきました。中世の要塞の強固な壁は、大砲の砲撃に耐えられるように厚くなりました。その一方で、過去一〇〇年の間に、世界各地で人々は空爆から避難することを余儀なくされてきました。同じ人間という種がもたらす、空から降り注ぐ花火のような脅威は、防空壕から地下トンネル、核避難壕にいたるまで、さまざまなシェルターがなければ無防備である人間たちを、自然光や新鮮な空気の届かない地下深くへと追いやってきたのです。死と破壊が地表に訪れる戦時において、生きている者は、地上で起こっている騒乱を感知しない地下の隠し場所に、シェルターを見つけなければならないのです。

しかし掘り下げたり、防御用の建造物を造ったりする以外に、シェルター――必ずしも天候からではなく、不快な作用の数々から身を守るための――を手に入れるもうひとつの方法があります。それは、**隠れ家**を設計することです。隠れ家は、要塞とは逆の原理で機能します。それは、外部から向けられた猛攻撃に耐えられるよう設計された抵抗の構造ではなく、すでにそこにある環境の特性が供給するものは何でも活用する、脆い寄せ集めです。あるいは――仮にこれから何かを構築するのであれば――すぐに手に入る軽量の材料を用いる寄せ集めです。これらの材料は周囲にあるものと実質的にほとんど見分けがつかず、景観の特性に最小限の改変を加えれば隠れ家になります。まさしくそれゆえに、隠れ家を見抜くのは難しいのです。そしてこの不可視性こそが、住まう者たちにとって最大の保護となります。口語で言えば、彼らは「地に足をつける」のです。地面が、住まう者たちに隠れ場所やシェルターを提供するのは、まさにそれが、他のすべてのものが依拠している堅固で特徴のないプラットフォームではなく、複雑に折り畳まれていたり、くしゃくしゃになったりした多量の異質な物質であるからなのです。つまり身を隠すとは、揺りかごにそうするように、折り目に体をうずめることであり、付け加えるものは最低限にして、現存する特性を取り込むことなのです。それは、岩の裂け目や張り出し、樹木の天蓋の中の隙間、あるいは大地のくぼみです（図14）。しかし、揺りかごに辿り着き、身を横たえるために、そこに住まう者は、年を重ねるごとにできなくなっていく、身体の柔軟性の必要な動作を実行し、登ったりねじったり這ったりしなければなりません。

しかし身を隠す以外にも、隠れるための別の、あるいは追加の方法として、地面を避難場所としてではなく、偽装のために用いる、「正体を隠す」という方法があります。これが、カモフラージュという手口です。カモフラージュは、見ている者にある種の表面を別のものと受け取らせることで機能します。私たちは、表面を、下にあるものを覆い、上にあるものから分離している層として考える傾向にあります。しかし地面とは本来そういうものではありません。それは、空に向かって開いているだけでなく、無限の深さでもあるのです。**中に**入ることはできても、**中を**通ることはできません。上には植物が生い茂り、それを私たちは絨毯になぞらえることができます。しかし絨毯なら持ち上げてその裏側を見せることができるのですが、地面はそうはいかないことを私たちは知っています。地面には裏表がないのです。それは、覆うものであって、**隠す**ものではないのです。カモフラージュという手口は、本当は絨毯のように上の面と下の面がある、層状の表面であるものを、それ自身のみを覆っている大地の深い表面の

図14　岩の張り出し部分にあるシェルター

写真は作家ティム・ノウズ提供

ごときものであるかのように装うことです。そのようにして、兵士は、彼の周囲の環境と同じような斑点のある色の衣装を着て、顔に泥を塗るので、消えたように見えるのです。これと同じようにハンターは、森の地表に散らばっているのと区別できない、葉っぱ、棒、枝で作られた隠れ場所の内側に身を隠すことができます。

シェルターは、いわば反転した罠です。シェルターも罠も、どちらも策略という要素を含んでいます。罠は、無防備な被害者を誘惑して、たぶん餌という報酬でその囲いの中に入り込ませ、隠された扉をピシャッと閉めることによって機能します。あるいはそれは、油断している者をだまして、固い地面のように見えるところを踏ませ、その下に隠された穴に落としてしまいます。シェルターに入る時も、これと同じように秘密の抜け穴や出入り口を抜けていくと、それが後ろで閉まってしまうことがありますが、この場合は騙されたわけではありません。罠は外部の機関によって仕掛けられ、あなたを落っこちたり捕まったりする危険に晒すのですが、シェルターの場合は逆です。あなたこそが仕掛け人となってわざとそこに入るのであって、その時、策略はあなたの権限にもとづいて実行されるのです。しかしシェルターは、その最も内側の部屋でさえ、外部に向かって開かれています。それは命を確保するものなのですが、コンテナではありません。体が呼吸をすることで生きているように、そこに住まう者は出たり入っ

図15　ドアを開けた樽型シェルター

写真は作家ティム・ノウルズ提供

たりしなければなりません。長い間その中にいることはできません。住まいは一時的なものです。大地と空の開かれた世界の中で、シェルターと露出とは常に入れ替わるのです。

だからこそ、たとえ人が、外見上は大地を装った隠し扉を通って侵入しなければならないとしても、中に入ることを意味あることにするためには、シェルターは常にドアの外側にとどまっているべきなのです。これは、開かれた場所の見かけを壁の内側に再構築しようとする近代の内的な空間——あたかも生活に必要なものがすでに備わっているかのような、人工的な世界——とは対照的です（図15）。なぜなら、シェルターの扉や覆いは、大地と空の境界に立っているのであって、大地＝空世界とその内側に再建されたものの間に立っているのではないからです。現代の家の中でシェルターを見つけることは、かくれんぼのようなごっこ遊びであり、家具が岩場の避難所の代わり、カーテンが植物の覆いの代わりとなります。しかし屋外では、かくれんぼは現実に行われます。身を隠すあるいは隠れること、露わにしないことは、環境が与えてくれるものを、身を守るために最大限に利用することです。シェルターを探している者たちは、それゆえに、これまで以上に環境のアフォーダンス［訳注：環境が与えてくれるもののこと］に注意を払わなければなりません。彼あるいは彼女は、孤独なのかもしれませんが、この孤独は決して孤立することではありません。なぜなら、それは、周囲の環境に対する高度な知覚による注意深さ、すなわち同じような状況に置かれている他の人々に対して、深くかつ思いやりのある仲間意識を持つことへと広げていくことができる注意力に根ざしているからです。

逃亡者、当局から逃げる無法者、不正な地主に雇われて猟場番人から逃れる密猟者などの認識は、こうしたものです。彼らは、身を隠すべき相手についての知恵を働かせ、手元にあるものであれば何でも即興で用い、自分の動きについてはほとんどあるいは全く目に見える痕跡を残さないのです。私たちは、そのような姿をロマンティックに描き出し、自然の中で生活する上での彼らの知識・技術を賞賛し、彼らの知恵と工夫を見習い、彼らの温かい仲間意識を讃えたいと思っています。しかしそれでは、歴史を通じて、人々を家や土地、国から追い出してきた抑圧の力に対して盲目になってしまいます。シェルターを求めるのは、常に弱者や傷ついた者であり、強者や力を持った者ではありません。主人は、自らの家の中にシェルターを求めることはありませんが、慈善事業として貧乏人にはそれを提供するかもしれません。シェルターは、それを求める人においては剝奪《はくだつ》を、そしてそれを提供する人においては寛大さを意味します。今日、シェルターを求める人たちは主に、ホームレス、薬物乱用、家庭内暴力、政治的・宗教的迫害、戦争のもたらす栄枯盛衰などについて語ります。シェルターは人間の普遍的なニーズであると私たちが宣言する時には、ニーズの世界は力の諸関係によって構造化されており、ニーズはすべての人に平等に生じるわけではない、ということを覚えておくのがよいでしょう。

時間をつぶす

私は最近、台湾の著名なアーティストである謝徳慶《シェダアチン》にお会いする喜ばしい機会がありました。謝の作品は、二〇一六年のヴェネチア・ビエンナーレの台湾館でテーマとなったもので、私は謝自身を含むパネルに招待され、それについて考察することになったのです。作品は、私にとって新しいものでした——それまで謝や彼のアートに触れたことがなかったのです——が、テーマはそうではありませんでした。それは、時間と生、そして両者の繋がりについてでした。しかし、その作品を考察することで、今まで考えもしなかった方法で、このテーマについて考えることができました。ペンシルヴァニア大学デザイン学部の発行する、ランドスケープ・アーキテクチャーの学際的な雑誌「LA+」の「時間」をテーマにした号に寄稿するよう誘われたおかげで、私はこれらの考えを紙に書き留める機会を与えられたのです。[※1]

謝徳慶の物語は普通のものではありません。そのことは、ヴェネツィアの展覧会訪問と、作家でありキュレーターでもあるエイドリアン・ヒースフィールドによって編纂された、謝の人生と作品に関する包括的な書籍『Out of Now』を読んで分かりました。※2 一九六六年、権威主義的な父親と息子を溺愛する母のもと、中流階級の大家族の息子として育った彼が、一六歳で高校をドロップアウトし、絵を描き始めるようになった時のこと。一九七三年、兵役を終えて初めての個展を開いた後、突然絵を描くのをやめ、二階の窓から下の固い舗道に飛び降り、最初のパフォーマンス作品を作って両足首を骨折し、その後の人生で絶えず続く痛みが残った時のこと。一九七四年、デラウェア川に係留されていたオイルタンカーの舷側から脱出し、マンハッタンに出かけて行って、そこで不法移民としてレストランや建設現場で働きながら暮らし、自身が経験していた孤立感や疎外感は、それ自体がアートの形になるのではないかと考えるようになったこと。こうしたことがどんなふうだったのか、私はこの本から知りました。

その後六つの作品が作られ、それぞれ、追求の粘り強さ、および明らかな目的のなさの点で、特記すべきものでした。一九七八年から七九年にかけて制作された一作目で、ニューヨークの自分のロフトで松ぼっくりの小さな檻を作り、そこにはベッドと流し台とバケツがあるだけだったのですが、彼はその中でちょうど一年間生活しました。仲間もいなければ、場合によって見ることを許されている観客の存在も認めず、会話も読み書きもしなかったのです。友人が食べ物を持ってきてくれたり、バケツを空にしてくれたりしましたが、それがすべてでした。毎日、彼は壁を引っ搔いて線を引き、三六五日後にふたたび外に出たのです。続く一九八〇年から八一年のちょうど一年間続いた二作目で謝は、工場のタイムカードを毎時、二四時間、一年中、押しつづけるという課題を自分自身に課しました。タイムカードを押すごとに、彼は制服を着て、直立している自身の写真を撮ってフレームのコマに収めたのです（図16）。わずか一三三回押し間違えただけで、正しいものと認められた八六二六枚のタイムカードと、それと同じ数の写真フレームができあがりました。それらの写真フレームのコマは、シネマトグラフで高速に連続して上映され、一年間の驚異的な映像記録となりました。

この試練を終えてからわずか半年後、謝は三回目となる一年間のパフォーマンスを開始しました。そのパフォーマンスでは、ニューヨークの街中で外に出てまるまる時間を過ごし——彼の意図の発表によれば——、「建物、地下鉄、電車、車、飛行機、船、洞窟、テント」に入ることを拒否したのです。持ち物は寝袋だけでした。彼は毎日、自分の動きを市街地図に書き込みました。一九八一年から八二年にかけての冬は、記録上、最も寒い冬の一つで、その間イー

図16　時間の時計を刻む　1980-1981年の1年間のパフォーマンス
写真：マイクル・シェン

ストリバーが凍るほどだったので、極限的なまでに困り果てた状態だったのです。しかし、一度だけ謝が誓いを破らざるを得なかったのは、一般人との口論で逮捕され、一五時間にわたって勾留された時でした。この三つ目の試練を終えて、約九ヵ月後に謝は四つ目の試練に挑んだのです。今度は、アーティストのリンダ・モンターノとの共同作業でした。一九八三年から八四年にかけて一年間、彼らは二メートル半のロープで腰と腰をつないで、互いに接触することなく、一緒に暮らそうと試みたのです。その関係性が決して調和的でなかったことを、私たちは知っています。もしかしたらそれは、互いにとって自滅的なものだったのかもしれません。いずれにせよ、それが五作目のきっかけとなったのですが、一九八五年から八六年には、彼はその時にも一年間、今後はアートとの関わりを持つすべてのことを控えたのです。彼はそれをしない、それについて話さない、それを見ないし読まない、ギャラリーにも美術館にも行かないというのです。「私はただ生を歩むだけだ」と彼は宣言しました。彼は、最後の放棄行動として、六番目の作品、「一三年計画」をこしらえたのです。それは、一九八六年の大晦日から始めて、千年紀の変わり目に終えたのですが、その間彼は完全に姿を消したのでした［訳注：一九八六年大晦日から一九九九年大晦日までの一三年間のこと］。その最後に彼はふたたび姿を現して、「私は自分を生かしておいた」と簡潔に宣言したのです。

これはいったいどんな生だったのでしょうか？　そして、なぜ謝はこれほどまでに時の流れにこだわったのでしょうか？

檻の中にいたり、時計のそばでポーズをとったり、街中をうろついていたり、無愛想な仲間に縛りつけられている謝の写真を見ても、生を楽しんでいるという印象を得ることはできないでしょう。彼の表情は、退屈と疲労の間を行ったり来たりしながら、不機嫌と陰鬱を示しています。目を輝かせることもなければ、笑顔のかけらもありません。私の驚きを想像してみてほしい。初めて彼に会った時には――私と同じくらいの年齢で、その時は六〇代後半――、笑う目といたずら好きの笑顔で迎えてくれたのです。私は思ったのです。この作品にはユーモアがあるのだろうかと。それは、魂を高揚させるのでしょうか？　私たちが写真の中に見ているものは、私たちの多くが夢見ながらも決して手に入れることのできない、ある種の自由を見つけた男の抜け殻に他ならないのではないでしょうか？　私にとっては、これこそがその作品の問いかけていることでした。それほど拘束的で、圧迫的で、単調で、進歩の可能性のない体制を自らに課すことで、人間の精神を実際に解放して、生の充実に向かわせることができるのでしょうか？

多くの人にとって、謝の作品は自己中心的な無意味さのレッスンです。一九八一年四月に届いた匿名の応答者《コレスポンデント》からの手紙には、このことが次のように書かれています。「世界をより住みやすい場所にするために教育と知性を活用している私たちは、粗野な自己展示に対するあなたの愚かさと世間からの注目におびえています。アーティストなんだって？　うげっ！」。この応答者《コレスポンダント》によれば——そして間違いなく同じ考えを持つ大多数の人たちによれば——、生は、何か生産的な目的のために捧げられるべきなのです。生は、世界を構築することであるべきなのです。人生の価値は、この説明によれば、その到達点によって測られます。人類の功績に何の貢献もしない時間は、無駄な時間なのです。しかし謝のアーティストとしての生の価値を測る六つの作品は、何も達成していません。自らに課されたそれぞれの苦難の期間の終わりに、彼が自分自身に言えることは続けてきた、ただ生きているということだけです。彼の努力を示すものは他には何もありません。それは、ほとんど定義通りの、時間の浪費です。謝自身がそう思っているのは間違いありません。「私は時間を無駄にすることに一生懸命になっている」と彼は宣言するのです。

しかし、こうしたことすべてを通じて、彼は生きつづけてきたのです。生きるとは、時間の無駄なのでしょうか？　地球上に住まうすべての動物は、生きる目的もなく、ただ生きているだけで、時間を無駄にしているのでしょうか？　そう、そのとおりなのです。謝によれば、彼にとって無駄とはポジティブなものです。それは、損失や破壊ではなく、自由や成長の約束そのものを示しています。目的や目標からなる専制や、時計による時間の規制、構築された環境と壁による囲い込みがもたらす、硬い舗装による空間の規制から解放されて、想像力は、換気扇を通る空気や漏れたパイプを通る水のように、隙間から逃げ出すことができるのです。謝は、一九七三年の初期の作品で、道路補修というありふれた過程で舗装された地面の上にこぼれるタールの筋や流れを写真撮影し始めた時に、すでにこのことに触れていました。これは、無駄にされたタール――しっかり舗装された道路の硬い表面を浸すタールなのです。しかしその液状の筋や渦巻きの中で、タールは命を与えられたのです。時間をタールに置き換えると、謝のそれ以降の作品の本質をつかむことができます。彼にとって、命を与えられた時間とは、逃げる時間です。目的のない時間、運命のない時間なのです。謝は、どんなふうして、時間を運命から解き放つこと［訳注：原文は「時間の行き先を定めないこと un-destining of time」である］の中に自由が見出されるかを私たちに示してくれるのです。

しかしそれは、簡単なことではありません。浮いたままでいる――人生を制御し、自由を法と理性の規律に従わせようとする物理的、社会的、制度的な構造に囚われることから逃れる――には、膨大な意志の努力が必要です。それこそが、「作品の制作中に時間を無駄にしたことが大変だった」と言う時に、謝が言わんとしていることです。意志の力が不十分だったり、あるいは逆行する力の数々に圧倒されたりすれば、その後の結果は破滅的なものとなります。謝はこのことを初期の「ジャンプ・ピース」からすでに苦労して学んでいましたが、彼はこの作品が全くの愚行であったと今では手放しで認めています。二階の窓から身を投げた時、彼はいったい何を考えていたのでしょうか？　重力に逆らうことができると、彼は本当に信じていたのでしょうか？　ここでは逃走線は、都市を構成する硬い表面によって無惨にも断ち切られたのです。謝がニューヨークで浮浪者として暮らしていた時、法律に触れてしまったのですが、その時も強制的な逮捕と勾留という形式の、同じように残酷な中断によって一時的に脅かされたのです。生は、彼の経験が私たちに示すように、一本の糸によってぶら下がっています。舗装の上を流れるあのタールの筋のように、その線は脆く繊細です。そのため、細心の気づかいと注意が必要なのです。

都市の硬い表面――その上に建物が建ち、交通機関が走り、その壁に囲まれた市民が摩擦を伴わずに、堅固な支えを感じながら移動できる――と、布地の隙間や亀裂をほとんど目に見えないようにさまよっている生命によって織り成される表面との間には、根本的な違いがあります。後者の表面に住まうことは、人間以外のさまざまなたぐいと表面を共有することであり、それらの表面は、強固な基盤ではなく、不確かな足場を提供します。謝がニューヨークの地面を一年間歩き回ったように、表面を歩くことは、クモの巣の上でバランスをとるようなものです。つまり、バランスを崩して転ばないよう、常に注意を払うことが必要となります。そのバランスは、都市の大気とその大地の間、さらには生と死の間にあります。現代の都市生活の無関心さとは反対に、放浪者の注意は、寝て、休み、洗い、火を熾《おこ》す場所として、絶えず地面に向けられているのです。しかしこれらの場所は、生の場所でもあります。ここでは、大地や水が飛び出してきて、それまで都市の表面を覆っていた舗装を突き抜け、風、雨、太陽の光と出会い、混ざり合うことができる場所です。

都市にあるこうした表面同士の差異の対応物は、時間の形式にあるのでしょうか？　おそらく、二〇一六年にヴェネチア・ビエンナーレで行われた謝のアートの展示のタイトルが、ヒントを与えてくれます。それは、Doing Time（時間をつぶす）と呼ばれました。これは、二つの意味で読まれうるもので、その曖昧さは意図的なものでした。一つは、囚人の意味で、「doing time」は、裁判所から科せられた刑に服することです。謝は——より謎めいた、しかししばしば繰り返される表明の一つの中で——宣言したのです、生それ自体は「終身刑」なのだ、と。しかし、もう一つの意味では、時間をつぶすことは、積極的に時間を浪費することであり、生きることと成長すること、およびその両者に定めのない自由を見出すことです。第一の意味での時間は、舗装された地面のように硬くて動かないものですが、第二の意味での時間は流動的で逃避的であり、舗装の中のひび割れのように、飛翔の線を提供するのです。謝は、工場の時計を押す一年が始まろうとした時、頭を剃りました。しかし年が明けると、彼の髪はどんどん伸びて、最後には肩まで伸びてしまいました。時計の時間と髪の時間が存在するのです。前者が刑罰を科したのだとすれば、後者はいつも逃れたのです。

このことは、謝の生と仕事の永遠のパラドックスに最終的につながっています。それは、生とアートの関係に関するパラドックスです。両者は分離可能なのか、それとも分離不可能なのか？　アートの時間と生の時間を区別することはできるのか、できないのか？　もしアートをすることが時間の浪費であり、もし時間を浪費することが生きることであるならば、芸術と生は確かに区別できないということになるでしょう。エイドリアン・ヒースフィールドによるインタビューで謝自身は、時計を使った作品の中で「アートと生を時間の中で結びつけようとした」と認めています。インタビューの後半で、ヒースフィールドは、このことが、アート界が謝の作品は評価し難いと感じている一つの理由ではないかと示唆しています。しかしヒースフィールドが驚いたのは、謝がそれに同意しないことでした。「私はアートと生をあまり混同することはありません」と彼は答えます。「作品自体がアートの時間であって、生きられた時間ではないのです……私の生はアートに従わなければなりません」[*3]。だからこそ、謝が、アートワールドで活躍するアーティスト仲間と強制的に結びつけられた一年間の「ロープの作品」は、満足のいくものにはならなかったのです。それは、彼が必死に維持しようとしていた生とアートの区別を曖昧にし、そしてついには、アーティストや、アーティストが活動する世界と関わることを一切拒否することによってのみ、彼がアートを行い、アーティストとしての完全性を維持することができるという前提に基づく次の作品というパラドックスへと彼を突き動かしたのです。

しかしアートの後にも人生はあります。謝は聖人ではないし、聖人になろうという気もありません。彼は、アートのために彼の生を犠牲にしたわけではありません。囚人のように、彼は、釈放されるのを心待ちにしている。アートが終われば、彼は生をやり直すことができるのです。もちろん、彼はまだ終身刑に服しているのですが、何の落ち度もなく、この地上に放り出された、私たち他の人間とも同じなのです。アートの刑罰は、自身に自らが科すものですが、生の刑罰はそのようなものではありません。アーティストといえども、結局は人間なのです。

地球の年齢

はじめに

人類は、自分たち自身がいる地球の形成について、長年にわたって多くのことを語ってきました。最近では、人間はその研究に貢献するために、地質学という名の科学の一分野を考案しました。しかし地球は人間についてはほとんど何も言わなかったように思えます。実際のところ地球は、その問題に関しては非常に寡黙《かもく》なのです。しかし、もし人間が地球を研究できるのだとすれば、なぜ地球は人間を研究できないというのでしょうか？　研究とは、人間のように、言語や理性といった知的な力を授けられた生き物だけに可能なものではありません。結局、さまざまな種の生きている存在が、生の営みの中で互いのやり方に気を配っているのです。ネコが行うネズミの研究には、捕食という意図が織り込まれているわけですが、この研究には感じ取ることや動くこと、想像することが含まれています。そしてこれらのことは、回避戦術を練るネズミの行うネコの研究にも、やはり同じように含まれているのです。植物もまた、太陽や風の動き、餌を食べたり受粉したりしにやってくる生き物の動きに対して深く注意を払うだけでなく、自分たちの間でその経験を伝え合ってもいるのです。

しかしあなたはまちがいなく反対して、私たちは無生物とは一線を画すべきだと言うでしょう。岩や石、川や氷河、山や海。これらの事物は全く無感覚です。それらは、聞くことも応えることもできません。しかし世界中の多くの人々はそう言っても賛同しないでしょうし、私たちが正しくて、彼らが間違っていると誰が言い切れるでしょうか？　世界で最も活性的な氷河がある、北西部太平洋沿岸地域に住むトリンギットは、氷河は音を聴くことができるし、人々が氷河について語っているのを聞くことができると主張しています[※1]。腹を立てたり、動揺したりしないように、氷河の前では気を付けることが一番です。トリンギットは馬鹿ではないと、明記されるべきでしょう。彼らは氷河に耳があると思っているわけではありません。しかしトリンギットは、地質学という学問がまさに否定していることを認めているのです――氷河は、私たちのものでもある世界の中に、まず何よりも現象として現れるおかげで、私たちにとって存在しているということです。氷河は、そのまばゆいばかりの白い光の中にも、その不愉快で湿った寒さの中にも、そして特にその爆発的な亀裂音の中にもありありと現れている。そして、氷河が語るのは、まさにその現れによってなのです。その音こそ、私たちに聞こえているものです。そして私たちが聴いているものは、それと同じ意味で、氷河が聴いているものでもあるのです。

氷河について言えることは、他の地球上の要素についても言えます。さまざまな要素は、その混合物や構成物の爆風、震動や粉砕とともに響き渡ります。自然は静かではありません。自然には何も言うべきことがないのかもしれませんが、科学のプロトコルが要求するように、もし、私たちの耳が世界**についての**事実と命題のみに向けられていたら、実際に、何も聞こえはしないでしょう。私たちは、木々の間を吹き抜ける風、滝の轟音、鳥のさえずりを聞く耳を持たなくなるでしょう。なぜなら、これらのものは、それら自身のためだけにある命題だからです。それらが世界を**つくって**いるのであり、それゆえに私たちは、それらに注意を向けて然《しか》るべきなのです。今日、私たちは関心を向けないことに起因する影響、すなわち、地上の事物を、純粋な形式の中に抽出され、理性のカテゴリーによって秩序づけられた博物館のオブジェのように、沈黙へと委ねてしまうことに起因する影響に直面しています。私たちは、地球が温暖化するにしたがって、生息地や種、氷河さえも失ってしまうことを心配しています。しかし自然を事実へと、知識を解釈へと転じる——生命の会話から切り離す——ことによって、これらの事物は、世界にとってはまだ存在しているにせよ、私たちにとってはすでに失われてしまっているということを忘れてはなりません。

幸運の諸元素

このエッセイは、パリ市立近代美術館から、ラファイエット・アンティシペーションコレクションの中から、フランスと世界の現代アーティストの作品を集めた新しい展覧会との関連で依頼されたものです。[※1] 簡潔にＹＯＵと題されたその展覧会は、金属、水、火、空気、土という、五大元素の名前をとった五つのセクションで構成されています。そのアイデアは、これら複数の要素の並置によって、大気と微気候［訳註：畑のあぜや水田、丘の斜面、あるいは室内など狭い範囲の気候］とが生成される、というものでした。大気と微気候は、現在の世界の分裂と、創造的な再生の約束の両方を語っています。私のエッセイでは、それと同じ精神を宿した何かを呼び起こそうと努めました。

我が家では、毎年大晦日に、居間の火の上で錫《すず》製のミニチュア蹄鉄を柄杓《ひしゃく》の中で溶かすという家族の習慣を守っていました。それはフィンランド由来の習慣だそうですが、他の国でも同じように行われているのかもしれません。私たちはそれぞれ自分の蹄鉄を持って、順に作業をしました。金属が溶けるとすぐに、柄杓から冷水の入った大きなバケツに注ぎ込みます。金属はすぐに固まってしまうので、錫は奇妙で素晴らしい形になります。バケツから取り出すと、光に晒されて、反対側の壁の上に影を投じます。これらの影から、来るべき年の運勢を占うのです。

このささやかな儀式では、土、金属、火、水、空気が混ぜ合わされます。錫のような金属は大地から引き出され、金属を液体に変えるのは火で、液体の塊を凝固させて形に変えるのは水で、形が影を落とすのは空気中なのです。この一連の出来事が私たちに教えてくれるのは、これらの諸元素がどのように関連しているかです。それは、小宇宙の中で、私たちの世界の形成においてより大きなスケールで起こっていることについて何かを示しているのでしょうか？また、人間の運命は、これらの世界の変容とどのように結びついているのでしょうか？ここでは、私たちの蹄鉄から始めて、こうした問いについていくつかの考察を提供します。とはいうものの、まずは元素そのものについて記しておきます。

私たちは、物質世界の基本的な構成要素である諸元素に関する理論に、とても慣れ親しんでいます。それは、古代ギリシアから伝わってきているものです。紀元前四五〇年頃、シチリアの哲学者エンペドクレスが、地、空、火、水の四つの元素を提唱し、アリストテレスが五つ目の構成元素、エーテルを加えました。エーテルは他の四つの元素のいずれによっても変化せず、破損することもありません。しかし古典的な中国の哲学には、紀元前二世紀の漢の時代に発展した、五行として知られる全く異なる理論があります。中国の五行では、五元素とは、土、火、水、木、金です。しかし慣習的に元素と訳される中国の興は、物質というよりも季節のようなものです。その最も基本的な性質は動きであり、あるいは、変化する可能性と言った方がいいかもしれません。例えば、春から夏になると木は火になります。木が灰になると、火は土に変わります。中国の哲学では、元素は、それ自体では存在しません。元素はそれぞれが他の元素に及ぼすものの中で、完全に形成されてしまうのではなく、継続して形成されていくような世界でのみ存在するのです。

元素を土、金、火、水、空気としてリスト化することは、明らかに、ギリシアと中国の両体系をある程度混乱させています。地、火、水は両者に共通していますが、二つの体系においてそれらが持つ意味は全く異なっています。私たちは中国の体系から金属を取り入れていますが、木は取り入れていませんし、ギリシアの体系からは空気を取り入れていますが、エーテルはありません。私たちのリストは幾分恣意的なものであって、確かに、哲学的にはハイブリッドです。しかしそれは、金属が木を凌駕して産業の骨格をなし、精神的な力を失ったエーテルが空間の空虚さに還元されるという、我らの機械的な時代の関心事を物語っています。大地、空気、水は、これまでと同様に、生命にとって根源的なものです。それらは、私たちが天気の良い日に陸や海にいる時に必ず直面する「元素」ですが、一方で火は——木ではなく化石燃料を燃やすことで——私たちの惑星の温暖化にとって決定的な原因となっています。

科学者たちはもちろん、そのような元素の話は時代遅れだと言います。それは、神話や民話のようなもので、化学の進歩に取って代わられて久しいというのです。彼らにとって、元素に言及することは——一八六九年にロシアの化学者ドミトリー・メンデレーエフによって発表された周期表に初めて記載されたように——物質をその原子的な本質に還元することを意味し、そのひとつひとつが、最終的には、陽子、中性子、電子など、さらに多くの素粒子の特定の組み合わせへと還元され、そしてそこからその特性が引き出されます。「大地」や「空気」、さらには「金属」などの用語には、科学的な情報に基づく現代の世界観の中に居場所はありません。それらは、定義することができないほど曖昧なカテゴリーです。では、私たちはなぜそのような言葉を使いつづけているのでしょうか？

私たちは、還元によって失われたものを取り戻すために、それらをしっかりつかまえておくべきなのです。これらの言葉は、現象的な世界に――私たちの経験の世界に――材料［訳注：質料］を復元するための方法です。これは、簡単に分類されうる世界ではありません。それは、カテゴリーに分けることに抵抗します。実際のところ、元素は定義できないという事実こそがまさに、私たちが元素を必要とする理由なのかもしれません。それらは物語のキャラクターのようなもので、気まぐれで、カメレオンのようでもあり、モノであると同時に作用するものでもあり、本質的なものであると同時に現実に存在しているものでもあり、私たちが話している世界の一部であると同時に、私たち自身の一部でもあります。私たちはそれらを、その気分や気質で、あるいはそれらが何をするか、それらを扱う時に何が起こるかによって、内側から直観的に知っています。魚が水を知るように、虫が大地を知るように、鳥が空を知るように、客観的に計量された物質としてではなく、私たち自身の実存の重さや尺度として、それらを知っているのです。

例えば、大地とは岩や土のことですが、それはまた、動いたり呼吸したりする身体を用いる労働の中で、当の大地とともに働くことの労苦でもあるのです。しかし、もし大地が私たちを縛り付けている存在の重さであるのだとすれば、空気とはそれでもなお私たちが夢見ることの中にある軽さのことです。私たちは、大地を掘ることで大地を感じ、空気を吸うことで空気を感じ、水を飲むことや水に浸かることで水を感じます。火とは、炎の輝くような暖かさ、あるいは焼け付くような熱さのことです。私たちは火の熱さを腹の中に感じたり、溶けた金属の溶けやすさの中に感じます。私たちは、金属が水で冷やされた時、冷たい金属の鋭い先端を感じます。そして、重要な変容の瞬間が生じるのは、いつも決まって、一方が他方に変わろうとしているところ、諸元素の閾で起こるのです。

このような考えを念頭に、私たちの小さな蹄鉄に戻りましょう。本物の蹄鉄はもちろん鉄でできており、伝統的には、鍛冶師によって鍛冶場で鋳造されていました。火と金属は鍛冶師の用いる元素で、彼は、それらを混ぜ合わせて、成果を手に入れなければなりませんでした。私たちの偽物の蹄鉄は錫でできていました――おそらく違法に鉛が混ぜられていたのかもしれません――が、それらを溶かすには、炉床に火をつけるだけでいいのです。しかし錫も鉄と同じように、まずは鉱石が採取されなければなりません。大地の中に鉱石があるのは、地質学的な年代の積み重ねのなせる業であって、堆積岩で鉄が形成される場合のように、海底に鉱物が徐々に堆積していく中で、あるいは、錫の鉱石の場合がそうであるように、火成岩の鉱脈へと熱水が放出されることを通じて、鉱石は作られるのです。金属を取り出すためには、鉱石が採掘され、粉砕され、製錬されなければなりません。粉砕作業の中で、鉱石は水と出合い、この出合いは、金属を含む粒子と残留する脈石〔訳注：鉱石中の不要部分〕を選別します。製錬作業では、鉱石は炉の火と出合うことになるでしょう。私たちの小さな蹄鉄の錫は、何百万年も前の火山の噴火によって生まれ、その後、採掘でのより小さな爆発、水の洗浄、火の熱を経て、ある大晦日の夜に私たちの家に辿り着いたのです。そしてそれは、最初に火に出合い、次に水に出合うということすべてを繰り返すのです。

私たちは炉床で石炭を燃やしています。そしてこれも、錫の鉱石と同じように、地球から採掘されなければならなかったのです。それもまた、太陽の火が太古の森に降り注ぎ、森の成長の燃料となることで生まれた、時代のなせる業の証なのです。これらの森林の残骸が燃やされ、それが石炭となった時に解き放たれたのは、まさにこの火です。木という素材の中で融合した火と土は、石炭が炎を上げ、灰になる時にふたたび分かれます。私の番になって柄杓の中に蹄鉄を置き、それを路床の火の前に置く時、私は大地の火と太陽の火の出合いを、小宇宙の中で再現するのです。前者は地殻の形成において火成岩を固めるマグマを温め、後者はその地表で植物の繁茂に力を与えます。そして出合いの瞬間に、錫が溶解し始めるのです。

　火と金属は悪魔のように結び合って、それを扱う者の並外れた強さが必要な力を解き放ちます。多くの社会では、伝統的に、鍛冶師は恐れられるとともに尊敬されてもいました。それは、悪魔とのゲームに勝利し、一般の人々を邪悪から保護するための鎧や武器、大地を耕すための鋤の刃、そして最も大切な財産である馬を怪我から守るための馬蹄を、燃えさかる窮地から奪い取ったからです。だからこそ、人々は戸口に蹄鉄を吊るして、悪魔的な不幸の前触れからの攻撃を防いだのです。こうした不幸は、蹄鉄に込められた力ではね返されます。私たちの小さな蹄鉄には、もちろん、そのような力はありません。蹄鉄は偽物――鍛冶屋で叩かれたものではなく、型で成型されたもの――であって、私たちはそれを溶かしているわけです。なぜ保護と安全のシンボルを溶かすのでしょうか？　それはたぶん、型を壊し、過去を捨てて、根本的に新しい始まりの可能性を提供するためです。何と言っても、大晦日なのですから！

　驚きと期待に胸をふくらませて、私は何が起きるのかを観察しました。蹄鉄は内側から溶け始めるのですが、外側の表面が皮膚のように振る舞い、下方の液化した塊に合わせるように伸びたり変形したりするのが、その最初の兆しでした。成型された形は、私の目の前で徐々に、銀色の塊に溶けていき、この塊はゼリーのように不確かに揺らぐ一方で、表面張力によって一体となったまま保たれていたのです。それは、私と同じように期待しているようなのです。急いで私は柄杓を火から下ろし、それを傾けて、バケツに用意しておいた冷たい水の中に中身を流し込み、柄杓を空にしたのです。一瞬、自由落下していた錫の塊に命が注ぎ込まれ、自由の空気を吸いました。型にはめ込まれるのではなく、それはそれそのものになりうるのです。しかしその自由への挑戦は、ほんの一瞬しか続きません。シューという音と水しぶきとともに落下する錫は、瞬時に窒息してしまい、火砕流にのみ込まれる火山噴火の犠牲者のように、逃れようともがく姿のままに囚われてしまったのです。

火と金属の邪悪な同盟が、伝説の石炭王に助けられ、けしかけられて、産業革命を推し進めたのです。しかし大地に生命を吹き込む元素である水は、金属にとっては、死のキスです。それは、首を絞め、腐食させます。巨大な機械の錆びた残骸が風景全体に散らばって、とてもゆっくりと大地に溶け込んでいきます。しかし金属は復讐します。鉱山の鉱滓の中で水に洗われ、豊かさの投棄場となった、世界各地に積み上げられた廃棄物の巨大な山には、いわゆる重金属が、自分がまさにそこから出てきた場所である大地を毒するほどの濃度で、蓄積されているのです。そこでは何も育たない。ヒ素、カドミウム、クロム、銅、鉛、水銀、ニッケルと亜鉛。どれも微量であれば無害ですが、高濃度になると致命的です。しかし、もともとは大地から生まれてきたものによって、どうして大地が毒に侵されるのでしょうか？　「金属（metal）」という言葉自体は、「採掘する」あるいは「採石する」を意味する、ギリシア語の metalleuein に由来します。採掘や採石によっていったん獲得されながら、火で解放され、水で洗われて、そのような有毒な形で大地に戻ってくるのだとすれば、金属にいったい何が起きたのでしょうか？

たぶんその答えは、現象世界を構成する要素だった金属を、観念の上で周期表の原子の「元素」に還元する化学的還元にこそあります。砕いたり、選別したり、洗ったり、ろ過したりすることによって、「金属」は金属から分離されてきました。かつては無限に変化し、不均質だった物質が、多数の純粋な形態に分割され、蒸留されたのです。人類学者は長い間、異なるカテゴリーに属するモノが接触するところでは、あるいはそれらのモノが私たちの概念的な区別を混乱させる時には、危険は汚染のうちにあると主張してきました。その時浄化という行為が、そのような混濁を除去することによって、観念上の秩序を維持する役割を果たすのです。しかし産業革命後の世界の経験は、私たちにそうではないことを教えてくれます。汚染は危険かもしれませんが、すべてのうちで最も危険なのは、潜在的な汚染物質の浄化——再結合や再放出に先立つ、物質的な母胎からの最初の隔離——なのです。モノが混ざっている間は比較的無害ですが、いったん純粋な種類に分離されたものを再混合したり再結合したりすると、恐るべき巨大な力を発揮します。それを証明するのが核爆発です。

蹄鉄の残骸がバケツの底に沈んだ今、私はむきだしの腕を水の中に突っ込んで、蹄鉄を取り出そうとします。そこには、その形成の一瞬に捕らえられた水しぶきがあります。蹄鉄の標準的な形は型どりのプロセスを通じて素材に押し付けられたものだったのですが、私が今取り出した作品は、より三次元的なスナップショットのようなものです。それは、逃げる動きが捕らえられた形です。一方の端は小さな塊のように丸みを帯びていますが、もう一方の端は壊れて薄い破片になっています。その間で、作品の表面は折り畳まれ、くしゃくしゃになって、言葉では言い表せないほど混沌としています（図17）。普通の溶かされた金属の小球体と、水道から汲んでおいた水の入ったバケツから、どうしてそのような多様な複雑さを持った単一の形が現れるのでしょうか？　それはいったいどこから来たのでしょうか？

その答えは、ローマの哲学者であり詩人であるティトゥス・ルクレティウス・カルスの「モノの本質」に関する論考（『物の本質について』）にあります。それは、飛んでいる時に動きのなかでじっと留まることがいかに保持されるのかに関する、先述した考察（一三〇ページ参照）に刺激を与えたものです。ルクレティウスは、知覚の対象となるあらゆるものは、降ってきた物質がその直線的なコースからわずかに外れ、衝突の連鎖を引き起こすことで生じると説明しま

図17　新年の錫

テロ・シヴラによる写真　レティクヴァ提供

す。

原子は自身の有する重量により、空間を下方に向って一直線に進むが、その進んでいる時に、全く不定な時に、また不定な位置で、進路を少しそれ、運動に変化を来らすと云える位なそれ方をする、ということである。ところで、もし原子がよく斜《はす》に進路をそれがちだということがないとしたならば、すべての原子は雨の水滴のように、〔一直線に〕深い空間の中を下方へ落下して行くばかりで、原子相互間に衝突は全然起ることなく、何らの打撃も〔原子相互間に〕生ずることがないであろう。かくては、自然は決して、何物をも生み出すことはなかったであろう。※2

（ルクレーティウス『物の本質について』樋口勝彦訳、岩波文庫、二〇一六年（一九六一年）、七一〜七二頁）

しかし自然は多くのモノを作り出し、その中には、この奇妙で特異な錫の破片もあります。私にはそれを形作るための何の能力もありません。形は、水の中を落ちていくものとして、逸《そ》れの中に現れました。それは滝の形です。ルクレティウスが推測したように、私たちには完全に静止しているように見えるものが、感知できないほどの動きで逆巻いている。彼の要点をまとめれば、彼は、雨戸の隙間から注がれる一条の光を調べるよう私たちに求めているのです。それは、無数の埃の粒があり、それらはダンスし、放り上げられながら、あちこちに転げまわって、集まっては散っていくのを観察するということです。普段は肉眼で見ることのできないこれらの動きすべてから、私たちが見ることのできる世界が形成されているのだと、彼は言います。さあ、ルクレティウスに倣って、私たちの錫の破片を光にかざしてみましょう。

これを踏まえて、空気に話を戻しましょう。化学的には、空気は酸素と窒素を主成分とし、少量の二酸化炭素とメタンを含む気体の混合物として定義されるかもしれません。しかし空気は、私たちにとっては、経験の中に、私たちの呼吸する能力として存在しています。同じように、光は、放射エネルギーの形で存在しているのではなく、私たちの見る能力の中に存在しています。呼吸すること、見ることの両方が私たちにできるのであれば、光と空気があるのです。どちらもできなければ、私たちは暗闇の中で窒息します。歩き、呼吸する存在の中に、私たちは、肉と空気の両方からなる生き物です。しかし私たちの存在の中の空気の部分――吸う時に私たち自身の中に取り入れ、吐く時に周囲に出す部分――は、ふつうは眼に見えません。それは透明だからです。私たちが見ているのは、光の光線を遮って、影を作っている部分です。

私が初めてそれを柄杓に入れた瞬間から、私とこの錫の破片はひとつになりました。錫の物語は今や、私の物語でもあるのです。バケツから錫を釣り上げて、私は溺れかけていた自分自身を救い出しました。錫が底に沈んでいく間息を止めていたのですが、今では、空気中で私はふたたび自由に呼吸できます。そしてそれは、壁に映る私の影です。私は、あたかも鏡の中の自分自身を調べるように、その作品をくるくる回してみます。この角度では、私はどのように見えるのか？　あっちから見たらどうか？　物語が展開していきます。それは、私が錫を光にかざすと同時に始まる物語なのですが、この物語には終わりがありません。陰影でぼやけて、変化する影の輪郭は何の意味もありません。それらは、解読されるべきサインではありません。それらは、私と同じように不確かです。その意味は、霧に包まれています。私にできることは、移り変わる輪郭を追いかけて、どこにつながっていくのかを考えることだけです。私が影絵芝居の中で占いをする時、未来は絶えず私の想像の地平線の向こうへと逃れ去っていきます。私には、それをピン留めすることはできません。占いとは見つけることであり、すでに見つかったものを説明することではないのです。

しかし私たちの運命は、逃避的な未来――遠くのほうに消えていってしまいそうな点の上の希望や夢のひとつ――に属しているとしても、別の種類の未来が私たちの上にのしかかってきて、年を追うごとにぼんやりと近づいて見えてきます。私たちは、この未来と自分の現在の位置の間の距離によって、生のスピードを測ります。未来に近づけば近づくほど、私たちはより速く行動するよう駆り立てられます。短ければ短いほど高音で速く振動する弦のように、生は加速し、その音はどんどん小さくなっていきます。私たちは、ゆっくりと進むことを望みます。未来がスピードを上げて私たちから去っていくのではなく、私たちに近づいてくるという感覚は、私たちの現在の世代の特有の悩みであるように思えます。私たちの現在の世代は、人類史上初めて、ほぼ瞬時の、世界規模のコミュニケーションを経験しただけではありません。これまでにない規模での種の絶滅をも伴う極端な気候変動にも遭遇しています。未来はすでに目の前にあるのに、私たちの生は、目先の満足に心を奪われ、現在の中に無理やり押し込まれているように思えます。

地、空、火、水という元素を私たちに与えてくれた偉大なエンペドクレスが今生きていたら、いったい何と言うでしょうか？　エンペドクレスは、宇宙に存在するすべてのものは、愛と争いの永遠の対話から生まれていると説いています。愛の領域では、すべての元素は一致しているのですが、その外側では、争いがそれらを引き裂いているのです。周囲を見渡して、彼は実際に、争いによって引き裂かれた世界を観察したでしょう。採掘によって山が切り開かれ、水が枯れて砂漠化し、森が燃え、大気にはスモッグが立ち込めています。しかし彼はまた、元素は分離するよりも、一緒になったほうがよく働くということを知るようになったでしょう。彼は、古くて錆びた蹄鉄を拾い上げて、それが火の熱の中で叩かれた金属で鍛造された、争いの作品であるにもかかわらず、その丸みを帯びた形が、まだ閉じられも完成されもせずとも、愛を語っているということに気づくかもしれません。そして彼が身を投げたとされるように、その作品をエトナ山の荒れ狂う火口に投げ込むかもしれません。伝説では、エトナ山は、エンペドクレスの青銅製のサンダルのひとつを吐き出し、彼の不死身の主張がデマであることを明らかにしました。私たちもまた、死すべき存在であり、そのおかげで、希望や夢を持つことができるのです。不死身の人間には、未来も過去もないので、希望も夢も持つことができません。もしエトナが馬蹄を溶かして吐き出し、それ自体の排出の動きの中で馬蹄を鋳直すのだとしたら、私たちはその中に幸運を読み取ることができるでしょう。

しかしもはや錫の中に幸運を占うことはできません。二〇一八年、EUは錫製の蹄鉄の製造と販売を禁止しました。錫は、特に鉛と混ざると、環境にも人の健康にも有害であるという理由からです。元素の浄化において、私たちの希望は毒に変わってしまったのです。私たち自身と私たちが住まう地球を救うために、私たちは夢を見る機会を放棄しなければならないのでしょうか？　エンペドクレスとともに、私たちは、不死を目論まなければならないのでしょうか？

ある石の一生

二〇一六年一〇月、学会のためにシチリア島を訪問中に、島の南西部沿岸のセリヌンテ遺跡を訪れる機会がありました。かつては大きな都市で、広い通りと数多くの家、そして五つを下らない神殿があったとされる場所のあたりを歩き回りました。古代の資料から、その都市は紀元前六世紀に、ギリシア人の入植者たちによって創られたことを私たちは知っています。彼らは、フェニキア人やシチリア人と混ざり合っていました。しかしその後歴史は乱れ、紀元前四〇九年に、その都市はカルタゴの大軍に蹂躙《じゅうりん》されました。市民のうち約一万六〇〇〇人が虐殺され、五〇〇〇人が捕らえられ、二六〇〇人が命からがら脱出しました。その後、その都市は、カ

図18　セリヌンテ──廃墟
ジョヴァンニ・クルピ撮影　1880年代か1890年代に撮影された

ルタゴの支配下に入ったり、そこから脱したりを繰り返したのです。そしてついに、紀元前二五〇年頃、ポエニ戦争の間に、ローマ軍の侵攻によりカルタゴ人は撤退し、都市はその直後に破壊されたのです。その後何世紀にもわたって、この地域を襲った一連の地震によって、街はほとんど瓦礫と化しました。しかし神殿の柱の一部は、修復されています。私はそれらを見て、それらが目撃した、その荒く、浸食された表面に手を当てて、儀礼だけでなく、人間と地震の両方による破壊のことを想像しました。もし石が話せたら、それらはどんな話ができるだろうかと思いました！

その後、『石であること』と題された、パ

リのザッキン美術館の出版物にエッセイを寄稿するよう依頼を受け、同名の石の彫刻の展覧会に合わせて、[*1] セリヌンテのある石の物語を取り上げることにしました。物語は二部構成です。その間に挟む形で、彫刻の問題について、私自身の考察を提供しています。

I

遠い昔、地球の大部分は海底にありました。温暖で浅い地域では、海は生命であふれていました。そして生命があるところでは、柔らかい有機組織だけでなく、骨格物質や、またそれらから出る排泄物も増えました。小さな有孔虫や珊瑚、藻などの残骸が絶えず海底の上に降り注ぎ、石灰質の物質の層の上に層を形成していったのです。海が干上がってしまうと、これらの層は固まり、融合して硬い岩になりました。地殻変動による大陸プレートの動きに圧迫されて、岩石は山になり、水に浸され、氷によって削られました。生命はこの時、海よりもむしろ陸地に再出現したのです。植物、動物、そして人間です。そんな場所に、私はやって来たわけです。

私は、別の時間に生まれ落ちた、生命の古い骨の復活です。私は、母、つまり妊娠している大地の肉と、父、すなわち古代の海の種とに由来しています。私は、採石場で産まれました。それは、簡単な出産ではありませんでした。彼らは私を彫り出さねばなりませんでした。彼らは男たち——たくさんの男たち——で、金属製の道具を持っていました。まず彼らは、直径二メートルほどの円を描きました。そして、その線に沿って、同じ深さの溝を作るように削っていきました。その溝の底面をぐるりと削っていって、ついに削り切ると、梃子《てこ》を差しこんで私を引き上げ、大きな木のドラム缶の中に入れ、牛たちに引かせて、建設現場まで地面の上を転がしていったのです。

私はここでは、同じような大きさと形をした多くの同類たちの中にいました。男たちは起重機を使って同類を次々と積み上げ、巨大な丸い柱を作りました。やがて私の番がやって来ました。まるで私の母である大地が、私を放さないかのように、巨大な力が私を引きずり降ろしつづけました。私がいた場所に大きな穴があいて、母はお腹を空っぽにして、ひどく締めつけられた、声にならない叫び声をあげて私を呼び求めました。聞こえるのは牛の鳴き声と男たちの叫び声だけで、彼らは起重機を用いて力を振り絞り、私を持ち上げようとしました。ついに私は、空高く積み上げられた同類たちの上に身を横たえたのでした。太陽の熱い光、渦巻く風。

これらは私にとって初めてのものでした。これが生きているということなのでしょうか？しかし私が最初に感じたのは、重さでした。私が生まれた瞬間、彼らが私を切り離して、持ち上げ始めた時、それを感じたのです。その転換点に、つまり自分が出てきた母胎に戻れないと分かった時点で重さが私へとやってきたのです。子孫の帰還を願う大地の引力がなければ、重さとはいったい何のためにあるのでしょうか？　再統合したいという願望が強ければ強いほど、喪失の取り返しのつかなさに、ますます耐えられなくなるのです。私は以前から質量を知っていました。それは、私が実質を持ったひとつのモノであり、諸々の素材からなる構成物であるという、私がすでに持っていた感覚でした。私は自身の質量を、両親、つまり大地と海に負っているのです。しかし、重さ――それは、全く違う何かでした。それは分離の痛みであり、私たち採石場の孤児たちがともに受けた痛みでした。私たちは曲芸師のように、互いの肩の上でバランスをとっていました。私の下にある石が私の重荷を背負っていますが、その重荷は私が背負っている分の重荷、つまり私の上の石たちすべての分の重荷によって大きくなっているのです。

人間が神を崇拝し、力と不死を夢見て、生贄を捧げ、戦争を戦っている間、私たちは何百年間も、文句も言わずにこれらの重荷を背負っていました。彼らは採石を続け、またたくさんの柱を立てました。そしてそれらは、たった一日で消えてしまったのです。恐怖のあまり、彼らは道具を捨てて、採石場から逃げ出し、寺院から逃げ出し、家から逃げ出しました。私たちは、武力衝突の只中で、叫び声の只中で立っていました。その日、侵入してきたカルタゴ軍によって、男女と子ども合わせて一万六〇〇〇人が虐殺されたと言われていますが、私たちはそれを黙って見ていました。

しかしそのことが私たちを倒したのではありません。それは、数世紀後のことでした。地下では、プレートがまだ動いていたのです。地球は、その緊張で軋《きし》んでいました。何かが起きなければならず、そしてついにそれが起きてしまったのです。一回の大きな隆起で、岩盤が断層に沿って折れ、遠く広く衝撃波が伝わったのです。地面が暴れるように揺れました。一瞬だけ、私は左右に振り回され、それから転落し、山のように積み上がっているところに斜めに着地しました。他の石たちが私の横にいたり、私が彼らに寄りかかるように、他の石も私に寄りかかっていました。私たちは、パーティーの後の酔っぱらいのように二日酔いで、永遠に注意して立っていなければならないことからついに解放されたのです。私は少しくたびれているように見えたかもしれませんが、そのような仲間の中でリラックスし、ふたたび大地と親しく接して、その抱擁の暖かさを感じることができたのは喜びでした。

私には、隣人を知るための時間はもういくらでもありました。私の傍らにある石だけでなく、私の周りや隙間に生えている雑草や草、日陰を求めて私の下を這う小さなトカゲや、空を向いた面で日向ぼっこをする小さなトカゲ。人々も同じように戻ってきましたが、数はそれほど多くなかったです。人々は、礼拝や戦争のためではなく、絵を描いたり塗ったりするためにやって来たのです。彼らは、あたかも観想にふけっているかのように私たちの周りを歩き回り、時々私たちの上に座ったものです。人々はとりわけ私たちの表面の質感に魅了されているようで、私も例外ではありませんでした。多くの人たちが近づいてきて、私の上に手を置き、指や手のひらで感触を確かめようとしました。

II

表面？　それはいったいどこから来るのでしょうか？　それらは、どのようにして形成されるのでしょうか？　確かに、石にはそれが誕生する前には表面はなく、実体だけでした。重さや質量についても同じです。石は、それ自身の証言によれば、常に質量を知ってはいたのですが、重さは、地球からの分離の痛みの中で初めて感じたのでした。※2 同じように、実体から表面をもぎ取ったのも、まさにこの分離でした。石の表面は、ハンマーとノミの力、岩の分割と破裂という暴力によって創られたのです。表面は、かつては分離の傷を負っていました。しかしこれらの傷はもはや開いてはいません。時を経て、傷跡が広がったのです。それは、あたかも石が皮膚で覆われているかのようなのです。人々が石に触れにやって来た時、彼らが感じるのはまさにこれ——石の皮膚——なのです。しかし、それはいったいどうしてなのでしょうか？石は木のように樹皮があるわけでもなく、人間存在のように服を着て、優美に覆われているわけでもありません。それは、まるでその実質がとても透き通っていて、人間の訪問者がその中をすっかり見通すことができるかのように、あるいは水に手を浸して感じることができるかのように、剝き出しであるわけでもありません。では私たちの石が包まれてもいないし、剝き出しになってもいない、この皮膚とはいったい何なのでしょうか？

ジョン・ラスキンから手がかりを得るならば（一五八ページ参照）、それはおそらく、膜《ヴェール》に喩えられるかもしれません。膜の中では、内側と外側は、不透過性のバリアの両側に分離されているのではなく、引き寄せられ、そこで混ざり合って、交わって質感を形成しています。内側は質量です。地球上から引き出された物質の構成物です。外側は大気です。太陽の光と熱、風の吹き出し、時折降る豪雨。質量と大気は、風化において一つに織り上げられます。分離の暴力で傷ついた石の表面は、風化することで徐々に癒されたのです。

私たちは、天候が浸食の原因だと考えるかもしれません。雨や風、太陽は物を奪うだけだ、と。しかし石はそうではありませんでした。確かに、風で飛ばされた砂が削られたり、雨水が浸み込んだり、太陽の光が当たったりして、隆起やくぼみができ、手で触るとギザギザになっています。しかしこれらのくぼみや隆起は、その激しい誕生の傷跡とは比較になりません。人間の道具は、その実質に切り込んで壊れたままにしてしまったのですが、天候がそれをその存在の十全な状態にしてくれました。私たちは、人の顔や手のシワからその人の人生の物語を読むことができるように、石の表面の質感からその歴史や性格を読むことができます。少なくとも英語を話す人たちが、おそらくは他の言語を話す人たちもまた、風化による研磨と膜をまとうことの両方を意味するために、同じ動詞である to wear を用いるのは、きっと偶然ではないのでしょう。くたびれた手は皺《ひだ》や角質を、やつれた顔は表情をまとうのです。風雨にさらされた石の質感は、石がまとう膜なのです。

もしかしたら、このことは彫刻によって私たちが何を表しているかに影響を及ぼすのかもしれません。採石場から石を運び、それを柱に据えた職人たちは、彫刻でも名を馳せました。彼らの仕事は今日でもいまだに尊敬されています。彼らは、胸像、全身像、フレスコ画を、熟達した匠の技で彫っていました。さて、原則としてモノが作られる時には、ある材料が別のものに継ぎ足されたり、接合されたりします。織物職人は糸を加え、大工は材木をつなぎ、石工は石の上に石を積みます。しかし彫刻は通常その逆の道をたどります。それは、足し算ではなく、引き算です。それでは、彫刻家が石を手に取り、それを彫る時、この石はどのような表面を生み出すのでしょうか？　それは傷跡なのでしょうか、あるいは膜なのでしょうか？

まずは傷跡であり、次に膜でもあるのです。最初に形に注意を払って、彫刻家は塊を削ります。これは、石が最初に採石場から切り出された時のように、自然の性質に逆らって、それを横断するように切ることです。しかし材料がどんどん取り除かれ、形が整い始めると、注意は表面の質感へと移ります。彫刻家の身振りは暴力的ではなく、むしろなだめるようで、素材に膜をかけ、その光沢を出していきます。その時、彫刻は息を吹き込まれるのです。この第二段階では、彫刻家はあたかも風化を模倣しようとしているかのようです。もちろん、風化が唯一の質感を織り成す行為主体ではありません。絶え間なく打ち寄せる波の中で互いに研磨し合いながら、粗く尖った部分が滑らかになっていく玉砂利の海岸の中の小石、あるいは川の氾濫によって土手に打ち上げられた石のことを考えてみてください。彫刻家もまた、素材を研磨して滑らかにし、その質感を引き出しながら、荒れ狂う風、波立つ海、川の流れに沿って、あたかもそれらと一体化するように、作業の中に加わっていくのです。

しかし人々は、気がつかないうちに、自分自身を風化させてしまう行為主体になることがあります。とりわけ、彼らは自らの足で表面を風化させます。寺院や城や大聖堂で、敷居や石段、石畳の道などの上に——何世紀にもわたって——無数の足が通過することで、かつて採掘場から切り出され、ザラザラしていた石の表面は、ベルベットのように滑らかになったのです。そのプロセスは、あまりにもゆっくりとしたものなので、誰もそれに気づくことなどありません。あなたは、この石を磨いたのが誰であるのかを知りたいのでしょうか？　その答えは、時が経つ中で、あなたたち自身が磨いたのだ、ということになります。

III

私の物語は、私を石の仲間たちの只中に横たえ、大地にめちゃくちゃに置いていった揺れでは終わりませんでした。私たちを訪ねてきた——絵を描いたり、色を塗ったりした——あなた方は、私たちが廃墟になったのだと考えました。しかしあなた方は廃墟に対して、奇妙な二面性を持っていたのです。あなた方は、廃墟が好きなのか、嫌いなのか分からなかったのです。嫌いだと言う人たちにとって、廃墟は、自らの秩序に対する感覚を害するものだったのです。あなた方の最も著名な哲学者の多くは、古代寺院の均整の中にある種の数学的な美しさを見ました。それは、神聖で時を超越した美しさであり、その建設に伴う汗と苦労から、そして言うまでもなく暴力から切り離されたものですが、私はそれらが伴っていたのをとてもよく知っていました。哲学者たちは柱を見て、その中にうなる岩の重さではなく、理性の勝利を見るのです。彼らのモットーは啓蒙です。しかし好きだと言う、よりロマンティックな気質だと言ってはばからない人たちは、廃墟の中に、彼らが崇高と呼ぶある種の美を見出したのです。彼らは、人間の作品を転覆させる自然の力に畏敬の念を抱き、私たちのはっきりと表れた混乱の持つ自由と豊かさの中に喜びを得たのです。廃墟の中に精神的な慰めの源を、すなわち、廃墟が持つより物質的な不快感を経験することなく、自らの存在を世界に復帰させる方法を、見つけたわけです。私自身は、どちらの人とも関わりません。人間が私に触れようと手を伸ばしてきても、私が人間を触わり返すことなどありません。彼らは私の本質を吸収したいのですが、私は彼らの本質には無関心です。正直に言えば、私はどうでもいいのです。人間が私を観察し、私に触れ、私の上に座るなら、なんでも好きなようにさせておきましょう。このことによって、私が彼らのようになることはありません。私は石であって、アーティストでも哲学者でもありません。

しかしある運命の日、異なる種類の人間がその場に現れたのです。彼らは、建築家やエンジニアで、私がそれ以前に聞いたことがなかった言葉とともにやって来ました。それは、**アナスティーローシス**でした。それはギリシア語で、再構成あるいは再構築を意味します。彼らは私たちを取り囲み、詳細な地図や図面を掲げて、どうすれば私たちが、地震より前の、私たちのもとの状態に戻されうるのかについて真剣に語り始めたのです。「歴史は巻き戻すことができる」と彼らは言いました。「私たちは神殿を、かつてあった元の姿に戻してやることができる。それは、すばらしいことでしょう」。私と仲間たちは、彼らの指示を実行するために到着した作業員を、怖れながら見ていました。私たちの千年に及ぶ二日酔いは、不名誉な結末を迎えようとしていました。しかし私たちは、その目的にはどうみても適していなかったのです。私たちが、落下した時に欠けたり壊れたりしたのは、言うまでもなく、風化が進んでいたということなのです。「私たちを重ね合わせてみてください」そう私たちは抗議しました。「それは、積み上げられた小石でバランスをとっているようなものでしょう。少しでも大地が揺れると、また倒れてしまいますよ」。しかし、男たちには解決策があったのです。「コンクリートだ」と彼らは叫びました。「私たちは、コンクリートであなた方を結合させることにしよう。それが、すべてに対する答えだ。あなた方はもう二度と落ちることなどない！」。

男たちが、謎めいた細かい灰色の粉でいっぱいの、大きくて重い袋を開けているのを見た時、私はなぜそのような不思議な親近感を覚えたのでしょうか？ そしてその粉が砂や水でいっぱいの、大きな回転するドラムに注がれた時に抱いた予感は、いったい何だったのでしょうか？ それは、私自身の生が、水面下で、砂と粉状の骨の混合物の中でどんなふうに始まったのかという認識のうずき、つまりぼんやりとした記憶だったのでしょうか？ 私は一周して、未来に戻ってきたのでしょうか？

本当に、私は奈落の底を見ているようでした。私があの袋の中で目撃したのは、大地の破壊、さらにはその子孫の消滅だったのです。それは、海底の堆積物の層として、固まって岩になった私と同じように始まったものでした。私と同じように、大地の子孫は採石場で強制的に取り出されたのです。しかしその後、その運命は私のものとは全く異なるものでした。それは採石場を出るやいなや、破片に砕かれ、粉々にされたのです。それは、重さを感じることも、表面を見せることもできませんでした。それには、生きるチャンスがなかったのです。その運命はむしろ、焼かれ、炉の火の中に投げ込まれ、高熱によって融合されたクリンカー［訳註：セメントの製造過程で、粉砕された鉱物を溶融温度で焼き固めてできる塊状の物質。これを粉砕してセメントを作る］の玉となって、真っ赤に焼けて現れることでした。もう一度砕かれて、ひいて細かいクズにされ、袋に入れられ、それを男たちがミキサーに空けると、そこから半液体状の懸濁液が現れたのです。これが、三次元の石のジグソーパズルのピースが足りないか、あるいは合わない部分を埋めることになる魔法の材料なのです。

多くの人々が不満を漏らしました。古代の石に現代の材料を混ぜるのは時代錯誤だと、彼らは言いました。石たちには質感があり、彼らは過去を物語っているのです。しかしコンクリートは無味乾燥で、均質で、歴史を欠いています。それはふさわしくないのです。そう、私もそれには賛同しないわけではありませんでしたし、それこそが私自身つねづね言っていたことでした。しかし結局のところ、状況はそれほど悪くないのです。私たちは今、自分たちの柱に戻って、もう一度不動の姿勢をとっています。私はとても高いところにいるので、人間は誰も私に触れることができませんが、鳥や虫が飛び交って、風や太陽を感じることができます。さらに、私は自分のひびや目地を埋めているコンクリートをあまり気にしていません。結局のところ、それは私の従兄弟であり、私と同様その運命を選んでいないのです。私たちにとっては、どちらが長続きするのかを議論することは楽しいことです。コンクリートは自信満々です。コンクリートは、その製造者のプロパガンダを鵜呑みにしているのです。「私は新しい魔法の石です」とコンクリートは言います。「私は、より硬くより強くより強力です。すべての現代の寺院建築家にとって、私は選択すべき素材なのです。なぜなら、私はお望みのどんな形にもなれるし、永遠にその形でありつづけるのですから」。

しかし、私はそれが空虚な自慢であることを知っています。あなた方は、時間を早めることはできません、と私は言います。私が水という起源をコンクリートと共有しているのは確かです。しかし私の層が形成されて、固まるまでに、何千年かかったかを考えてみてください。また、私の表面がどれほどゆっくりと——人間の時間の尺度ではほとんど感知できない速度で——摩耗していくのかを考えてみてください。では、コンクリートは何と言っているでしょうか？　曰く、「何千年もかかるのではなく、わずか数日で、決してすり減らないほど強固な岩に固まりま～す！」

それは、石が一瞬で創られうると考える神話です。実は、コンクリートは決して乾かないのです。水分は内部に残り、砂やセメントと結合します。だから、すべてのコンクリートは遅かれ早かれ、崩れてしまいます。そうすると、私たち石はふたたび落ちてしまいます。人々はその廃墟を観察しにやって来ます。トカゲが日向ぼっこをして、草が隙間から生えて、そして私は、自分が出て来た大地を思い焦がれるのです。おそらくある日、これらすべてのセメント炉と、それが燃やす化石燃料によって生み出された温暖化で、海面が上昇し、私は自分が元の場所に、波の下に戻っていることでしょう。私は次第に海の藻屑《もくず》に覆われ、そして空高く持ち上げられるのではなく、地中深くに埋もれた化石、つまり石の中の石として終わるのです。ついに、私は家路を見つけるのです。

桟橋

触媒は、彫刻家ウォルフガング・ワイルダーの作品を特集する一冊の本のタイトルです[※1]。その作品集は、ダンストン・スタイスの桟橋に焦点を当てたプロジェクトから立ち上げられたものです。その桟橋は、もともとニューカッスル近郊のタイン川の川岸に、鉄道から船への石炭輸送を容易にするために建てられた、廃墟のような構造物のひとつです。その桟橋プロジェクトは、リサイクルされた素材を使って、建築と解体のパフォーマンスを行うワイルダーの実験的なアプローチと、彼の主要な協力者である社会学者サイモン・ガイの、都市計画や持続可能な建築に関する研究を組み合わせたものです。私はこの本のまえがきを書くよう依頼を受け、**円錐**《コーン》と題された作品に焦点をあてることにしました。それは、リサイクルされた水性プラスチックから作られる**アクアダイン**という素材のブロックでできた、丸い塔のかたちをした建築物です。アクアダインは、海洋で堆積した人間の製造物を取り入れ、陸上で使用するためのものですが、それは、自然に形成され内陸に蓄積した石炭を、蒸気船の燃料として海上で使用するために取り出すこととは、正反対のものだったのです。ヴァイルダーの円錐《コーン》は、石炭の物語――その地質学的形成と、それを採掘しつづけた人々の物語――を、産業の衰退、廃墟やごみに囲まれた彼らの子孫の物語に結びつけるものです。この作品では、石炭とプラスチック、採掘の過去とリサイクルの未来のそれぞれの重みが、最終的な定常状態を達成することのうちにではなく、絶えず構築し、解体し、再構築することのうちに、持続可能性の様態があるという力強い主張の中に、互いに折り重なっています。

過去はどれほど重いのでしょうか？　石炭の袋を量るように歴史をトン単位で量ることには、あまり意味がないと思われるかもしれません。過去について、それが「心に重くのしかかる」、それが「現在に負担をかける」などと私たちは言うかもしれませんが、これらは言葉の綾です。その表現の力は、そもそも別の現実の領域を跨いで、並行関係を描くよう私たちを導くその方法にあるのだと思います。石炭は、文字通り、重いものではないのでしょうか？　頑丈な岩は、大地から切り出され、地球の重力に逆らって持ち上げられたのです。それに比べて、人間の過去の重さは、比喩的な琴線に触れます。その蓄積は実体のないものです。その引力は、重力的ではなく、感情的なのです。一方は、公明正大に、物質的な領域に属するように思われ、他方は、心にのみ帰属することができる、記憶の堆積に依存しています。右の比喩は、心と物質の分裂を解消するどころか、それを強化しているように見えます。それは何世紀にもわたって哲学を悩ませてきた分裂です。

おそらく、それは、持続可能性についても同じです。ゲーツヘッドにある、ダンストン・スタイスの巨大な木製の桟橋を建設したエンジニアや建設作業員たちは、この問題に対して、いろいろな考えを提供したに違いありません。この桟橋は、採掘した石炭を船に積み込み、海上輸送で発送するために建てられたものであり、機関車や積載した貨車の重さに耐えられる十分な強度が必要でした。最後の船がスタイスを出航してから三〇年以上が経過した今日、その桟橋はふたたび、持続可能性を考えるための焦点となっています。しかしその議論は、それが耐えうる物理的な負荷についてではもはやなくて、過去の重みに耐える能力についてのものです。なぜなら、現在を作り出した過去、およびそれに伴う責任を持続させることができる現在だけが、未来への基盤を提供することができるからです。その桟橋は、この重さに耐えられるのでしょうか？　それは、人々の心の中に生きた存在として存続するのでしょうか、あるいはそれは、その全盛期の記憶が蘇った時に、遺物としてしか生きられないのでしょうか？

　これらの問いを呼び起こしたのは、石炭の効率的な排出ではなく、芸術作品の存在でした。さて、みなさんは、石炭の重さと過去の重さ、鉄道のワゴンと芸術作品は、とてつもなく離れていると思うかもしれません。石炭を積んだ貨車は、桟橋の持続可能性を、これ以上ないほど具体的なやり方で試しています。その失敗の代償は、即座の、物理的な崩壊でしょう。これとは対照的に、芸術作品は、その持続可能性に対してより抽象的かつ概念的な挑戦をしているように見えます。芸術上の失敗には、物質的には悲惨な結果を伴うことなく、生活の破壊、生命や身体への脅威もありません。しかし、貨車と芸術作品の間の距離は、この両者が、桟橋の能力——前者の場合は石炭の重さ、後者の場合は過去の重さを支える——を問うそのやり方において、私たちが想像するほど大きなものなのだろうかと思います。文字とメタファーの間、あるいは物質と心の間の距離のように、本当にそれは埋められないものなのでしょうか？

　石炭の重さは、結局は、単に物質自体の客観的な性質として与えられたものではありません。石炭や他の物質では、重さ——モノの重さ——は、測定されるというよりも、**感じられる**ものです。それは、大地の母胎から切り離されたひとつの塊が他の塊に与える圧縮の力において感じられるのです。石炭には、それが地中に置かれる限り、重さはありません。しかしその重さは、鉱夫たちが切り刻んだり、シャベルで掘ったりする時に、彼らの身体によって、荷重に耐えてうなる桟橋の材木によって、間違いなく感じられていたのです。しかし、重さが感じられるのであれば、存在の想像的な意識の中に湧き上がってくる思考もまた、同じように感じられるのです。意図《インテンション》と「緊張の中《イン・テンション》」というのは、同じひとつのものではないのでしょうか？　重さと思考とは、本当に物質と心の間の分裂を構成する二つの極にそれぞれ位置するのでしょうか、あるいは、より根源的なレベルで、互いに感じ合うという事物の運動のうちで、むしろ一体化しているものなのでしょうか？　なぜなら、結局は、物質は私たちすべての母であり、物質の乱流の中で、生は鍛造され、観念は生まれるからなのです。

思想の重さが、私たちの生を形成してきた歴史の中にあるのだとすれば、同じように、石炭の重さはその地質学的な過去の産物です。太古の森から作られて、石炭は、葉を繁らせた木々にかつて降り注いだ夏の太陽のエネルギーを毎年毎年すべて蓄えて、木々の生長を促してきました。ほぼ一世紀の間、石炭は、未来を生み出す可能性を秘めていました。その未来は、それ以前の時代に過去のものとなったことに比べて、物質的な繁栄を期待させた未来です。その未来はもはや過ぎ去ったのです。それは持続不可能なものだったのです。その芸術作品、ウォル

図19　ウォルフガング・ワイルダー作「円錐」 2014 年

コリン・デイヴィッドソンによる写真

フガング・ワイルダーの円錐《コーン》が、その代替物を請け合います（図19）。その作品は、石炭のように黒くて重い素材、過去の堆積物から押し出された——石炭と同様です——素材のスラブで作られています。しかしこの過去は最近のものです。というのは、アクアダインとして知られるその素材は、現在、海を窒息させ、国土を埋め尽くしている種類のプラスチックごみから作られているからです。この堆積物は、未来のいつかに、アクアダイン製造のための原材料の常備基地となり、それによってアクアダインは、現在の私たちにとってのコンクリートのように、どこにでもあるものになるのでしょうか？

過去と素材がともに重要なのは、何よりも、作品の製作において、つまりそのパフォーマンスにおいてです。円錐《コーン》の建設で雇用された見習いたちの祖先は、その全盛期には石炭を採掘したり、シャベルで掘ったり、あるいは石炭をシュートに排出し、待機している船に放出しました。そして、彼らの今日の子孫たちが、アクアダインのスラブを積み上げていく中で、この長らく見過ごされてきた過去が、彼らが来るべき時代を想像する時でさえも、往時について語る物語の中にふたたび浮かび上がってきたのです。それは、スラブが文字通り重い——正確には全部で一一トン——のに対して過去は比喩的に重い、ということではありません。パフォーマンスでは、過去とスラブの重さが同時に同じように感じられるのです。そしてパフォーマンス

図20　ゲーツヘッド、ダンストン・ステイスの桟橋

コリン・デイヴィッドソンによる写真

についてはもう一つ重要なことがあります。そこで人は、作っているようで作らない、組み立てているようで分解している、ということです。石炭は貨車を埋めるためだけに岩肌から切り出され、貨車はそれを空にするためだけに満たされます。こうした例に漏れず、円錐《コーン》は解体されるためだけに建てられ、その後は別の場所でそのスラブが再利用されることになっています。

最後に、構造について考えてみましょう。その桟橋は、タイン川の潮目に突き出ていて、片道になっています（図20）。橋のように、旅客たちが安全に向こう岸に渡ることができ、そこから安全に戻ってくることができるわけではありません。そのプラットフォームの上に転がり出た石炭には、戻る道がないからです。それは未知の未来に向けて出荷され、過去に頼ることはできないのです。しかし、実際に芸術作品がまずここで作られ、次にあそこで作られるなら、行ったり来たりできるように、貨車は行ったり来たりします。足場も同じです。それは、上がったり下がったりします。私は、建築物について、それらを完成した構造物と考えるべきなのだろうか、時々考えることがあります。たぶん建築物もまた、本当は、その中で生のプロセスが繰り広げられるための足場なのです。そしてこれこそが、ワイルダーが私たちに円錐《コーン》で見るように求めているものなのです。アートにおいても建築においても、持続可能性とは、果てしない均衡を保つことではなく、生を維持することについての可能性なのです。そして潮が満ちたり引いたりする限り、鳥がスタイスのあらゆる場所に巣を作るように、そして人々がノートにしるしをつけてその満ち引きを数え上げるように、時間は、とてもゆっくりと、確実に過ぎていくのでしょう。

絶滅について

雑誌『ザ・クリアリング』の編集者から、絶滅をテーマにしたエッセイ集への寄稿の依頼に応えるにあたって、私は詩を書くつもりはありませんでした。しかし毎日朝食前に行っている短い散歩の途中で考えているうちに、私の心の中に、自分の歩調に合わせたに違いないリズムと拍子で、言葉が入り込み始めました。朝食のテーブルに戻り、私は急いで、頭の中にあった詩を書き留めたのです。それを同じ気分で書きつづけるのが、ごく自然なことのように思いました。その結果がこの詩です。この詩は、その初版から少し改訂しています[※1]。

絶滅は他人事であって、自分事ではない。私たちには分からない
どんな言葉が最後になったのか、自分がどんな一歩を踏み出したのか

奈落の底へと。誰が人間のことを言うのだろう
「彼らを覚えていますか？　絶滅したんですよ」
今、私たちがケナガマンモスやネアンデルタール人について言うように

動物の中の歴史家たちは
風に波立つ砂の上や、木の根っこに文字を書くだろうか
自分たちが消えてしまう前に、かつて人がいたことを伝えるために
イヌの化石ハンターたちは、下草を根こそぎ食べて
歯や頭蓋骨の破片の匂いを嗅ぎながら
別のヒト科動物を発見したと吠えるのだろうか
それとも、モグラが寡黙な考古学者になって
その遺骸を掘り起こすのだろうか

海よりも都市を好む騒がしいカモメたちは
その住人がいなくなって泣くのだろうか

あるいはただ遺跡の中に住み着くだけなのだろうか
ミミズは農夫の死を
魚は釣り人の鉤と釣り糸を惜しむだろうか
私たちがいなくても、きっと彼らはやっていくだろう
私たちが来る前に彼らがしていたように
彼らは本当にまったく無関心だ

しかし、まだ象がいる世界で
なぜマンモスが絶滅すべきなのだろうか
あるいは、まだ人間がいる世界で、ネアンデルタール人は
ゾウは今日のマンモスで、人間はネアンデルタール人なのではないだろうか
「いや、いや」と私たちは言う、「マンモスはゾウではない
そして、ネアンデルタール人は私たちと同じではない
彼らは、人類の別の種族だった
私たちの優れた祖先によって一掃されたのだ!」と

それもまた、白人たちが言ったことだ
タスマニアの人々を絶滅させたことについて
「彼らはただの他の人種だ」と彼らは言った。「我々のほうが優れている！」
しかし、彼らは戻ってきた、タスマニアの人々は：
「あなたたちは私たちだ」と彼らは言った。「そして、私たちはまだここにいる
私たちはみんな混ざっているんだよ、ほら、人種なんてないんだよ」
旧石器時代には、そのことに何か違いがあったのだろうか

ここで疑問に思うのは：もし、混ざり合っていることが、私たちのあり方なら
もし、生それ自体が、私たちが呼吸する空気のように、モノの中に入ったり出たりしていて
封じ込めることはできないとしたら
そして、すべてが絶滅しない限り、絶滅するものは何もない
では、他の種が絶滅していく中で、私たちはどうやって残ることができるのか

しかし、私たちはそんなふうには考えない
絶滅の物語は、私たちだけが語ることのできるものだ
分断された世界、それ自身のためのそれぞれの種の話
限られた資源のために残りの種と競争する
ある種がいなくなり、別の種が生き残るために
それぞれの種は、別々になるほかない
だから、区別なしには、絶滅はありえない

しかし、この物語を語る私たちは、世界に背を向け
そして、その内容を、あたかも私たちだけのものであるかのように分類した
彼らのための私たちではない。私たちは自然から博物館をつくった
珍しい品々の飾り棚、その中身は処理され、整理され、分類される
また、私たちがその管理者になる
しかし、優れた学芸員のように、世話をすることはない
私たちは引き出しの中で暴れて、騒乱を広げてしまう

そして、コレクションのほとんどを台無しにしてしまう
しかし、私たちが失おうとしているこれらの種類は……
それらから離れて、はなから生を持たないのではないか
それらはまだ、ある意味では、絶滅していないのではないか
我々は二重の死を与えたようだ、第一に、すべての鼓動する心臓を動かなくして
飛んだり、歩いたり、泳いだり、成長したりするすべてのものを
引き出しという牢獄に閉じ込めてしまうことによって。第二に
その線を終わらせることによって。その線は生の線ではなく、出自の線であり
それに沿って成長するものは何もない。それは、動きではなく、鎖である
それぞれの鎖は、あたかもその成長から切り離すことができるかのように、形の退化につながっている
しかし、成長から離れた形は死であり、生には形成のプロセスしかない
死なせてしまったものを、どうやって絶滅させてしまうことができるのか

消すべきものがあるはずだ
光、生、愛、希望、炎、火
それは燃えていなければならず、それに対して動きがなければならない
膨らむこと、あるいは凝縮
しかし種は、絶滅に向かって、もはや生きるべき生がない
彼らには遺伝子しかない、相続できる情報の宝の山
生物多様性。私たちはそれを失いつつあると言う。しかし、生はすでに失われている
それは、世界の分割とともに消えてしまったのだ

自己強化のための三つの短い寓話

人類学者のブロニスラウ・マリノフスキは、社会生活を長い会話として描いたことで有名ですが、この長い会話とは、無限に続いていく、往ったり来たりです。しかし、その会話が人間存在あるいは生きものに限られるべき理由はなにもありません。また人間がその中心である必要もありません。物事の長期的な枠組みの中では、人間はほんの少しだけ登場してその後はふたたび消えていくような端役に過ぎないのかもしれませんが、その一方で、太陽と月、風と潮、大地と海、木と川はお構いなしに進んでいきます。科学者たちが、人間の活動が地球を形成する支配的な力であると判断される新しい地質学的な時代、すなわち人新世の到来を宣言した今、私たちはまた、人間の生がまもなくこの地球上で終わりを迎え、私たちの滞在を延長することはほとんどできないのではないかという考えに、これまで以上に悩まされています。人新世の後にやって来るものが何であれ、そこに人間がたくさんいることはありえないでしょう。私たちは、一〇〇年前に物理学者のヴァルター・ベールマンが「自己強化」と呼んだスパイラルにとらえられているように思えます。[※1]

以下では、『穀物、霧、光線：人新世の質感』という四巻の大著の編者の依頼に応じて、ベールマンのテキストに答えてみました。[※2] 寓話的な物語はいずれも、ひとつの会話を描いています。海砂と風、川と木、人間と建築環境についての最初の二つの会話は、ある種の和解、あるいは少なくとも、永遠の膠着状態に終わるのですが、三つ目の会話は忘却へとつながっています。それは、もしも私たちが、世界に加わるのではなく、努めて——さらにより巨大な工学技術の偉業によって——世界に抗して身を守ろうとするならば、必然的に我々を待ち受ける運命なのです。自己防衛は、究極的には自己破壊なのです。

海岸に貝殻が転がっています。その貝殻は、かつては岩の上に居場所を見つけた生きた軟体動物を宿しており、潮の干満で流れてきた栄養の粒子を濾過することによって自身を養っていました。これは、月のおかげです。しかし今、太陽の容赦ない光の下に取り残され、空っぽで生命力がなく、砂利との衝突で穴が開いて割れ、その最期を待っています。貝殻は、最終的には自分が砕かれて、いま自分が乗っている砂になるのを知っているのです。砂というのはつまり、同じ運命を持った無数の他者たちの、どんどんと積み上げられていく堆積物なのです。しかし上空では、空気が休みなく動き回っています。地面で暖められ、湿った蒸気が上昇し、また――上層からの圧力をほとんど受けないで――冷却され、凝縮して雲となり、太陽を遮って、その光を拡散させるのです。貝殻が砂の上に落としていた小さな影は消えてしまいます。急激な冷え込みに、浜辺をうろついて、漂流物を拾い集めていた人たちが身を寄せ合います。彼らのうちの一人は、貝殻を回収して、記念にポケットに入れようとしていましたが、そうしないほうが賢明だと思い直して、そのままにしておきました。もし彼が貝を拾っていたら、物事はどのように違ったものになっていたのでしょうか！

雲は水分を多く含み、灰色に変わり、雲行きが怪しくなってきました。風が吹いてきました

――最初は穏やかな風で、あちこちで砂粒が散らばっているくらいでした。次第に強い風が吹き、その後さらに強くなります。まもなく、風はうなり声をあげます。人間たちは避難所に逃げ込みます。貝殻を除いて、海岸はひっそりとしています。風は、ほとんど何もない王国を支配しているように見えます。

風は、傲慢にも、貝殻の上を通過する時、ほとんど立ち止まることなく「我吹くゆえに我あり」と宣言します。「小さな貝殻よ、おまえは私にとってほとんど何者でもないよ！」と叫びます。「私は木を切り倒し、海をけしかけて巨大な波にする。私は家を壊すことも、船を沈めることもできる。なにしろ、おまえを海辺に投げ出したあの波はまさに、私が起こしたものだ」。貝殻は縮こまっています。こんな強大な力に遭遇したことがなかったからです。波に翻弄されて海の乱れは知っていても、その理由は知らなかったのです。

しかしその突風が去った時、貝殻は無性に掻きたくなります。何かが貝殻をくすぐっているのです。風が叩きつける重い砂粒に貝殻は顔を打たれていましたが、細かい砂粒が貝殻の背中に着地したようです。風が吹くのに煽られて、偶然にも貝殻の陰に吹き飛ばされた砂粒もあります。しかし後ろから吹き寄せられた砂粒もあります。というのも、貝殻の背中を越えた時、風はすきまを開け、それを慌ただしく埋めようとする空気の逆流が砂粒を堆積させたからです。

ふたたび風が吹いてくると、風と砂が最初にぶつかった場所で、何かが膨らみ始めます。膨らみはどんどん大きくなっていきます。やがて、小さな塚《マウンド》が作られるのです。

「我吹くゆえに我あり」と風は、塚の上を掃くようにして吹き抜ける時に一瞬立ち止まり、慇懃に宣言します。「小さな塚よ、おまえは私にとってほとんど何者でもない」と風は付け加えます。しかしそれにもかかわらず、風は一瞬の障害を感じて、強制的に上に押し上げられたために、少しペースを落とさなければならないのです。そしてペースが落ちると、その握力は——ほんの少しだけですが——落ち、さらに数粒を滑らせます。そして一粒ごとに、塚は高くなっていきます。やがてそれは、海岸で目立つコブとなって現れるのです。

「我吹くゆえに我あり」と風はまたもや宣言し、栄光というよりは希望を持って、それは塚のそびえ立つ斜面に突き刺さります。しかし、風が頂きを越えるには大きな力が必要で、大きなため息とともに頂きを越えると、風が運んだ砂の重荷がすべて手放され、砂は頂きの向こう側に滑り落ち、転がり落ちるのです。その後、塚は風に向けて次のように語りかけます。

「風よ——おれを創ったおまえ——おまえは確かに、吹いているんだ。吹かなきゃ、おまえは何者でもない。おまえを捕まえて、瓶に入れて、『瓶の中に風がいる』なんて言えないんだ。貝殻みたいに、コレクターズアイテムにもなれはしない。おまえを罠にかけると、おまえは消えちまう。だがおれは立ち上がる。おまえが吹くのを止めても、おれはまだここにいる。たぶん、雨か春の潮がおれを洗い流すまで。おまえが全き動《どう》ならば、おれは全き静《せい》だ。おまえは悲鳴を上げる。おれは眠りにつく。おまえは、時間のうずの中にあるうずの姿。おれは、時間の中から落ちてきた塊の姿だ。おまえは歴史で、おれは考古学だ。おまえの停止はおれの形成だ。おれは残りつづけ、永遠にいつづけるが、おまえは刹那《せつな》の存在だ。おまえは、自分がいかに木を根こそぎにし、船を沈め、建物を破壊できるかを自慢する。でもおれはそうは行かない。おまえが強く長く吹けば吹くほど、おれは高くせり上がる。おまえがおれを吹き沈めようとすると、おれの力は増すばかりだ。確かに、おれは無敵なんだ！」

この言葉に、風は激しく挑発されます。風は塚に向かって言います。「私が思うに、おまえは、自分が天に届くまでどんどんと上昇しつづけていると考えているだろう。本当は、おまえを作っている粒が絶えず落ちつづけるからこそ、おまえは上昇するのだ。おまえの形は、永遠の崩壊状態に他ならない。私には力があるが、おまえは惰性だ」と。そう言うと、風はふたたび吹き始め、どんどん強くなります。そうすると、風は塚の頂きから砂を吹き飛ばし、それを遠くまで散らします。やがて塚は平らになるのですが、ついには、もう一度、風によって頂きから吹き飛ばされるよりも多くの砂が堆積していきます。

その後ずっと、風と塚は議論を続け、蒸気と粒とで戦ってきました。彼らは、どちらも勝てないと知って、ひとまずの休戦を宣言しました。まさにこうして、人間の一行は、両者が海岸にふたたび現れた時、それを見つけたのです。人間——なかでもとりわけその子どもたち——は掘ることが好きなので、彼らの一人が塚を掘り始めます。埋蔵された宝物を探すかのように、鋤《すき》で、深く深く掘っていくと、もうひとつの塚が形成されます。あらゆる人間の努力がそうであるように、掘り下げていくことは積み上げることを意味し、積み上げることは掘り下げることを意味します。掘ってこそ、私たちは建てることができます。それでは、地面は？ それは単に、上昇と下降が相殺されるような、積み上げることと掘り下げることの差異なのです。

こうしたことすべてを始める貝殻に関しては、あなたが深く掘り下げれば、それを見つけることができるかもしれません。しかしほとんどの場合、それは、すでに粉々に壊れていて、かつてそれが囲まれていた砂ともはや区別がつかなくなっていることでしょう。

むかしむかし、一本の木が生きていました。その木は川岸の近くで成長しましたが、川の流れは川岸を削って、木の根の多くを露出させていました。時々、洪水が起こると、木の根が水に沈み、幹が水に包まれたのでしょう。しかし、森を荒らした大嵐の時に、この木を倒したのは風でした。木は川のほうに倒れて、根は高く上がって乾いたまま残ったのですが、幹や枝は水に浸かり、風ではなく水流によって曲げられたり、叩かれたりしました。倒れた木は、対岸への半分までしか伸びておらず、水が新しい障害物の周囲に通路を見出す余地があったため、川の流れは完全に遮断されたわけではありませんでした。しかも、幹や枝が川に横たわった場所でも、幹や枝は部分的な障害にしかならないのです。それらは流れを遅らせることはできても、それを完全に止めることはできません。

木は横たわりながら、昔のことを思い出していました。木は、小さな苗木が最初の葉をつける時、自分が老木や立派な木々をどんなふうになじっていたのかを思い出しました。「ほら、ぼくは光を受けることができる。あなたはぼくを日陰に入れることなんてできないよ」と、苗木は言っていました。すると大木たちは、葉の多い枝を親切に振って、答えました。「きみは、いつか私たちのように大きく強くなるだろうが、いずれは倒れて腐ってしまうだろう。永遠に立っている木などない。風がきみを倒さなければ、菌類がきみを内側から食べ、キツツキが腐りかけた肉をつついて、そこに生息する虫を食べるだろう」

毎年必ず、大木が葉を落とし、雨が降り、菌類が湿ったごみに働きかけ、それを豊かで、栄養のある腐葉土に変えていきます。苗木はどんどん成長します。森のアリが近くにその巣を作ったように、モノを積み上げるという手間のかかるプロセスによってではなく、その木目に沿って物質が押し出されることによって。というのは、木目は物質の粒子ではなく、成長の線で構成されており、またそれは、重力の均衡によってではなく、節によって支えられているからです。木が高くなり、胴回りが広がれば広がるほど、その根は地下に向かってますます伸びていきます。そして光に対する渇望がますます大きくなりました。天蓋に光が差し込む時にはいつでも、木は光を受け止めるために葉っぱを出しました。葉っぱが増えれば、腐葉土が増え、腐葉土が増えれば、根が成長し、根が成長すれば、新芽や葉芽が増え、葉が増えれば成長のためのエネルギーが増え、分解するためのごみが増える……。そのサイクルはいつ終わるのでしょうか？

ええ、強風がそれを終わらせるのです。そしてかつては誇り高かったその木は、屈辱を受け、もはや直立するのではなく、ひれ伏し、そして空からの降雨としてしか知らなかった水という要素の中に浸され、ここに横たわるのです。川の水は、木の周りで、ゴボゴボと音を立ててうれしそうに笑い、木の不名誉をあざけりました。「あなたは年をとって死ぬけど、私たちは永遠に若いのよ。私たちは流れるのをやめない」と彼らはクスクスと笑ったのです。木はおもしろくなく、水面からの嘲笑が大合唱になると、屈辱は憤りに変わり、そしてその憤りは不屈の精神に変わりました。「待てよ」と木は自身に言いました。「ぼくはこの水に、忘れられない教訓を与えてやろう」。そして、まさにそのとおりになりました。

水が近づいてくると、木は流れを妨げます。ゆっくりになると、水は、上流の川岸や河床からさらわれてきた、自分が運んでいる土砂を不用意に流すものです。かつて水を通した枝の間の隙間を埋めるように、徐々に土砂の堤防が作られ始めました。そして堆積物が増えると、水は浅くなり、水底との摩擦のために、さらに流れはゆっくりになります。後続の水は、だんだんと焦ってきました。「早くしろ」と、彼らは叫んだのです。「待っていられない――私たちの後ろにはもっとたくさんいる。あの木を回り込んで！」。向きを変えた水は、木が倒れた川岸の対岸の土手に精いっぱいの力でぶつかりました。

しかし衝突の衝撃は、水を反対側に振り戻すのに十分なほどでした。そして水が向きを変えた分岐点で、土手が崩れ始めました。水との絶え間ない衝突で、土手はすり減っていったのです。一方の側で砂州が隆起することによって、水は反対の側にカーブを描きました。さらに下流では、最初に水がぶつかった側で、水が跳ね返って、別のカーブが描かれていました。まっすぐに下っていた水が、ジグザグの流れになっていました。水は、「私を見て！」と、堤防になっている木に向かって、そのそばを渦巻いて唸りを上げながら叫びました。「かっこいい」。しかしひと飛びごとに、水のスピードは落ちていったのです。すぐに、ゆるやかな蛇行になりました。

老木は、それがほぼ完全に埋まっていた砂州の上で、今や高い場所にあって乾いていたのですが、満足のため息をつきました。老木は、ようやく報いを得たのです。完璧な大勝利ではないかもしれませんが、恨みを晴らしたのです。というのも、かつて青春が永遠に続くと思い込んで老木をなじった川は、今ではいつまでも無力にさまようことを強いられているからです。もはや川は笑ったり、クスクス笑いをしたりもしないのです。むしろ、不機嫌そうにくよくよして、這っているのです。

次の恐るべき嵐とそれに伴う洪水がやって来て、砂州を洗い流し、またそれとともにすべての木も取っ払ってしまい、蛇行を突き破って、弓状の池を残したのです。そしてその木はどうなったのでしょうか？　それは海に流れ着き、そこで、海に流された無数の他の幹や枝の中に紛れて、今も浮かんでいます。あるものは陸地に流れ着き、人々によって、燃料や建築資材として利用されます。しかし他のものは永遠に海を航海し、あるいは海底の木製の難破船に加わります。たぶんそれが、私たちの木に起こることでしょうし、あるいはたぶん——砂浜に打ち上げられて——それは、別の塚の形成を始動させるのでしょう。

III

町の人たちは文句を言いました。「うちの通りは渋滞している」と、彼らは不平を言ったのです。「それらは、ロバのための道であって、車のための道ではない。狭いし、曲がりくねっているし、駐車するスペースもない。地元の商売も困っている。昔ながらの町ではなく、これからの時代に合った町づくりが私たちには必要だ」。長い運動の末、町議会は何とかすることに同意しました。「古い建物を壊してでも、私たちは道路を広げ、まっすぐにします。そして、ここで止まりたくないすべての交通のためにバイパスをつくります」。

人々は幸せでした。ブルドーザー、掘削機、スチームローラーなど、大きな機械がやってきました。ヘルメットを被った男たちが現れました。首相もやって来ました。堅い被りものをつけ、報道用に写真を撮られたのです。そこで彼は、建設の仕事のために服を着て、建設作業員たちと肩を並べました。「この国の政府は本気だ。投票しよう」と人々は考えたのです。

何ヶ月もかかって、その仕事は終わりました。騒音は収まり、男たちとその機械は去りました。首相が、ヘルメットを脱いで、ハサミと赤いテープを持ってふたたび現れました。最初に、テープで道を閉鎖し、その後、首相がテープを切って開通宣言をしました。誰もが歓声を上げて、生活が始まったのです。

当初、すべては順調でした。地元の商店は活況を呈し、多くの企業が進出を決めたのです。町の中心部にはスペースがなかったので、新たなバイパスを利用して、郊外に広々とした団地を建設することにしました。その拡大は、住宅を必要とする新たな住民を呼び入れたのです。急ごしらえで造られた地所が、町はずれの低地に現れました。またそこに住むためにやって来た人たちは、通勤のためやショッピングセンターへ行くために、車が必要になりました。車のショールームは忙しくなったのです。

人が増え、車が増えました。しばらくすると、人々はまた文句を言い始めました。人々は、バイパスを快調に走れずに、渋滞に巻き込まれてしまうのです。排気パイプから蒸気とガスが上って、大気を満たします。喘息やストレス性の疾患が増えました。「町と直結した新しいバイパスが必要だ」と、人々は言いました。「古いバイパスはすでに渋滞しているから。町の中心部には、地下駐車場が必要だ」と。機械と建設労働者、それにヘルメットをかぶった首相——今は別の首相——が戻ってきました。しかしこの時には、人々は別の不満を抱いていたのです。

「車を走らせるには、ガソリンが必要だ」と彼らは言いました。「でも、石油は枯渇するし、値段は上がるし、とても買えやしない」。首相は、心配するなと言いました。「我が政府は、石油を無限に確保するための新技術に投資することを約束します。我々は、国土の隅々まで、かつてなかったほど深い穴を掘るのです。そして、そこから石油が流れ出てくるのです」。

そのようにして、彼らは新しいバイパスを造り、穴を掘って、石油を供給しました。人々は車を走らせ、生活を続けました。そして、雨が降ってきたのです。

最初は局地的に大雨が降るので、運転にはくれぐれも注意してくださいという警告が出ただけでした。しかしその後、もっと雨が降り、さらに降り続いたのです。首相がふたたび戻って来て、ヘルメットではなく、下ろしたてのゴム長靴を履いて、写真撮影に応じました。首相は町中を歩きながら、住民たちに同情しました。そして雨が止んだら、後始末に費用を惜しまないことを約束しました。しかし、お金で雨を止めることはできません。雨は止まなかったのです。

政治家を責める人がいました。土地から流出する雨水を増大させる起因となるような農法を採用して、理性よりも利益を優先する農民たちを非難した人たちもいました。天を仰ぎ、目を丸くする人もいました。しかし、交通機関の排気ガスが大気を汚染し、天候をひっくり返したと主張する人もいました。科学者たちは、温室効果ガスの蓄積による人為的な気候変動が原因だと口をそろえました。そして、すでに転換点を越えてしまっていると警告しました。温暖化が進めば進むほど、大気中にガスが放出され、海流が変化して、さらに不安定になるというのです。気候変動のスパイラルは、自己強化型であり、不可逆的だというのです。

雨は降りつづけ、町は――今では完全に水没し――人が住める状態ではなくなりました。残ったわずかな人たちも、荷物をまとめて出て行きました。生は続きましたが、それは常にどこか別の場所でだったのです。

何世紀もの時を経て、あなたは、炎天下の砂漠地帯をさまよっています。大部分は風で飛ばされた砂に覆われているのですが、乾燥した環境に適応した低木が、あちこちで顔を出しています。そしてところどころに、砂が小さな山をつくっているのに、あなたは出くわすのです。

掘っていくと、コンクリートの破片、割れたレンガ、アスファルトの塊、錆びた金属などに時々出くわします。「ここには昔は人がいたのに、それが誰だったのかはわからない」とあなたは言います。そして、砂と風は、絶え間ない議論に没頭して、忙しすぎてそのことに気づかないのです。

線、折り目、糸

はじめに

私たちは応答《コレスポンデンシーズ》を、森の奥深くから始めました。その後、海岸に向かって、海岸線から丘や山を通って空に向かって乗り出しましたが、最終的には陸地に戻ってきました。そこに降り立って、地面に向き合い、身を潜めて、内密ながら思い切って進みました。私たちは地球の物語を、時代を超えて、それ自体の声で語ることで、諸元素と混ざり合ったのです。次なる冒険は、地球上のものたちとのこうした会話から、言葉での応答《コレスポンデンシーズ》へと、私たちを連れて行ってくれるでしょう。地面からページへ。歩いたり飛んだりすることから書くことへ。森の中で葉っぱを集めることから葉っぱを本に綴じることへ。

この移行は、スムーズなものであることに気づきます。耕された畑の溝から柵のワイヤーへ、地面の上のワイヤーの影から青写真や写真プレートに投影されたネガのイメージへ、イメージからそのポジティブな素材の糸へ、そして糸のループやねじれから、それがページをまたいで不安定に織りなす文字の行《ライン》の揺れへと、私たちは途切れることなく進みます。世界から言葉へとつながる通路において、存在論的な境界線が越えられることはないのです。しかし私たちは道を進んでいくうちに、屋外の雰囲気は次第に薄れていくことに気づきます。かつて放浪した森や野の代わりに、私たちは自分が室内にいて、研究の慣れ親しんだ環境で、机に向かって座って、行《ライン》を書いているのを見出します。私たちが座っている場所からだと、屋外は、想像するか、窓ごしに見ることしかできません。それに手を伸ばしても、窓ガラスに引っ掻いた跡を残すことくらいしかできないのです。

しかし次のいくつかのエッセイを読み始める前に、自宅で簡単にできる実験をしてみるようお勧めします。一枚の紙を取り出して、それに好きなように、どんな方向にでもいいので、直線を引いてみてください。そしてその紙を手できつく丸めてみてください。もとは無地で、両面だったものが、今では、不規則で入り組んだ皮膚を持つボールのようになっています。あなたの罫線は主にその内部に呑み込まれていますが、あちらこちらにその線が顔を出しているでしょう。次に、平らなテーブルの上で、ふたたび紙をのばしてみてください（図21（a）～（c））。それが、尾根と谷の複雑なパターンからなる、溝のある風景のような見かけになっているのを発見するでしょう。低空にある太陽に照らされるようにして横から照らされることで、光の当

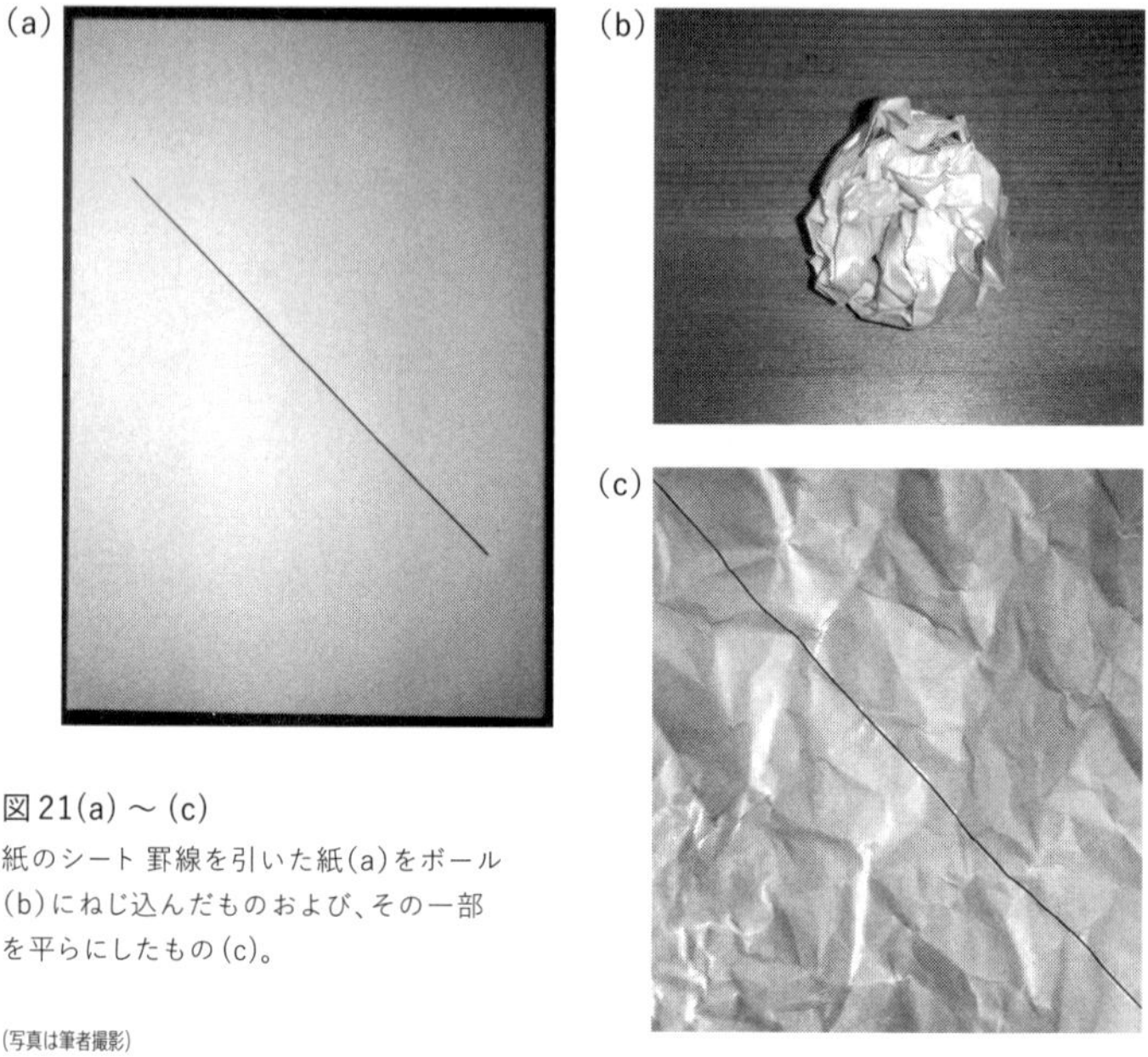

図21(a)〜(c)
紙のシート 罫線を引いた紙(a)をボール(b)にねじ込んだものおよび、その一部を平らにしたもの(c)。

(写真は筆者撮影)

たっている尾根は、光の当たらない面を陰にして、表面全体に複雑で多彩な質感を与えます。この上なく単純なものから出発して、そんなにも複雑な表面がどのようにして現れるのかが分かると、驚いてしまいます。しかし、おそらく最も驚くべきことは、罫線の運命です。なぜなら、罫線は、あたかもそれに影響されることなどないかのごとく、繰り返す浮き沈みを乗りこなしているように見えるからです。罫線は、それ自体の影になってしまったのでしょうか？ 読み進む際に、こんな問いを念頭に置いてください。

風景の中の線

イースト・アングリアの土地の多くはとても平坦です。かつてそれは淡水と海水の湿地帯で、土地勘のない人にとっては危険な場所であり、船舶でしか航行できませんでした。しかし過去数世紀の間に、湿地帯は排水されてしまいました。埋め立てられた土地は農業に転用されました。ミネラルが豊富なため、その土地は豊かな作物を生みました。見事な一連の写真の中で、写真家のニーシャ・ケシャブは、広大な大地、大きな空、広い地平線とともに、この農耕の風景の本質を捉えようとしました。彼女が「風景の中の線」と名付けることに決めた作品展の紹介文を書いてほしいと依頼された時、私は興味をそそられました。「なぜ線なのだろう?」と思ったのです。彼女が撮影した写真は、春の空の下、最近耕された大きな畑を大きく取り上げていました(図22)。その写真は、大まかに四つの水平線に分かれます。前景には背の高い草でできた黄緑色の層があり、それから、耕された土の錆びた茶色が画面奥にのびて、葉の茂った木々の薄い深緑色の帯に道を譲り、そして——天蓋で示された地平線の上で——雲に覆われた空の青が、白に取って代わられています。もし鉛筆と紙だけでこの絵を写すとしたら、あなたは、その草をたくさんの短い直立した線として、耕作の溝を消失点に向かって収束する線として、また畑の境界線と天蓋の水平線を、紙を横切って伸びる荒い水平線として描くかもしれません。問題は、これらの線のどれかが実際に存在しているのか、あるいは心の目の中にしか存在していないのか、ということです。これらの線を描く時、単に遠近法的な描写に慣れた人が理解し、「読む」ことのできる、絵画に関する約束事に従っているだけなのでしょうか。あるいは——自分の目の動きとそれに対応する手のジェスチャーで——その風景それ自体の形成プロセスに参加しているのでしょうか？

風景の中に線はあるのか？　多くの人は「ない」と言うでしょう。「線？　私には線は見えません」偉大な画家フランシスコ・ゴヤはそう宣言したことで有名です。[※1] 耕された畑の溝を見てください。地面の表面は波打っていて、その角度のついた太陽光線が一方では尾根を照らし、

図22　風景の中の線

ニーシャ・ケシャヴによる写真

他方では谷を陰の中に置き去りにしています。しかし地面自体には、線は見えません。尾根の上に生えている苗を見てください。苗が線に沿って植えられているのが見て取れたとしても、自分の想像力の中にその線を引いているのは、私たちのほうなのです。苗自体は、それぞれ特定の場所に根を張っており、そのような連結を持ってはいません。次に、木の幹を見てください。私たちの目には、木の幹は、ある特定の観点からだとすぐ後ろにあるものを覆い隠してしまう、排除の限界を示しているのかもしれません。私たちは、この限界を平行線として描くかもしれませんが、木の幹の実際の形は円筒形のヴァリエーションであることを知っています。フィールドの門の横木あるいは電線さえも、近くでそれらを見ると線ではないように見えます。

シダ、アザミ、ヨシなどもまたそうであるように見えます。それらが生長すると、樹枝状のパターンが現れるのですが、幹は幹、茎は茎、葉は葉です――線ではありません。沼沢地の排水をするためにその一帯に掘られた溝もまた線ではありません。その溝が真っすぐであっても、水が大地と出合い、植物の茎と混ざり合うところには、線などないのです。茶色い土が緑の草に変わる畑の端は、色のコントラストを示していますが、そこに線は刻まれていません。晴れた風のある日に空に目を向けてみてください。巻雲が羽のように見えるとあなたは言いますが、それらは鳥の翼と同様に、線で構成されてはいません。ヨシは、風に吹かれてすべてが一方向に揺れますが、方向というのは私たち自身の抽象です――それらは、世界の中には存在しません。地平線の線に関しては、どんなに遠くまで探してみても、伝説にある虹の端と同じく見つからないでしょう。

しかし、もし風景の中に線がないとしたら、耕された畑の溝や境界、木の幹や枝、立ち並ぶ鉄塔や吊るされたケーブル、植物の茎や葉、水路の縁や雲のうねり、私たちの知覚では地球が空に出合うように見える地平線でさえも、鉛筆と紙があればいとも簡単に描くことができるのは、どうしてなのでしょうか？　そしてこれらの特徴を、その場所を訪れたことのない友人にスケッチして見せると、即座に認識できるのは、どうしてなのでしょうか？　現象世界ではそのようなものは観察できないのに、スケッチに描かれた線はいったいどこから来ているのでしょうか？　それらは、私たちの頭の中にしかないのでしょうか？　私たちがスケッチを解釈できるのは、消失点に収束する直線を溝として、密度の異なる走り書きを葉として、短い直立線をヨシとして、長い平行線を幹として、上と下を分ける一本の直線を地平線として「読む」ことを可能にする、表象にかんする多かれ少なかれ恣意的な約束事全般を一揃い共有しているからなのでしょうか？

何世代にもわたって、作家や理論家たちは、まさにこのように主張してきました。線とは、人間の心が自然の連続体を、識別して名前を付けることができる領域や対象、あるいは実体へと切り分ける方法の、目に見える表現だというのです。彼らは事物を切り分けます。こちらには地面、あちらには空。こちらには大地、あちらには水。こちらには鉄塔、あちらには電線。こちらには木の天蓋、あちらには外気、といったように。線がなければ、私たちは何かと何かを区別することができないでしょう。それでは、世界は一つの大きな多色のぼやけたものとなるでしょう。しかしニーシャ・ケシャブは、その写真の中で、疑いを超えて証明しているのです。「線とは思考の産物であり、住まわれている世界には線に対応するものなどない」と言う人たちが、線を完全に誤解しているということを。風景の中にも線はあるのです。実際ケシャブの写真は、生きているすべての風景は線と要素の組み合わせに他ならない、という事実の生き生きとした証明となっています。

紙に線を引き、拡大してそれを詳しく見てみましょう。そこにあるのは、縁はぼろぼろで、紙の表面の擦《す》れによって鉛筆の先から擦《こす》り落とされている、幅も密度もさまざまな細長い黒鉛の塊にすぎないのでしょうか？　これでも線としてみなされるのであれば、雪の中にタイヤが残した轍や、鋤で耕した畑のまっすぐな畝《うね》、排水溝の溝はなぜ線とみなされないのでしょうか？（図23）紙の上の鉛筆の跡を線とみなしつつ、それと同時に、地上での労働と居住の跡は線として認めないということはできません。鉛筆で書いた線に沿って黒鉛と紙が出合い、混ざり合うことが、溝の長さに沿って水がヨシの土手と出合い、混ざり合うことと、なぜ原理的に異なるのでしょうか？　もし、描かれた線が紙の上の黒鉛の摩擦によって形成されるのであれば、畑の溝もまったく同じように、大地の抵抗に対して、熊手や鋤で苦労して引きずることから形成されるのではないでしょうか？　前者が線であるならば、後者もまた線なのです。このような線には、物質的な存在感があります。そうした線は、イメージの領域に自身に固有の場所を持つ、たんなる浮遊する記号ではありません。それは、比喩的なものではなく、実在なの

図23　耕作された畑と排水溝と木材

ニーシャ・ケシャヴによる写真

です。そして、最も重要なことは、そうした線が、自身を形成する諸要素——崩れた大地、乱れた大気、降雨、太陽光といった諸要素——からまだ切断されていない、あるいはそれらと分離していない、ということです。

風景の中に線があるのは、あらゆる風景は運動の中で形成されるからであり、またこの運動が、その進行の多様な経路に沿って物理的な痕跡を残すからです。これらの線を認識することは、モノをそのまま見るのではなく、モノがそれに沿って動いている方向を見ることです。それは、モノのレイアウトや形式的な外被を見ることではなく、その粒、質感および流れを見ることです。私たちが紙の上の黒鉛の汚れを線として認識するのは、それが進んでいく仕方を見るからであり、これは、

図24　電線に止まったムクドリ

ニーシャ・ケシャヴによる写真

溝や雲やヨシでも違いはありません。いずれの場合でも、線はその要素から区別できるのですが、線からその要素を区別することはできません。鉛筆のマークは紙から区別されますが、紙をマークから区別することはできません。溝は大地から区別されますが、大地を溝から区別することはできません。雲は空から区別されますが、空を雲から区別することはできません。ヨシは水浸しの層から区別されますが、水浸しの層をヨシから区別することはできません。人間の労働力によって刻まれ、雨水を浴び、光り輝く空の下で風に吹かれた大地の縞をもう一度見てみましょう。これらは力と摩擦の線であり、その線は、農業の労働が、流水や鳥の飛翔と、そして鳥が移動の途中で停まる電線と交差するように、風景を縦横無尽に行き来します（図24）。そうです、この風景の中には線があり、それを証明するのが、ニーシャ・ケシャブの写真なのです。

チョークラインと影

このエッセイは、アートディレクターのベンジャミン・グリヨンに依頼されたもので、もともとはアーティストのマチュー・ラファールとマチルド・ルーセルの写真プロジェクトに合わせて書かれたものです。そのプロジェクトの目的は、イメージ構築における空間、格子、線の関係を探ることでした。ラファールとルーセルは、特にチョークラインに興味を持ちました。チョークラインとは、表面を直線でマーキングするために、建築業界で現在も広く使われている単純なツールです。白または青のチョークを塗られた一本の糸を、表面にしっかりと張ります。弦を弾くと振動して、全体の長さに沿ってすぐに表面をマーキングします。表面の障害物には無頓着に、点と点の間を最短距離で横断しているこの線は、建設現場の固形物からの抽象なのでしょうか？　あるいは、その重さと緊張感において、建築デザインの概念的で幾何学的な線の、物理的で具体的な表現なのでしょうか？　もちろんその両方であり、観念世界と物理世界のどちらに転ぶかわからないある種の旋回運動なのです。そこに、この作品の特段の有用性があるのです。

私はノルウェー北部の海岸沿いにあるハンマーフェストという町を訪れています。九月のある明るい日、町の郊外にある、人気のある、よく使われている小道を歩いています。歩道の一辺には、ポールが地面に間隔を開けて打ち込まれ、その間に張られた水平のワイヤーでできたフェンスを当局が立てていました。私は歩いていて、フェンスの一番上のワイヤーがどんなふうに影を投げかけるかに気づきます。驚いたことに、その影は道の中央線に沿ってまっすぐと、暗いリボンのように延びているのです。その道の表面は不規則なもの――無数の足によってすり減らされ、石、泥、砂利が混ざったもの――であるにもかかわらず、そのリボンはどんな障害物も何の苦労もなく乗り越え、そのコースを逸脱してしまうことは一度もありません。さらに驚くべきことに、太陽が雲の後ろに隠れた瞬間、それはその目に見える長さ全体にわたって消え去ってしまいました――ふたたび太陽が顔を出した時、あたかも魔法のように、ふたたび姿を現したのです。私はこの線の奇妙さ、とりわけそれが道の線そのものやフェンスのワイヤーとどれほど違っているのかを、不思議に思わずにはいられないのです。

道について重要なことは、それが、地面から離れることなく、絶えずそれ自身を作り出しつづけているということです。地面の中を道がどのように走っているのかと聞かれれば、私はそれを言うことができますが、何が地面で何が道なのかと聞かれれば、私にはそれを伝えることができません。なぜなら、道は地表**の上に**敷かれているのではなく、むしろ、例えば付加される摩耗や破れ、草木の踏みつけや土壌の浸食などによって特徴付けられる、地表**のうちの**差分として現れているからです。この点で、それは引くことで作られる線にとてもよく似ています。鉛筆でページの上に線を引く時、その線は、手のしぐさによって動かされる、鉛筆の先の痕跡として現れるのです。道では、手ではなく、足の動きが痕跡を残します。とは言うものの、引かれた線と同様、道は**体が動いていくうちに**、体の動きの連続性の中で形成されます。もちろん、私は多くの人が以前に行ったところを歩いているので、その意味では、線はすでに、私が辿れるようにそこにあります。しかし線を辿ることで、私はその存続に、微力ながらも貢献しているのです。

しかしワイヤーに関しては、全く事情が異なるようです。なぜなら、ワイヤーは、足や手が歩んでいるうちにそれらの動き回りによって付けられるのではなく、すでに地面に打ち込まれているポールの間に張られているからです。それはあたかも、フェンスの張られたワイヤーの中で、道が、ほぼ等距離の点とその間の直線的な線の連続として、分けられ、再構築されているかのようです。さらに、ワイヤーは、それが吊り下げられている地面の表面の特徴をまるでお構いなしですし、地面の方もワイヤーのことはお構いなしです。道を歩けば、一方を他方から見分けるのに何の苦労もありません。

ちょっと立ち止まってみましょう。私は海に出て、本土と隣の島を隔てる狭い海峡を、近くの製油所から液化天然ガスを積んだ船が定期的に往復しているのを眺めます。私は、航海士が画面上で海図を広げて、どこからどこまでのコースを行こうと思い描いているのかを想像します。柵のワイヤーが地面の表面と関係するのと同じようには、彼の海図に描かれた線は、実際の海面と関係していないように、私には思えます。しかしもし、その点において航法線が、張られたワイヤーに似ているのだとしても、別の見方をすれば、これほど違うものはありません。なぜなら、それは画面上にのみ存在し、地図作成上の表象の概念的な平面にマッピングされているからです。対照的に、ワイヤーは世界の中に、実際に、実質的に存在しています。それには、身体、色、質感があります。それに触れることができ、それを感じることができます。摘んでみると、それは振動します。強い風が吹けば、その振動は音を出すことさえあります。

基本に戻ってみましょう。抽象的な理念と現象的な現れの間にある、直線の違いは、幾何学が始まって以来、私たちにはとてもなじみのあるものです。ユークリッドの『ユークリッド原論』では、直線は、二点間の最短距離として最小限の定義がなされています。そのように、直線とは、純粋に概念的で、合理的なものです。それは限りなく細く、透明で実体のない平面の上に描かれます。しかし私たちがよく知っている最初の幾何学者――字義的には「大地の測定者」――というのは、古代エジプトの測量士たちでした。彼らは、毎年のナイル川の氾濫の後に、地面に打ち込まれた棒の間にロープを張ることによって、耕作地の区画を定めていたのです。これまで石工たちに広く用いられてきた、石を切断するのにまず印をつけるというやり方の最初の証拠を私たちが発見したのもまた古代エジプトだったということは、決して偶然ではありません。赤黄土をまぶした糸を、切断される材料の表面にピンと張っておきます。その糸をつまんだり、あるいはぱちんと弾いたりして振動させると、瞬時に真っ直ぐな黄土色の痕跡が完全に残り、それが、石を切断する者の手の指針となりうるのです。

もし、直線の起源がピンと引っ張られた糸にあるとすれば、表面上に引かれることになる最初の直線は、手で描かれたのではなく、むしろ、ぱちんと糸を弾いて写し取られたのだと示唆することは、まったく不合理ではありません。現在好まれている素材は白や青のチョークであり、糸は一般にナイロン製でリールに巻かれていますが、基本的な技法は変わらないままです（図25）。現場では、切断面の跡を付けるために糸をリールから外して、それを表面に張り、ぱちんと弾いてその痕が現れるようにするのです。

柵のワイヤーが落とした影のリボンを辿りながら歩いていると、私は、チョークラインが、ワイヤーとリボンの関係の手がかりになるのではないかと思うのです。この関係が、チョークラインとその痕跡の関係に類似していることが、突然気になったのです（図26）。チョークであれワイヤーであれ、線を活性化する力はそこに縦方向に——道を歩いたり、鉛筆で描いたりするように——やって来るのではなく、横方向にやって来るという点で、両者は共通しています。指が糸を引っ張る時には、太陽光線がワイヤーを横切って、張力線と直交するように当たります。さらに、糸とワイヤーはいずれも、その全長にわたって瞬時に影を落とします。この影は、表面のさまざまなデコボコとは無関係に、その上に浮遊しているかのように、表面に全く触れることなく、表面に溶け込んでいます。そして作り手が影に沿って材料を切断するように、私も足で影を辿りながら、道を切り開いていくのです。

もちろん、いくつか違いはあります。そのひとつは、作り手の指がチョークラインの弦を摘まんでそれを振動させるのと同じように、放射状の太陽光が柵の線を正確につかむことはでき

図25　マチュー・ラファールとマチルド・ルーセルによる白亜の線
2019年

写真提供　ベンジャミン・グリロ・スタジオ

図26　マチュー・ラファールによる白亜の線の影
2019年

写真提供　ベンジャミン・グリロ・スタジオ

ないということです。さらにもうひとつは、チョークラインの影は、その線が振動し終わった後も長らく物理的な残滓として残るのですが、ワイヤーの影は、陽が沈んだ瞬間に消えてしまうということです。それは幽霊のように実体のないものです。そのような影に触れてみても、手を汚すようなことはないでしょう。もちろん、あなたはそれを消し去ることもできません。そんなことができるのは雲だけです。しかしすべての影がそんなに儚《はかな》いわけではありません。写真の印画板や青焼きに放射線を当てれば、線は表面の上に投影された、消えない影として現れます。しかし、その表面に接触した線にのみその色素を沈着させる、チョークを塗られた糸とは対照的に、皿やプリントの場合には、線それ自体を除いて、表面全体が染められるのです。それらはネガです。別の仕方で照らし出される道の上の暗い影のリボンも、やはりネガです。しかし、チョークラインはポジなのです。

そんなことを考えながら、私は自分の道を進んでいきます。フィヨルドの外で、船は、その航跡が航海者の線を追跡しながら進み、やがて視界から消えていきます。しかし昼間の時間帯には、太陽が出たり入ったり、大地が雪に覆われたりして、リボンは消えたり戻ったりを繰り返し、やがて——極北の冬の深さの中に——太陽自体が地球の陰に隠れてしまうのです。

折り目

二つの斜面が交差するところで形成され、自然の水路や丘の中の小道を作り出す、標高の最も低い線を指す地理的な用語は、谷線《タールヴェグ》（字義どおりには、「谷間の道」）です。事実上、タールヴェグは、風景の折り目であり、川や道がそれに沿って続いているのです。線に関する考察を目的とした芸術・文学評論誌『タールヴェグ』が、創刊号のテーマとして「折り目《フォールド》」を取り上げたのは不思議ではありません。[※1] 私が寄稿したのは、新聞の折り目から、服を折ること、褶曲《しゅうきょく》岩〔訳注：褶曲とは地層の側方から大きな力が掛かった際に、地層が曲がりくねるように変形する現象〕、群れを集める〔訳注：「折る」を意味するfoldには、「家畜を囲う」の意味もある〕ことに至るまで、その言葉の意味を辿る小さな詩です。折り目には多種多様なものがあります。しかし世界の表面にしわを寄せる折り目線や、最初にくしゃくしゃにしてから広げられた一枚の紙にできる折り目線のように、それらはひとつのもののバリエーションです。

折り目

並んでいるが背中合わせや面と向かって、になるところ
ベッドのシーツや新聞のページの間にあるのはどんな秘密
言葉が体のように目に見えない親密さで触れたりキスしたりするのはどこ?
読むためには、ページを開かなければならないし
かつては互いの鼓動を感じていた単語が
折り目で分けられ
あたかも互いを知らなかったかのようにバラバラにならなければならない

折り目

引き出しやスーツケースに詰め込まれた
数々の表面から塊を作る
塊からアイロンがけが表面を作るように

くしゃくしゃになったハンカチや膨らんだポケットは、アイロン台の上で平らになり
命が搾り出される。棚の上に整然と積み上げられた衣類は
汗まみれの毛穴と落ち着かない手足から守られて
影にフィットしているだけ

折り目

地球の表面そのものは、
想像を絶する力で圧縮されると、曲がり、ねじれてしまう
古い山を歩くことは手風琴のような尾根を越えること
尾根は長期にわたる浸食によってすり減っている。時間そのものが列を乱し、それで
地質学者は戸惑い
より古い地層が後続の地層の上に重なる

折り目

二つ、四つ、たくさん

図27　折り目を挟んだ文字の出会い

筆者撮影

成長や分化で増殖するもの
牧場主の一団や牧師の会衆のように
彷徨いや生き方は教会やペンに集まる
そこでそれらを数えることができる
多種多様なものが一つの場所に包まれ、一
つに、一体化する

糸を散歩させる

物質の世界では、表面なくして線はなく、線なくして表面はありません。表面が存在するところではどこでも、表面は何らかの仕方で、素材を直線的に織り込んで形成されているに違いありません。そして、線が存在するところではどこでも、線は表面に跡をつけられているか、表面を縫うように通り抜けているに違いありません。しかし線の種類として、痕跡と糸は、根本的に異なる性質を持っており、そしてそれがこのエッセイにおける私のテーマです。このエッセイを、ブリュッセルを拠点とするテキスタイル・アーティスト、アン・マッソンとエリック・シュヴァリエのスタジオを訪れた後に書きました。[※1] スタジオに入ると、衣服や家具など、私たちが日常生活で身の回りに置いている見慣れたモノがゆらいだり解《ほど》けたりして、思いがけない不思議なパターンを形成している世界に、自分がいることに気づきました。線が続いていっているのです。羊毛の玉がベストになっているのか、あるいは羊毛の玉になっているのがベストなのでしょうか？ もつれたシートが解けて、椅子たちは一緒になって絡まり合い、私たちには座る場所がなくなりました。モノを掛けるためのフックは、それらに掛けるべきモノを無視して、互いが互いを掛け合っていました。

巻きつけたり、絡めたり、吊るしたりするというのは、糸を使ってできることであって、痕跡ではできません。糸はまた、引っ張ったり、つまんだりもできます。また、糸は切れるものです。これらはすべて、それ自体、糸＝線の組織である肉の苦悩です。では、表皮が傷つく時、何が起きるのでしょうか？

よく知られているように、パウル・クレーはドローイングについて、それは線を散歩させることであると述べています。引かれた線はすべて、仕草の痕跡であり、移動する点によって表面の上に残された印です（一五一ページ参照）。しかしその痕跡は、線の一種でしかありません。もうひとつの種類は、同じようにどこにでもある糸です。もし糸を散歩させるとしたら、何が起きるのでしょうか？ 確かに、いくつかの違いがあります。一例を挙げると、歩いているう

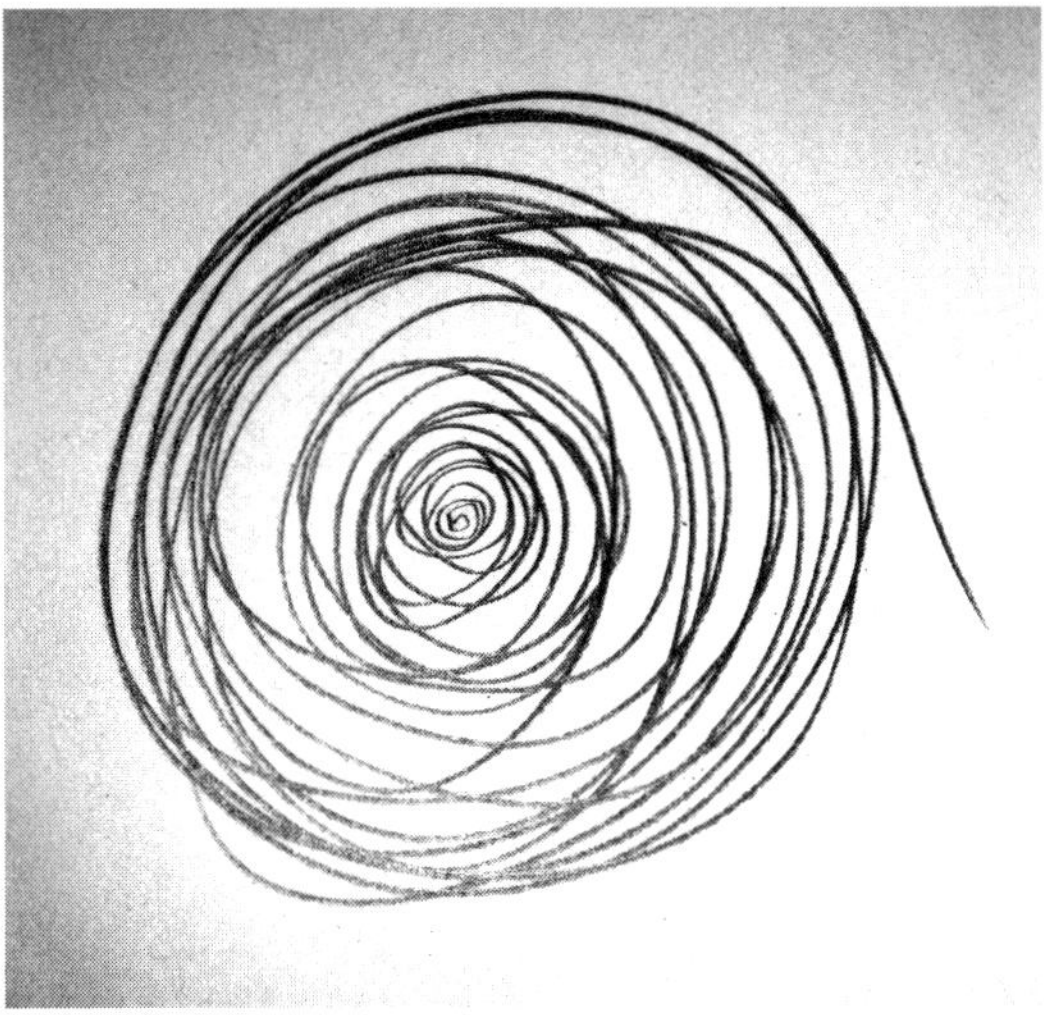

図28　巻いた鉛筆の線

筆者撮影

ちに簡単に伸びていく痕跡とは違って、糸は最初に紡がれなければならないのです。散歩を始める前に、線はすでに準備されていなければならず、おそらくそしてそれは、ボールか糸巻の中に、巻かれていることでしょう。引かれた線もまた、図28で示されるように、糸を巻く動きと違わない鉛筆の巻き取りの動きによって、巻き上げることができます。しかし痕跡を用いてできないのは、それを解《ほど》くことです。痕跡を巻き戻した後に、ふたたび巻き取ることもできません。また、痕跡を移動させたり、そのレイアウトを変えたりすることもできません――もちろん痕跡を擦《こす》って消してしまうことはできるのですが、これは糸を用いてはできないのです。

もうひとつの例を挙げれば、糸を伸ばすことは可能です。伸ばした糸は、バイオリンの弦のように、真っ直ぐで張りつめています。弦は、引っ張ったり弓のように弾いたりすると振動します。痕跡は振動しません。例えば、地震計が地震の間に地面の振動を記録するように、痕跡は、振動を記録することはできるかもしれません。しかしバイオリンに関しては、振動するのは弦それ自体です。伸びた糸のもう一つの例は、織機の経糸《たていと》です。織機の経糸が原稿の罫線の原型であったと考えられる理由はいくつかありますが、それらが、織物の緯糸《よこいと》の揺れと文字の罫線の揺れとの間の平行関係へとつながっており、この平行関係は、テキストとしての、書くことの概念の中に残っています。[※2] しかし実際の作業としては、糸を張ることと線を引くことは全く異なっています。糸を張ることには張力がかかりますが、線を引くことには張力はかからないからです。張られた糸の線はエネルギッシュであり、罫線は不活性です。前者は、その直線性を、素材に内在する諸々の力の活動に負っており、そうした力は、紡績の機構を通じて、糸に与えられてきたのです。後者の直線性は、たんに定規のへりを反映したものであって、定規は印となる点の動きをガイドするための治具《じぐ》として用いられます。もし、カードや木など、順応性に富む表面に糸を張ろうとしたら、糸の張力で表面が歪んでしまうことがあります。しかし、どんな罫線であっても、同じ効果は得られないでしょう。もし罫線に文字が書かれれば、表面と横方向に歪めてしまうのではなく、縦方向に切ってしまう可能性が高いのです。

痕跡と糸のこのような違いを念頭に置いて、散歩に出かけてみましょう。玉状に丸められ、用意された糸――例えば羊毛――があります。この玉は、それ自体が興味をそそります。この玉は、さまざまな種類のゲームの中で転がしたり投げたりするためにデザインされた、多くの種類の玉と比較できるかもしれません。ゲームに使う玉は、連続した球状の表面を持つ個別の物体です。それらが他のモノ――地面や、プレイヤーの手や靴、あるいは玉同士――と接触する時には、表面と表面の衝撃が起きます。しかし毛糸の玉は、形は球形でも、一貫性を持った表面がありません。それとまったく同じように、先ほど私が描いた巻いた痕跡（図28）にも、一貫性を持った外周はありません。毛糸玉の表面を探そうとすれば、毛糸の玉がそれを巻き取ってしまって何も残らないという結果に終わるでしょう。あるいは、十分な材料の予備があれば、糸を巻きつづけていくことができるでしょう。そうすることで、玉の表面を新しい層で覆うことができるでしょうか？　そんなことはできません。なぜなら、そもそも玉には表面がないのですから。言い換えれば、羊毛の玉は決して完全ではなく、常に「玉になりつつある」のであり、なりつつあるその線が糸なのです。それをひとつにまとめ上げているのは糸の張力であり、ひと巻きごとに、張力のおかげで、糸はこれまで縛られていたものを実質的に縛ることになるのです。玉とはひとつの束縛なのですが、それは、玉そのもの以外の何ものでもないものを束縛しているのです（図29）。しかし、束縛を解くことも同様に可能であり、そしてそれは、まさに歩き始める時に起こるのです。

糸の散歩には、いくつかの道具が必要です。最も基本的な道具は針です。長い細い道具で、一方は尖っていて、他方には目が開けられていたり、開けられていなかったりします。縫い物や刺繍をする時には、糸がその目を通ります。編み物をする時には、糸が軸の周りにループ状に巻きつきます。いずれにせよ、縫い物でも編み物でも、道具の主な機能は痕跡を刻むことではないのです。原理的には、鋭い先端を使って痕跡を刻むことができるとしても。道具が線を作るわけではないというのは、線はすでに作られているからです。道具はむしろ、痕跡ではできないことを、糸で正確に行います――つまり、ループ構造や結びの型の中に線を再調整することであって、その型の中で、点の目的は開口部を見つけることであり、目や軸の目的は引き通すことです。ここで糸は、玉のようにそれ自体の上に螺旋状になるのではなく、複雑な絡まり合いを形成し、そのループ構造を解体しなければ、それを解くことができないのです。熟練した裁縫師の手の中で、針はある種のミニチュア・アクロバットを容易にします。より大きな規模では、それは、一方の足をもう一方の足よりも前に出すのではなく、宙返りをしながら進

図29　アンヌ・マソンとエリック・シュヴァリエによる羊毛のボール

クリスチャン・アシュマンによる写真

んでいく散歩のようなものです。定期的な反復を通じてループ構造が絡まり合い、布を形づくるのです。

そして、あなたのアクロバティックな歩き方で、糸は、それが玉から解き放たれるのと同じように速く、布に巻き戻されます。糸の線は玉でも布でもなく、また、玉と布が結び付けられる別々の物体であったかのように二者をつなぐものでもありません。それはむしろ「玉が布になる」ことです。しかしそれは「布が玉になる」こととほとんど同じかもしれません。糸の美しさは、いったん編み込まれたものがいつでも解《と》きほぐされ、ふたたび編み込まれ、かつてなかった新しい形やパターンを生み出すことができるところにあります（図30）。しかし、玉と布のどちらにも、緊張と緩和のバランスがあります。だからこそ、それを表現するのには、「閉じている」か「開いている」かという、より伝統的な二項対立ではなく、「堅く」か「緩く」かというような言葉を用いることができるのです。糸の玉を切ることは、生きものの表皮を切断するようなものです。糸の緊張が切れた瞬間に、切り口の両側は引っ張られて、開いた傷を残すのです。玉を巻くことと表皮の傷の間には、何らかの関連があるのでしょうか？　今ではその意味は廃れてしまっていますが、「巻きつくこと（to wind）」はまさに、相手に傷を負わせるために、武器を曲線的な軌道で振り回すことを意味していました。生きている組織とは、羊毛の玉のように、糸の線の束なのです。

同様に、布地の糸を切ると、織る者の手を煩わせることなしに、糸が新たな平衡状態に達するように自身を編成し直し、パターンの歪みを生み出すことができます。むしろ、石鹸水の皿の中で表面張力の均衡を通じて泡が形成する絶妙のパターンのように、織物のパターンは、それを構成する糸の張力における同等の均衡化を表しています。そして、泡を破裂させるように糸を切ると、模様全体が再構成されます。よく「勝手に〔訳注：オブ・イッツ・オウン・アコード：それ自体の一致するところで〕」と言うことがありますが、この一致《アコード》とは、コードつまり糸同士の力の交渉を通じて達成された、ある種の和解であると言うほうがより適切でしょう。

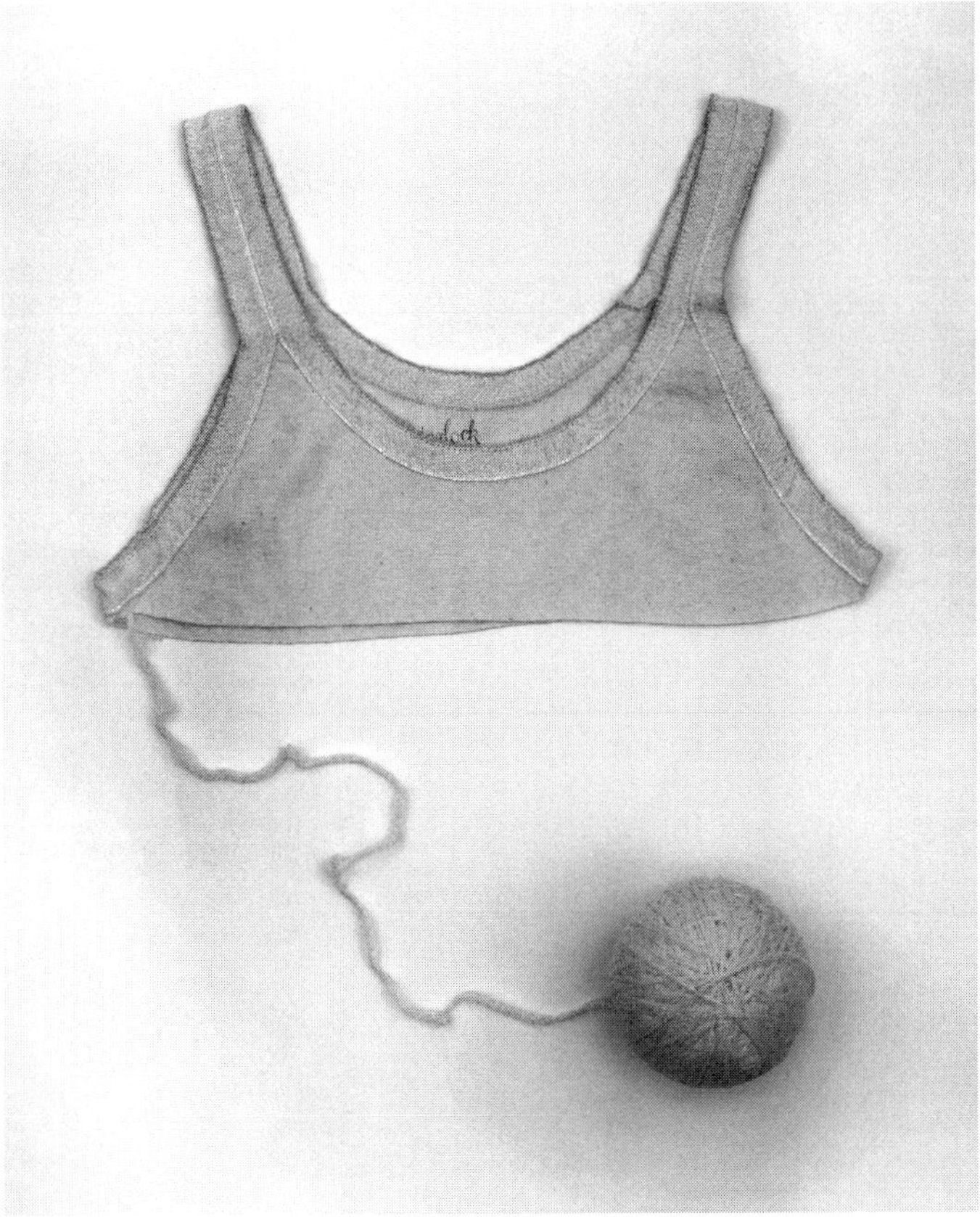

図30　アンヌ・マソンとエリック・シュヴァリエによるベストとボール

クリスチャン・アシュマンによる写真

一致《アコード》に相当する別の言葉は、共感《シンパシー》かもしれません。調和したテキスタイルの糸は、共感的な結合で結ばれています。コーラス・ポリフォニーの線のように、しかし彫刻の組立部品とは異なって、それらは結い**上げられている**のではなく、結び**合っている**のです。実際、緊張と解放の交代、そのリズム構造、その対位法と調和など、テキスタイルは、彫刻作品よりも楽曲に近いものがあります。ですから、私たちが二脚の椅子が束ねられているのを見ると、それがオブジェであるのはそのテキスタイル性に従属しているのであって、その逆ではないように思えます。もともと、ショップやショールームから出荷されて、これらの椅子は、もつれた席になっていたかもしれません。しかしこの組み合わさった要素は、異なるものが結び付いた、大工の組み立てによって構成されていました。しかし長年の共同生活の中で、それらは、それに座る人たちの互いの愛情のうちに、ある種の親和性、さらには愛着を発達させてきました。もし、私たちが毎日使う家具が、私たちの着ている衣服のように、私たち自身の一部であるならば、家具はなぜ人間がするように抱擁できないのでしょうか？　椅子もまた、互いに愛し合うことができるのです。しかし、いったん椅子が愛するようになると、それは座るのには使えなくなってしまうかもしれません（図31）。このような逆さまの世界では、愛し合う家具の重量を背負うのが人間の運命であり、そしてもし友好が争いに変わったら、その時には、不和の圧力にも

図31　アンヌ・マソンとエリック・シュヴァリエによる
2脚の椅子が1つになったもの

クリスチャン・アシュマンによる写真

やはり耐えなければならないでしょう。

　このボール＝チェアは、まるでタンゴを踊っているかのように、同じような親密さの強度を持っています。もはや別々の、あるいは分離可能な対象ではなく、球状の抱擁の中で結合され、二つでひとつです。家具からダンスを作ることは、私たちがそれらとともに生の歩みを進めていくように、それらがどんなふうに、私たち**とともに**生の歩みを進めていくのかを示すことです。織り合わされた生はその表面で混ざり合い、羊毛の玉の表面のように、私的な個性を持つ内部世界を覆うのではなく、そのような覆いが暗示する経験の重なりを狂わせてしまうのです。池の静かな水面では、映った空が浮き草や濁った水底からの屈折と混ざり合うように、布地の表面は光と影、色とトーン、ハーモニーとメロディーの戯れです。その質感は、隠すことあるいは覆い隠すことの表面ではなく、混ざり合うことの表面です。そして私たちがずっと続く生の糸を歩んでいるのは、このような表面の上でなのです。

文字線と打ち消し線

『歩く（ペンで打ち消す）』[※1]と題された短いビデオ作品の冒頭で、アーティストのアナ・マクドナルドが、原っぱでスツールに座っている様子が撮影されています（図32（a））。彼女が手にしているのは紙の束で、それは風に吹かれて舞っています。原っぱそれ自体は、どこにでもありそうなものです。平らで、少しぬかるんでいて、ぼろぼろの草や雑草が交じっています。地平線には、葉のない木々が茂り、空には何の特徴もありません。きっと晩秋か冬なのでしょう。遠くから鳥の声が聞こえてきますが、ペンがホルダーから抜かれるような小さなクリック音で終わる少し不吉なシューという音や、きしむ音以外には、他に何の音も聞こえません。静かに、慎重に、マクドナルドは、スツールから立ち上がり、まっすぐ前を見て歩き始めます。私たちは、彼女が画面上で左から右へと進んでいく時に、その横顔を見ます。しかしほんの数歩歩いただけで、突然斬るような音がして、茶褐色の線がフレームを横切り、歩いているアーティストの首のすぐ下を切り裂きます（図32（b））。彼女はほとんどためらうことなく歩きつづけ、線はまもなく消え、同じことが起こり、今度は腰の高さで彼女の体を切ります（図32（c））。二〇歩ほど歩いた後、彼女は立ち止まって、スツールの方に向き直ります。すると、もう一度顔の部分が切り裂かれます（図32（d））。映像は1分18秒で終わり、画像は消えていき、切り裂きの線だけが残ります。背景に目を向けると、その印は紙の表面につけられたものであり、ビデオ映像もまた、それと同じ表面で再生されたものであると、私たちは気がつきます。

いったい何が起こっているのでしょうか？

生命の世界では、先端から線が伸びていきます。土の中を手探りで進む根っこや走出枝は、刻々と変化する条件に応じてねじれたり、回転したりします。芽や苗木は、太陽の下で自らの居場所を見つけるために、競争しながら曲がっていきます。陸上では、動物たちが下草の中を迷走し、鳥たちは枝から枝へと飛び回り、あるいは曲がりくねった気流に空高く舞い上がります。交通量の多い道路では、人々は、衝突を避けるために、縫うように入ったり出たりします。

(a)
(b)
(c)
(d)

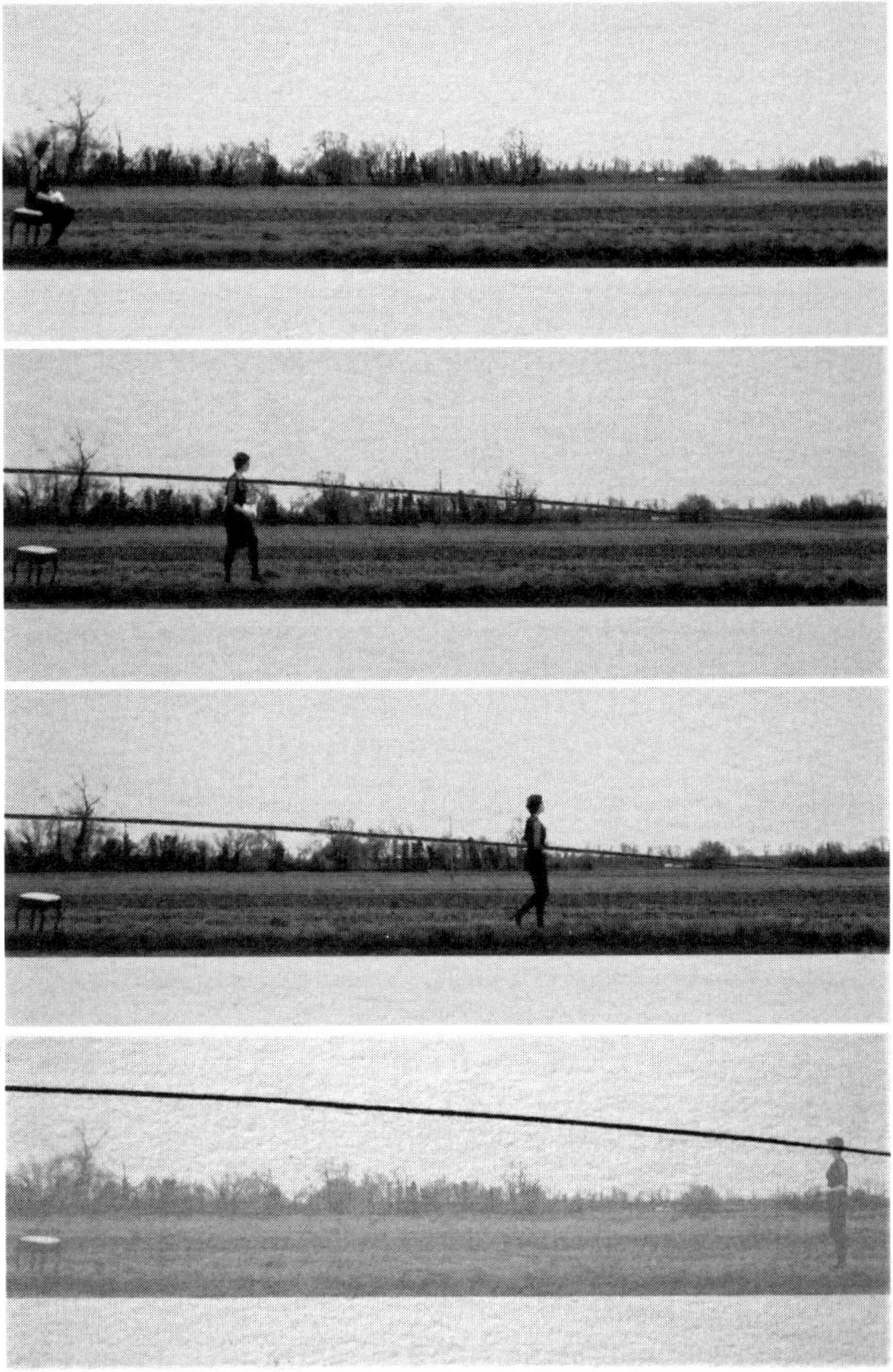

図32　アナ・マクドナルドによる『散歩（ペンで打ち抜く）』（2016）より
4枚のスチール写真：
（a）0'03"時、（b）0'30"時、（c）0'39"時、（d）1'10"時

作家の好意による

また、ペンで文字を書くという単純な行為においても、思考する手の指先の身振りが、文字の線という形で、くねくねとした痕跡を残します。西洋の多くの表記システムでは、線は左から右へと進みます。しかしペンはページの端から端まで、ゆっくりとした前進を行うだけです。多くの場合、ペンは上下に振動するか、あるいはループしてからふたたび戻ってきます。

しかし打ち消すことは、全く別の問題です。それは突然で、暴力的で、爆発的です。斧は木を叩いて、真っ二つに切断します。戦士の剣は肉を叩いて、戦場に、切断された手足を散らせます。首がギロチンの下から転がります。また破壊者のナイフによって切り裂かれたキャンバスには、ぱっくりと開いた裂け目が残されます。いずれの場合にも、刃先は弾丸のように自らの勢いで突き進みます。布を切る時、私たちが選ぶ道具はハサミかもしれません。ハサミの刃は、二枚が閉じるにつれて素材を切り裂きながら、片刃のナイフの二倍の力で、それまで素材を織り上げていた糸を切断します。また、紙にハサミを入れると、その刃は布地の糸と同じように文字を切り裂き、それを破片にしてしまいます。

しかし幸い、ペンで文字を消しても、そのような悲惨な結果にはなりません。身振りは似ています。同じように衝動的です。手は行動を開始し、躊躇も逸脱もせずに進みます。その円弧を描くような痕跡は、もし定規を使わないのなら、根元の蛇行や歩行者の歩き方というよりも、ミサイルの軌道に似ています。しかしその痕跡の下にあるものは、何であろうと無傷です。それが絵葉書に載っているようなイメージであれば、まだ見ることができます。もしそれが、カードの裏にあるようなテキストであれば、まだ読むことができます。確かに、侵入する線が邪魔をして、見るのも読むのも少し難しくはなります。しかし削ったりシュレッダーにかけたり、引っ掻いたり擦《こす》り取ったりといった他の手段と比較して、打ち消し線を書き込むことは、その削除部分を独特のやり方で保存し、その意味をさらに高めることができます。アーティストのジャン・ミッシェル・バスキアが認めているように、「私が言葉を消すのは、もっとよく見てもらうためである。言葉が見えにくくなっているから、それを読みたくなる」のです。[※2] 実際、わずかに右方向に移動させて、打ち消し線を傍線に変えるだけで、削除が強調に変わります。問題は、これがなぜ可能なのかということです。

　マルティン・ハイデガーからジャック・デリダまで哲学者たちは、言葉に関する限り、二兎追うものは二兎を得る式に「消去しながら」（フランス語では sous rature〔取り消し線の下で〕）書くというアイデアを重視してきました。[※3] 言葉は決して正しいものではないので、消してしまいたくなりますが、それがないとやっていけないので、それらが読めるようにしておきます。しかし厳密に言えば、言葉を消し去るということは、それを機能的に**読めない**状態にすることです。それは、消すこととは異なり、どんなテキストやイメージがそこに刻み付けられているのかを含めて、表層を削り取る、ひとつの表面的な方向性を持つ動作なのです。多くの場合、除去は、部分的なもので、結果として、再利用されることでパリンプセストが形成されます。しかし一五四ページで見たように、パリンプセストでは、古い言葉が消去によっていわば鉄格子の中に閉じ込められるのではなく、表面に出てきます。哲学者だけが、その同じ考えのもとに、消しゴムで消すことと線を引いて消すことという、実行の仕方においても効果においても非常に異なる実践上の操作を混同することができるのです！　筆記者も植字工も校正者も、それと同じ間違いはしないでしょう。また彼らは、両方とも表面の統合性を維持するのですが、擦《こす》ることや横線を引くことと、それを破壊する、削ることや粉々にすることとを、取り違えることなどないでしょう。考古学者が古代の壺の破片を組み合わせてその形や装飾を復元したり、詐欺師がレシートの切り刻まれた破片からクレジットカードの詳細を復元しようとしたりするように、断片がシュレッダーにかけられて生き延びたとしても、それが読まれるためには、ふたたびひとつに繋ぎ合わされなければならないのです。

カッターの切断と比較して、ペンでの打ち消しがとても特徴的なのは、身振りとそれが残す痕跡が、現実の別の平面上で展開し、オリジナルと接触することなく、オリジナルの上に層になるからです。私が言わんとすることを説明するために、全く別の例を挙げてみましょう。ジョン・ジェームズ・オーデュボンの『オーデュボンの鳥：『アメリカの鳥類』セレクション』（新評論 二〇二〇年）は、縦七五センチ、横七二・五センチの大きさで、これまでに印刷された本の中でも最大級のものです。※4 すべてのページには、アメリカ大陸に生息する特定の鳥の画があしらわれていますが、その本がそんなにも大きいのは、主として、オーデュボンがそれぞれの種を実物大で描くことを決意したからです。この本は、剝製師が作る三次元のジオラマに相当する二次元の本であり、ジオラマと同様それぞれの肖像は、その種類に応じた、モデルとなる風景の中に置かれています。図33は、オーデュボンが描いたアメリカシロヅルの画を複製したものです。ページに収めるために、鳥の首が解剖学的に無理な形態に曲げられているのを見ることができます。しかし鳥のくちばしは開いていて、明らかに、地面でひなたぼっこをしているトカゲを捕まえようとしているようにも見えます。しかしもう一度見てみると、この鳥とトカゲは、まったく別の絵に属していることに気づきます。トカゲは、地面や森、湖を含む風景画の一部です。鳥は全く異なるスケールで描かれていて、ある写真を壁紙に貼り付けるかのように、この背景に貼り付けられているのです。剝製師の模型のように、鳥がある種の現実を装っている一方で、風景は、あたかも覗き窓に映っているかのように、明らかに絵です。鳥はガラスの向こう側に行くことができない以上、トカゲを襲うことはできないのです。

私たちは今、安心してアナ・マクドナルドのビデオに戻ることができます。というのは、フレームの幅を三回横切るペンは、しゃがんでいるトカゲに対するツルのくちばしのように、彼女の歩いている体に危害を加えることはないということが分かっているからです。実際には、ペンと体は全く接触しておらず、それらが接触しているという錯覚は、両者を重ね合わせることで人為的に作られたものに過ぎません。あなたが斧で木を叩く時、斧を＝持った＝あなたと木は、同じ世界の共同参加者です。斧の一撃で、木はバラバラになります。しかし映像では、二つの別々の世界が並置されています。すなわち、原っぱや森からなる屋外の世界と、ペンや紙からなる屋内の世界です。実際、その作品を制作する際には、紙の上を走るペンの線の調子が別途撮影され、先に撮影された、アーティストが原っぱで散歩しているフィルムに重ねられています。音も同様に重ねられており、ペンを引っ込めるホルダーからシューという音が、鳥の鳴き声に重ねられています。映像の冒頭では、私たちはガラス越しの屋外の世界にすっかり没頭して、打ち消しが突然現れるのを異質な侵入者のように感じますが、この侵入者はまもなく消えます。「いったいあれは何だろう」と私たちは思うのです。しかし最後に、私たちはガラスの前に戻り、ペンと紙の世界にいます。その一方で、原っぱにいるアーティストのイメー

図33　ジョン・ジェームズ・オーデュボン著『アメリカの鳥』(1827-38)より
アメリカシロヅル

ジョン・ジェームズ・オーデュボンセンター提供　ミルグローブ、ペンシルベニアジは、目覚めた時の夢のように消えていくのです。

これらすべてのことは、言葉の書き込みの取り消し線について、私たちに何を語るのでしょうか？　文章を修正する時、あるいはテキストを編集する時、私たちは単純に、そして日常的に、削除すべき言葉を打ち消します。しかし実際には、打ち消し線は、文字の線に触れることなく、その上を横切っています。文字の線は、編み物をする際の糸のように、それ自体に輪をかけることができます。他の線が挿入されたり、テキストに織り込んだりされます。しかし、文字の線ができないのは、巻き戻って、それ自体を消し去ることです。また、その点については、文字の線はそれ自体に強調線を引くこともできません。逆説的ですが、打ち消し線は、それが削除するように見える文字の線と同じページに刻まれているにもかかわらず、まったく別の書き込み領域に属しています。実際それは、強調線以上にテキストと接触しているわけではありません。抹消から抹消のように※5、打ち消し線の位置を移動させると線の意義に影響しますが、線が書き入れられる領域が変わることはありません。それは、複数の窓ガラスに分かれているひとつの窓をとおして見ることに喩えることができます。上の窓と下の窓を隔てている桟《さん》は、屋外を見る視界を二つに分割し、注意を引く何らかの対象の上を横切っています。あなたは、その対象をもっとはっきりと見たいと思うでしょうか？　そうするためには、少しだけ視線を上げれば、桟の線が当の対象の下まで下がって、対象がフレームの中でもっと目立つようになります。しかし、桟はもちろん窓に属しており、外の世界に属しているのではありません。

それは、打ち消し線と文字の線についても同様であって、それらの交差は同じように、作家の状態を物語っています。作家の想像力は、天地を駆け巡り、外の世界の土、風、鳥のさえずりと混ざり合いますが、その手は——書斎という屋内の世界に閉じこめられて——近視眼的に、ページに向かうことになります。打ち消しにおいて、これらの世界は偶発的に衝突し合い、打ち消しの残す痕跡は、それらが衝突したことの印なのです。

言葉への愛のために

はじめに

私たちの大部分にとって、言葉は、生を営む中で、主要な応答《コレスポンデンス》の手段を備えています。私たちは言葉を用いて他者を招待し、彼らと会話し、自らの生の物語と彼らの物語を結びつけ、彼らの言動に耳を傾け、それに反応します。言葉は、日常的使用によって古びていくことで豊かになり、質感を絶えず変化させながら、会話の際の口や唇の身振りの中で立ち上がり、作家の手の痕跡の中でページの上にこぼれ落ちたりします。騒がしくもあり、静かでもあり、激動でもあり、静寂でもあります。言葉は、話されたものであれ、手書きのものであれ、さまざまなモノの鼓動に呼応します。それらは、愛撫することも、驚かすことも、魅了することも、反発することもできます。哲学者のモーリス・メルロ＝ポンティがかつて述べたように、言葉は、世界とその賛美を歌うために私たちが持つ、実に多くの方法なのです[※1]。私たちは、言葉は居住の詩学を媒介するのだと言うことができます。

しかし見渡してみれば、私たちと言葉の関係は何かが大きく間違っているように思えます。まるで、言葉が私たちに敵対するか、あるいは私たちが言葉に敵対しているかのようです。私たちは日常的に、感情を抑制すること、あるいは経験の真正性の説明に失敗することを、言葉のせいにしています。本当のところどのように感じているのかを知るためには、言葉の下に、あるいは言葉の背後に接近しなければならないと主張します。言葉は、もはや私たちの習慣や服装ではないように思われます。むしろ、言葉は私たちがモノを着飾らせるための手段となっており、モノを光沢で塗り固めて、ありのままにしておけばそのモノが語ったかもしれない真実を覆い隠してしまっているのです。もちろん、言葉を用いて、いまだに人間の感情の深みに迫る人たちもいます。しかし彼らは、専門家的な――そして、多くの人にとって難解な――技術の提供者となってしまいました。世界に詩的に住まうのではなく、詩人のために住まわれた世界の中に小さなニッチをつくり出してしまったのです。

おそらく、主に言葉とともに動いている現代の共同体ほど、言葉に対してより大きな反感を抱いているものはないでしょう。私が言わんとしているのは、学者の共同体のことであり、何よりも、自らをアカデミックであるとみなしている学者のことです。学者とは研究する人のことですが、アカデミックな学者は、研究を特別な方法で考えています。なぜなら、彼らは、世界とともに学ぶのではなく、また自らが世界から教えられるのでもなく、世界について研究し、そうすることで、知的優位の高みに達したと主張するからです。物事はその高みから、普通の人々にはかなわない明確さと定義でもって明らかにされるのです。この至高の視点は、学者に自らの関心事から距離を取り、普通の人々と交わることで自らの手を汚さないことを要求するのです。何よりもまず、学者は自らの言葉を無菌状態にしておかねばならない。外科医の道具のように、手術をする人のものであれ、手術される人のものであれ、言葉は、内臓に触れることによって汚されるべきではないのです。言葉は、意味するのではなく記号化し、言うのではなく分節化し、伝えるのではなく説明するために、利用されるものです――用いられるものではありません。

用いること、意味すること、言うこと、伝えることとは、他者を近づけ、私たちの生や習慣に引き入れるための方法です。しかし利用したり、記号化したり、分節化したり、説明したりすることは、他者と一定の距離を置いて、接触を放棄することです。そのことは、少なくとも見かけの上で客観性を保持するためです。しかし、客観性は私たちを通り道に足止めし、モノや人を私たちの存在の中に招き入れ、それらに対して応えることを、私たちに禁じます。それは、応答《コレスポンデンシーズ》しつづけるのを妨げます。もし私たちが、本当に世界とともに学ぼうとするのであれば、この障害物は取り除かねばなりません。そしてもし、私たちが言葉でそれを行おうとするのなら、言葉——特に書かれた言葉——は、アカデミーが彼らの周りに投げかけた**防疫線**（cordon sanitaire）から解き放たれなければなりません。この後に続く四つの短い作品の中で、私は言葉を手に取り戻すこと、すなわち、その産出の運動と、その運動が呼び起こす感情のもとに取り戻すことを、探究していきます。そうすればたぶん、言葉はついにアカデミアの検疫から逃れて、アカデミアを人間の生の十全性へと戻すことになるでしょう。

世界と出合うための言葉

伝統的な学問の区分けでは、言葉は近くに、世界は遠くに位置し、その間には難攻不落の存在論的な障壁があります。言葉と世界は決して出合うことなどできないのだと思われます。私は学者として、そして自身アカデミックである者として、この分断に長らく憤慨してきました。しかしこれは決して私だけの問題ではありません。ここ数年、世界について語る学問の声を、改めてその世界へと参加させるような、もう一つの書き方に関する数多くの実験が行われてきました。これらの試みのいくつかは最近、民族誌学者であり映像作家でもあるフィリップ・ヴァニーニによって編集された、非表象論的手法をテーマとしたエッセイ集にまとめられました。[*1]しかし書くという行為それ自体において、キーボードとスクリーンに代わるものと戯れることまでした寄稿者は誰もいませんでした。もともとはその本の序文として書かれたこの作品で、私は、まさにそうする可能性について考えます。

数年前のある夜、私は次のような言葉が頭に浮かんで、夢から覚めました。

努力をしている最中に、しばしば
何かが立ち上がって、言う。
「言葉はもういい。
世界に出合いに行こう」

誰がこうした言葉を置いていったのか、分かりません。確かに、私がそれを作ったのではありません。しかし私は目覚めてすぐに、そしてそれらが蒸発してしまう前に、ベッドから飛び起きて、それらを書き留めました。今でも書斎のメモのためのボードに貼り付けてあり、時々それを見ては、それが含んでいるメッセージを思い出しています。

この数行はたぶん、表象を嫌う仕事のやり方のマニフェストとして受け取られうるでしょう。これは正確には理論ではなく、一般的にそう理解されているのとは違って方法やテクニックでもありません。あらかじめ決められた目的の実現に向かう、定められた一連のステップではありません。むしろ、続ける、そして続けられる手段、すなわち過去を認識し、現在の状況に敏感に反応し、未来の可能性に思索的に開かれた生を他者――人間と非人間のすべての――とともに生きる手段なのです。これが、私たちの周りで起きている物事や出来事に正確に一致するものや模造品を作り出すのではなく、私たち自身の介入、問い、反応でそれらに**答える**という意味において、私が**応答しつづける**《コレスポンデンシーズ》と呼んでいるものです。それは、あたかも私たちが手紙のやり取りをしているかのようなものです。私にとって「世界に出合いに行こう」は、そのような手紙のやり取りに参加するための一通の招待状であり、また励ましあるいは命令でもあります。それは同時に、かつて私が「脱線主義」と表現されたのを聞いたことがあるスタンスへと退きたがる、学者の臆病さに対する不満でもあるのです。このスタンスでは、私たちの出合いは、私たち自身の努力と、研究を通じて私たちが接触した人々の生や時間とを、あまりにも密に混ぜ合わせてしまうという不快な仕事から逸れていく視線であるに過ぎません。実際、応答しつづけることと脱線主義は正反対のものであり、両者は研究とは何なのかについての、全く異なる理解を伴うものです。

私の学問の女神は「言葉はもう十分」と宣言しましたが、私も同感です。私たちは、特に学術生活において、言葉の氾濫に悩まされています。もし、これらの言葉が、おいしい食べ物のように、味が濃く、食感に変化があり、観想的な情緒の中になかなか消えることのない後味を残すものであれば、それほど悪いことではありません。慎重に選択され、よく準備された言葉は、熟考の助けとなります。言葉は精神を活性化し、精神は同じやり方で応えてくれます。しかしこの種の言葉遣いのほとんどが、詩として知られる限定された領域に追いやられてしまったことは、どこに問題があるのかを示しています。もし、書くことがその魂を失っていなかったなら、詩にはいったいどんな必要があるのでしょうか？　私たちは、失われてしまったものを見つけるために、そこに出かけて行きます。難解な語彙、敬称表現、延々と続く引用リストなどで重くなった、アカデミックな散文の定型的な調合を容赦なく浴びせられた私の学問の女神は、もううんざりだったのです。私もです。しかし私はこのまま進んでいって、言葉を完全に放棄してしまいたくありません。言葉は、実際には、私たちの最も貴重な所有物であり、そういうものとして、輝く宝石の小箱のように扱われるべきなのです。そのような宝石を持つことは、世界を手のひらの中に掬《すく》い上げることです。手紙の書き手がかつてそうしていたように、私たちは言葉で文通することが**できる**のですが、それは、もし私たちが言葉を輝かせようとするのならば、です。

そのために、今までとは違う書き方を見つけることが挑戦になります。実験してみなければなりません。いろいろなことを試してみて、何が起こるかを知るのです。しかしこれまで、私たちの実験は、印刷される言葉についての数々の約束事に制約されてきました。このような約束事は、書くことが、文字に刻まれたパフォーマンスのひとつではなく、言葉の構成による行為であるかのように思わせます。キーボードをプリンター――学術的な書き手の典型的な装置――に接続すれば、言葉の表現の可能性は、紙の上の一連の印として、とても限られたものになります。確かに、フォントを変えたり、ハイライトしたりというさまざまな手段を用いることはできますが、これらには、簡潔な書道の線――それを描く手のあらゆるニュアンスを記録する線――の中に見られる、感情と形の連続的な変化にかなうものは何もありません。私たちの言葉が、本当に宝石のように輝くためには、それらを手に取り戻さなければならないのではないでしょうか？

確かに、働き方についての考察は、スタイルや構成の問題だけに限定されません。それらは、私たちが使う楽器やその編成にまでも及んでいるに違いありません。キーボードは、ペンや鉛筆、筆と比べてどうなのでしょうか？　試して、見てみることにしましょう。たぶんそうすれば、言葉を扱うことで、書き手はふたたび製図家やアーティスト、あるいは音楽家にさえなることができます。私たちは、パフォーマンス**について**延々と書くのをやめれば、自身がパフォーマーになることができるのです。応答《コレスポンデンス》しつづける技芸は、それ以上のものを要求します。私たち学者が暗黙の身体知という考えにたいそう夢中になっているのは、キーボードに没頭しているからかもしれません。私の学問の女神のように、世界に参加する唯一の方法——つまり、私たちの存在の内側から世界の展開に参与すること——は、言葉の領域、つまり表象の領域から逃れることでしかないと、私たちは考えます。私たちには、言葉は常に外側にあるように思えます。それらは、分節化し、特定化し、明示します。そのため、言葉の役割は、事物を固定し、それを定義し、それを動けなくすることなのです。

しかし、このような疲れてへとへとになった私たちの言葉の背後には、暗黙のものである鼓動する心臓が、私たちの動きや感情を活気づけ、声や身振りでその手腕を示しつづけています。では、なぜこの声や身振りが言葉を持たないものでなければならないのでしょうか？　それはひとえに、声や手によるパフォーマンス、表現や情動の痕跡がすべて取り除かれてしまった言葉の概念から、私たちが出発してしまっているからなのです。これは私たち学者が慣れ親しんだ言葉であり、この種の言葉が私たちを、学問的な訓練が必須であるとみなされている、政治家、官僚、弁護士、医師、経営者などの専門職と結託させるのです。しかし、これは詩人や歌手、俳優、書道家、職人の言葉ではありません。彼らにとって言葉とは、しばしば騒々しくかつ乱暴に、熟練しかつ感覚的な身体的実践――手書きやサイン、歌うことや話すことの実践だけでなく、声に出して読むこと――の中で実演されるものなのです。もし、これが暗黙の領域であるのなら、暗黙は言葉を持たないものでも、沈黙しているものでもないことになります。それは、騒々しいほどに言語的です。沈黙が支配するのは、暗黙の領域でなく、明示の領域なのです。ここでだけは、印刷されたページの上に漂って、言葉はその声を失っています。暗黙と明示との関係は、声ありと声なしのようなもので、決してその逆ではありません。

たぶん、それゆえに、私たちは、言語の新たな理解、言語を「言語すること」の実践として蘇らせる理解を必要とします。生きている言語――分類された枠に意味論的に閉じ込められているのではなく、その話し手の創造的な発話の中で無限に自らを創造している言語――では、言葉は、それが応答する実践と同じように、生き生きと動いていることができるのです。言葉は、その実践者がうまくいった仕事に満足して叫び、他者にその賞賛に加わるように誘う時、あるいは物事が軌道を外れて、エラーや災難につながるような時に、感動を示しうるものになりえます。また物語やストーリーテリングで言語が使用される時のように、言語は推理めいたものでもありえます。しかしいずれの場合でも、それらは、明示的な命題形式で結合されたり、分節化されたりはしていません。そのことで言語的でなくなるということはまったくありません。「スピーチ」や「ライティング」という言葉の前に必ず「分節化する」という言葉を置いて、結合された集合体として構文的に構造化されていない発話あるいは記録を、言語以下のもの、あるいは非言語的なものへと追いやってしまうような、尊大で、想像上の限界の中に閉じられてしまった人が、アカデミーに閉じこもっている人たちの他にはたしているでしょうか？本当のところ、まさに分節化こそが、言葉の生産における声＝身振りの流れとは全く無関係に、言葉を引きずり出し、その参照座標を固定することによって、言葉を沈黙させたのです。

言葉で世界と出合うことを恐れてはいけません。他の生き物は違ったやり方をしていますが、言語的な交渉はいつでも私たち人間のやり方であり、私たちの特権です。しかし、言葉を対立ではなく、挨拶の言葉にしてやりましょう。尋問やインタビューではなく、問いを投げかける言葉であり、表象ではなく応答の言葉であり、予測ではなく期待の言葉です。これは、私たちが誰しも詩人や小説家になるべきだということではありませんし、ましてや哲学者を見習うべきだということでもありません。哲学者は、世俗的な出来事に関しては、自らが説いたことを実践することに著しく失敗しており、彼らにとっては、これまでのところ思考の一貫性や表現の明瞭さが最強の持ち札だったことはありませんでした。しかし、そのことは、職人が素材を加工するように、私たちも私たちの言葉を加工すべきだということを意味します。言葉を刻んだ痕跡において、その生産の労苦を明らかにし、こうした刻み付けを、それ自体が美を備えたものとして提供するというやり方で。

手書きを守るために

この作品は、手書きの復活を推奨しています。私はそれを、ダラム大学人類学部がオンラインで開催した、「境界を越えて書くこと」と題されたシリーズのために書きました。そこには、人文学や社会科学におけるアカデミックな書き手が、その実践を振り返るために招待されました[※1]。私もそのうちの一人でした。

私は、以前はいつも万年筆で手書きしていました。かつては、必要に迫られない限り、タイプライターを使うことはありませんでしたし、ワープロの誘惑に最後まで屈服しなかった一人だったに違いありません。書くことは言葉を処理すること《プロセッシング・オブ・ワーズ》であるという考えそれ自体が、私をぞっとさせたのです。しかし今日では、私はペンに頼るのはほんのたまにで、ノートパソコンのキーを叩くことがますます増えています。このことは心配でもあり、不満でもあります。他の学者と同じように、私も時間に追われているためそうしているだけなのだということは分かっています。コンピューターは、ショートカットの箱以上でも以下でもありません。確かに、便利なものもあります。例えば、ある段落の文章を意味のある順序で並べようとする時、解決策が最終的に出てくるまでに、異なった組み合わせを試すことができるのは助かります。また技術的なこと自体から生じたエラーの修正を容易にするショートカットもあります。私は、手書きをする時にはほとんど間違いをしませんが、タイプする時には頻繁にミスをします。不器用で訓練されていない私の指が、間違ったキーを押しつづけてしまうことがその一因です。しかしもっと重要なことに、スペルミスをするのは、私の手が言葉を、連続した流れるような身振りとしては知っていても、個別の文字の配列としては知らないからなのです。

筆記体では、線は、ページの上に広がっていく時、こうした身振りの動きから直接出てくるものであり、線の中を進んでいくというあらゆる気づかい、感情と真心を伴っています。私はそれを、チェロの練習に喩えます。練習する時には——できるだけ私はやっています——音は、弓と弦の接点から出てきます。それと同じように、手書きの文字も、ペンと紙の間の動く接点から流れてきます。キーボードはこの接点を断ち切ってしまうのです。私の指が鍵盤を叩くことは、ページやスクリーンに現れるマークとは何の関係もありません。これらのマークには、動きや感情の痕跡はありません。それらは、冷たくかつ無表情なのです。コンピューター上に文字を入力することは、喜びがなく、魂を破壊するものだと、私は気づいています。それは、書くことから心を奪ってしまうのです。

私は、私の大学でも他の多くの大学でも見られる、標準的なワープロ形式で作品を提出するよう学生に要求する規則を悲しんでいます。このルールがある理由の一つは、盗作防止ソフトを使って、作品にオリジナリティがあるかどうかをチェックできるからだと言われています。学生たちは最初から、アカデミック・ライティングとは、決められた情報源から素材を並べたり組み合わせ直したりして、新しさを生み出すことを主たる目的とするゲームである、という考えを持っています。ワープロは、このゲームをするための機器として明確に設計されており、その習慣の中で訓練された多くの学者たちは、このゲームに夢中になっています。しかしそのゲームは、書き手の技をパロディー化するものです。大学の規則に反して、私は、学生たちに手書きすることや絵を描くこと、その経験を、コンピューターを使った経験と比較することを奨励しています。その反応ははっきりしています。手書きで書くことや絵を描くことで、長年抑圧されていた感性が呼び覚まされ、より強い個人的な没入の感覚が誘発され、その結果、深い洞察が得られると、彼らは報告します。

深遠さよりも新しさ、プロセスよりも製品に価値を置く期待の文化と共謀して、教育機関はその優先順位を前者から後者に変えました。物をコピーすることは、本質的に何も間違ったことではありません。音楽家や書道家が常に知っているように、曲を練習するにしても、文を書き出すにしても、複写することは瞑想の一形態であり、ゆっくりとですが確実に深い理解につながっていくことができます。それは、実践家の全存在を含みます。全存在とは作品を書いたり作品を演奏したりする手、その意味を考える心、そしてそれを定着させる記憶のことです。

したがって、問題はコピー**それ自体**にあるのではなく、コンピューターが、単にボタンを押すだけで、書き直しや書き換えという手間のかかる作業を短縮することができてしまうことにあるのです。複写が思考であるように、複写することをショートカットすることは、思考それ自体を飛ばしてしまうことです。本来、思考は、曲がりくねったり回転したり、漂ったり蛇行したりするものです。出発点からあらかじめ決められた目的地まで一直線に進む狩猟者は、決して獲物を捕らえることができないでしょう。狩りをするには、手掛かりに注意を払い、どこまでも続いていく道を辿る準備をしなければならないのです。思慮深い書き手は、優れた狩猟者である必要があります。

しかし考えることは、ペンを握っている間だけに限定されるわけではありません。ましてや、コンピューターの画面を見ている間だけでもありません。思考は常に動いており、昼と夜のいつでも、あなたが言おうとしていることの本質を捉えた啓示に思いがけず結実しうるのです。あなたがそれを書き留める準備をしなければならないのは、思考が、目覚めた時の夢のように、あっという間に過ぎ去ってしまうからです。多くの書き手たちは、そのような不測の事態に備えて、ハードカバーのノートを常に持ち歩いています。私もそうしています。

最後に、朝食用シリアルの賞賛の言葉で締めくくりたいと思います。シリアルの空き箱を切って作ったカードは、その場で考えをまとめるには最適です。それは、下に敷くものがなくても十分に硬く、罫線が引かれていない広大なスペースを取るのに十分な大きさです。時々私は、早朝目を覚ますと、前の日にずっと格闘していたある問題のパラグラフが、まさにその時に頭の中に完璧に形成されていることがあります。ベッドに寄りかかって、それをシリアルの箱のカードの上に素早く書き留めます。私は、数十分で数百語を書くことができますし、そうすることで、書いた文字がしっかりと保存されているので、その後に別のことに進んでいくことができます。私が最も誇りに思っている文章の多くは、このようにして生を享《う》けたのです。私は今までシリアルの箱ほど具合の良いものに出合ったことはありません。コンピューターなんかイチコロですよ。試してみてください、そうすればあなたも分かるでしょう！

投げ合いと言葉嫌い

この文章は、歴史地理学者であるケネス・R・オルウィグによるエッセイ集の序文として書かれたものです。[※1] 何十年にもわたって、オルウィグは風景《ランドスケープ》という概念の人文学的な理解を擁護し、その根っこが、近世の時代の舞台や情景といった演劇化のずいぶん前に、農業の実践にあったことを認めるよう私たちに促してきました。さらに、オルウィグの作品では、このような風景への注目は常に、言葉とその語源への興味関心を伴っています。彼にとって、土地利用と言葉の使用の歴史は、切っても切れないほど、とても密接に結びついているのです。私たちが住まう風景を大切にするためには、私たちが話したり書いたりする言葉もまた大切にしなければなりません。

今朝早く、ラジオをつけて、農業に関わる番組を聞きました。そこでは、種芋を栽培することと収穫することについての特集が組まれていました。この仕事を生業としているある農家が、私たちの食卓に上るすべての芋は基本的にクローンだという状況にあって、種の貯蔵で純度を保つことの重要性を説明しているところでした。彼は「私たちは、ＵＤＶに気をつけなければならない」と言いました。「ＵＤＶって？」と司会者が質問しました。「はい、望ましくない変異体（undesirable variants）のことです」との答えが返ってきました。この農家の方の反応は、本当に**投げ合い的な**《ディアボリカル》〔訳注：一般的には「悪魔のような」「邪悪な」「とんでもない」などの意味で用いられる〕ものだという気がしました。この言葉は、ケネス・オルウィグのエッセイ集の中に誇り高く載せられている言葉です。表向きは、風景という概念の長く困難な歴史に捧げられていますが、これらのエッセイは人文学——および拡張して、言語、文字や学習といった人文学——の運命という、より広い問題について語っています。人文学は、言葉への軽蔑と、その結果としての人間疎外という投げ合い的なスパイラルに明らかに囚われています。そしてそこでは、科学技術ですべてを制御するというユートピア的な夢がますます多くの生をひっくり返すのです。この勇ましい新たな世界は、普遍的であると同時に、適切な血統の人々にのみ許されたものであって、そこでは、以前は差異の中でともに生きることに慣れていた人々が、農家のジャガイモのように、ＵＤＶ

として追い出されてしまいます。彼らは、故郷を追われ、移民、難民、無国籍者の烙印を押され、海外で自分が歓迎されないことを知るだけです。

言葉は人間のものです。それは、私たち自身がありありと存在するのを感じさせる方法である一方で、私たちが話す対象となる人物、場所および関心――つまり、**トピック**――を存在させることにもなります。言葉とともに、私たちはこれらのトピックを心に浮かべ、それらを考え、友情であれ敵意であれ、共通点であれ相違点であれ、同意であれ論争であれ、同じようなことをする他者たちに加わるのです。しかしUDVは言葉ではなく、頭字語《アクロニム》です。そしてもし、言葉が世界に加わる方法であるならば、頭字語は、私たちを切り離すという、逆の役割を果たします。頭字語で、私たちは自分たちの関心事を特定できるのと同時に、それらに背を向け、その名を口にすることに由来する関与を控えることができるのです。規格外のジャガイモをUDVと特定化することで、農家は身を引くことになるのです。農家は、彼の欲求に声を与えもしないし、彼に変化に気づく熟練した注意力があるのを認めることもありません。彼は、無関心、無頓着、客観性を装うことになります。頭字語は、存在を否定し、問題を心から消し去り、感情を追い出します。しかし同時に、頭字語は、スキルや注意力に基づいた権威ではなく、合理的な管理の客観的な原理とみなされているものに基づいた権威を示しています。そのように、頭字語はその両方の意味で監視の道具なのです。それは、その参照項を見逃しもすれば見渡してもおり、それに注意を払わないようにしながらも、参照項を監査と管理の支配下に置きます。企業や国家の力を支え、それらに支えられることによって、科学技術の進歩に比例して頭字語による言語の植民地化が進むのは、何ら不思議なことではないのです。

軍事作戦の分野ほど、このことが顕著に表れているところはありません。英国国防省は、約2万の頭字語のリストを公開しています。IED（即席爆発装置 improvised explosive device）、WMD（大量破壊兵器 weapon of mass destruction）、SAM（地対空ミサイル surface-to-air missile）などはよく知られていますが、HKやSK（ハード・キル hard kill、ソフト・キル soft kill）といった不吉な言葉も含まれています。また、NKZ（核殺地帯 nuclear killing zone）のように、文字通り言葉にできないことを単純な事柄として示すものもあります。[※2] そこでは、頭字語が言語に与える暴力は、軍国主義が土地に与える暴力と同等です。結局のところ、イギリス諸島に、兵器すなわち戦争の大砲を装って地図と測量を持ち込んだのは軍部でした。頭字語が言葉を識別のための目印に還元するところでは、地図は場所を空間上の位置に還元します。頭字語が、軍司令官が言葉にできないことを言葉にするのを可能にするのであれば、地図は、彼が想像できないような規模の破壊を計画しながら、それが人間にもたらす結果には無関心でいることを可能にするのです。どちらも同じ理由で投げ合い的です。オルウィグが説明するように、接頭辞 dia- は、古典ギリシア語の「交差」にその語源があり、一方、bolos は「投げる」ことを意味します。このように、diabolical とは投げることとの交差（投げ合い）であって、そこでは、かつては互いに分断されていた地図と領土、言語と世界が混ざり合い、領土が自身の地図となり、地図が自身の領土となるのです。この投げ合いこそが、軍が実体のある風景をゲーム盤として扱い、そこに住む人々を、SAMによって標的化される場所や、地図上でNKZとマークされた空間を占めているかもしれない、不幸な人質として扱うことを可能にするのです。

風景と言葉の運命は切っても切れない関係で結ばれていて、現代において両者は、全く同じように攻撃に晒されています。科学技術にとって、言葉は邪魔なものです。言葉は妨げとなって我々の認識を曇らせます。言葉は日常的に、物事の客観的な真実を隠し、現実を改竄《かいざん》し、事実を隠蔽するものとして非難されています。また、場所の付属物は、資源採掘、グローバル市場、国際開発を妨げるものと見られます。現代の世界は、言葉嫌い的《ロゴフォビア》であるだけではなく、場所嫌い的《トポフォビア》でもあると言えるかもしれません。それに反して、オルウィグのエッセイは、言葉と場所の両方を祝福しようとしています。実際、著者は恥ずかしげもないほど、言葉好き《ロゴフィリア》なのです。彼は常に辞書を持ち歩き、辞書を引くためにはどんな言い訳にでも飛躍してしまうでしょう。彼にとって、辞書は、現実から飛び出すものではなく、現実に直接入り込むものであり、豊かさ、多様性、時間的な深さのすべてにおいて、生命世界の進化を明らかにするものなのです。そしてこの言葉好きは、今度は、オルウィグのかつての師、偉大な人文地理学者イーフー・トゥアンが「場所好き《トポフィリア》」と呼んだものにつながっていきます。[※3]それは、人々と場所の間の情緒的な結びつきです。このことは、言葉が場所を代弁している、あるいは場所の代理をしているからではありません。それは、言葉が場所を**作る**からであり、声や文字によるパフォーマンスそのものだからです。法律の中に、慣習の中に、物語の語り口の中に、隣人たちの日常的な会話の中に、そして共通の問題を討議するための集まりの中に、言葉が場所を作るのです。そして場所を作ること、そして集合場所としてのモノを作ることはまた、風景――人間の仲間同士の交流の過程で継続的に形成される文字通りの土地――を作ることなのです。

オルウィグは、このように一緒になることで、言語と風景が象徴的（symbolic）なものになると主張しています。オルウィグは、ギリシア語の「一緒に行く」という意味の接頭辞 sym- と、bolos の「投げる」を組み合わせた言葉の起源について、語源への小旅行に私たちを連れて行ってくれます。この「一緒に投げる」という原義において、共有された会話や生の世界における仲間という意味で、象徴的は投げ合い的の正反対に立っています。投げ合い的が、地図上の表象という戦略的空間を、その領土的基盤から区切って、両者を切り離して合成するのに対し、象徴的は、同時進行する生の物語の数々を取り上げ、継続的で、相互に反応し合う共生成の中に、そうした物語を合わせて織り上げていくのです。私たちがオルウィグのエッセイから学ぶ教訓とは、UDVが一掃された世界の中で、テクノクラートによる完全な支配という投げ合いのシナリオを避けるためには、私たちは客観的な事実ではなく、現実のモノに向き合うべきだということです。現実のモノとは、長らく人間が繁栄することの土壌を構成してきた、言説と知恵、欲望と変化の集合体《アッセンブリッジ》です。私たちはこの集合体に付き添うべきです。これを達成するための第一歩は、現代人の心を悩ませている言葉嫌いを克服することに他なりません。言葉嫌いは、そのイディオムを機械的なキー叩きと頭字語の文字列に崩壊させてしまうほどまで、私たちの言語を汚染しています。私たちは、ふたたび言葉と恋に落ちなくてはならないのです。そして愛が研究に変わるように、言葉好き《ロゴファイル》は文献学者＝言語愛好者《フィロローグ》になるべきなのです。言語愛好者は、科学技術の影響で、古物商のホコリだらけの趣味のように学問の片隅に追いやられてきましたが、ふたたび主役になるべきです。その中にこそ学問の未来があり、私たち人類の未来があるのです。

冷たい青い鋼鉄

すべての人がペンの持ち方やそれを使った字の書き方が違うのは、人によって声が違うようなものです。私たちひとりひとりにとって、手書きすることは、私たちが誰であるのかと切り離せません。しかし私たちのデジタル時代では、それはますます軽蔑されています。言葉の往来が加速するにつれ、言葉はプレッシャーに晒された書き手の生や感情から切り離され、書き手は情熱を言葉に注ぐよりも、それをすぐに浴びせかけるようになりました。いったいどうすれば、私たちは書かれた言葉の旋律的な美しさを、それが手の中で形作られるように、取り戻すことができるでしょうか？　どうすれば、とてもはかない行為を永遠に続くもの、私たちが賞賛し、祝うことができるものに変えることができるのでしょうか？　どうすれば、言葉の交換をもう一度、それを書いた人の手と心の出会いにしていくことができるのでしょうか？　これらの疑問は、スコットランドのアーティスト、ショーナ・マクマランの作品で中心的なものです。マクマランは、「言葉についての何か（Something About a Word）」と題するインスタレーションで、グラスゴーの東側に位置するブリッジトンの一〇〇人の人々に、青という色にインスピレーションを受けて考えたことを寄稿する——彼ら自身の手書きで——よう依頼しました。付属の小冊子のために、その作品を振り返ってほしいというアーティストからの依頼に応えて、私はこのエッセイを書きました。[※1] それによって私は、身振りの痕跡として始まったものが対象へと凝固する時、言葉にいったい何が起きるのかを、改めて考えるようになりました。

しばらく前から私は、ペンシルケースの中にとても奇妙なものを入れて持ち歩いていました。ケースの中で、それはペンや鉛筆、定規、消しゴム、鉛筆削り、クリップなどと交ざっています（図34）。私はそれを人に見せて、何か分かるかと尋ねます。誰も分かりません。この物体は、実は、言葉なのです。普通、言葉はペンシルケースに入れて持ち歩くようなものではありません。ペンシルケースは、言葉を作るための道具を入れるためのもので、言葉それ自体を入れる

図34　筆箱の中身

筆者撮影

ものではありません。もちろん、私たちも言葉を身につけて持ち歩いています。頭の中や記憶の中、紙の上、手帳の中に、言葉はあります。しかし確かに、もし言葉が口に出されるのではなく、つかまれ、持ち歩かれるのであれば――口から忘却へと逃れてしまうようなものではなく、私たちが持ち歩いて世話をし、大切にするものであれば――、神経系に属するものであれ、物質的なものであれ、何らかの表面などにトレースされ、刻みつけられ、あるいは刺繍されるに違いありません。しかし私の言葉は、私の記憶に刻まれているわけでも、私の衣服に刺繍されているわけでも、あるいは私が忘れないようにポケットに入れておく紙の上に走り書きされているわけでもありません。それでも、私がどこに行こうが、言葉は私と一緒について来ます。このことは、いったいどのようにして可能なのでしょうか？　そしてなぜ他の誰も、言葉が何のためにあるのかを認めていないのでしょうか？

「どのように」と「なぜ」が問題です。言葉は、確かに最初は、紙の上に草書体で、素早く手書きで書かれたものでした。もし、この手に普通ではない何かがあるのだとすれば、それは書き手がローマ字の大文字を基礎にして、ペンを紙から離さずに単語全体が書けるよう、一本の単純な線に沿って、互いに重なり合うように考案されたということです。このために、そもそもはひとつで、または複数並べて硬い石に彫られるようにデザインされた形を、曲げたり伸ばしたりすることが必要となったのです。次のステップは、手書きの文字をスキャンし、それを、厚さ六ミリの軟鋼をピンポイントの精度で切断することができる機械に送り込むことです。その結果生まれるのは、硬直していて固く、重量のある三次元の対象で、一定の幅と厚さのある帯状の形をしていますが、曲がったり、ループになったり、突起物があったりして、元の文字のそれに正確に対応しているものです。インクの線が鋼鉄のリボンになっています。私は、言葉を拾い上げたり置いたり、指の間にそれを挟んで文字の線の端を感じたり、前後やあらゆる角度から調べたり、片方の端から、あるいはもう一方の端からそれをつかんだり、揺らしたりすることもできるのです！　紙の上の言葉ではできないことです。

　しかしこの自由には、代償が伴うように思えます。今、私が話したことを知らなければ、あなたは私の言葉を読むことができないでしょうし、あるいはそれを言葉として認識することさえ全くできないでしょう。それは、私がそれを見せた誰にとっても、単なる謎の物体、エニグマのように見えるでしょう。これは、それが三次元で鋳造されているからというだけではありません。結局、私たち都会の住人は、店先や看板に取り付けられた、しばしば大型で照明さえ付けられた固体の文字を見ることに慣れていますし、それらを認識し、それらが構成する言葉を綴ることに、何の問題もありません。しかし、これらの都市の文字に関して著しいのは、それらがほとんど受動的かつ不動のものであり、その形成過程へと至る痕跡がほぼないということです。多くの場合、それらは大文字です。私たちは幼い頃から、大文字を、それらが形成される動きによってではなく、その形態によって認識するように教えられています。私たちは子どもたちに、文字が読めないうちから、木から切ったり、あるいはプラスチックで作られたアルファベットの大文字のおもちゃを与えます。こうした初期の訓練を通じて、私たちは子どもたちに、言葉を、動きや身振りの構成物ではなく、ブロックで作り上げられた集まりだと考えるように促すのです。

実際、ブロック状の大文字の受動性と不動性——つまり、その記念碑性——にこそ、その権力と権威の源があるのです。国家がその国民を支配するように、ブロック状の大文字は私たちを支配し、声や感情や情動の痕跡を押し殺したり、踏みにじったりするためにあるのです。それらは、クロード・レヴィ＝ストロースの辛辣な結論、すなわち、文字が発明された真の目的は、奴隷制度を促すことであった、ということを私たちに思い起こさせます。[※2] しかし私の言葉を書こうとする者は、草書体の練習に大文字を組み入れて、大文字の権威を巧妙に覆してきたのです。このようにして、記念碑は日常的に使用され、その力の誇示が剝き出しにされたのです。かつては硬かった文字が、曲がったり伸びたりしました。それは、動きの一部となったのです。手書きをする時、私たちは、文字や言葉を形としてではなく動きとして、身振りとして記憶します。さらに、これらの身振りは、私たちの感情、気分、動機に触発されたものであると同時に、それらを伝えるものでもあり、ページ上の線の中に直接的にかつ途切れることなく変換されます。この点において、手書きをする人のペンは、弦楽器奏者の弓のようなものです。書き手の線は、弦楽器奏者の線のように、ダイナミックで、リズミカルで、メロディックです。そしてもし、線が引かれるのが動きによるならば、それを読むのもまた動きによるのです。

しかし紙の上の手書き文字を読むことは、すでに移動した手によって残された痕跡を追うことです。私たちは痕跡を取り上げることはできますが、それを生み出した衝動はなくなっています。私たちはいつも少し遅れて到着するのです。しかしながら、その言葉は、鋼鉄で切られて、まるで琥珀に捕らえられた昆虫のように、自身が形成されるその瞬間に保存されているかのようです。言葉の力、書き手の手のエネルギー、それを推進した感情は、痕跡を残すために通り過ぎたのではなく、金属の中に押さえつけられて残っているので、いつでも放出されうるのです。しかし、ここに困難があります。看板や記念碑のブロック体を見るように、言葉を見るだけでは、その力を解き放つことはできません。だから、私のオブジェを見てくださいと頼んだとしても、あなたには言葉は見えないでしょう。どんなにじっと見ていても、それが何であるかはわかりません。しかしもし、これを描いてくださいと頼んだら、鉛筆と紙で、あるいは心の目で、金属の破片の曲がったところやループを辿ることによって、あたかも海から再浮上する潜水艦のように、あなたの手の下や目の前に、言葉が一気にふたたび現れるでしょう。言葉は、まさにアラジンのランプです。一見すると、不思議なデザインの、単なる不活性な金属の塊ですが、目や指でそっと撫でると――アラジンがランプをこすったように――広大な海や何もない空、暖かさや冷たさ、広大な可能性などからなる世界全体が解き放たれます。言葉の魔力を呼び覚まし、雰囲気を出すのに必要なのは、柔らかく触れること――手や視覚による

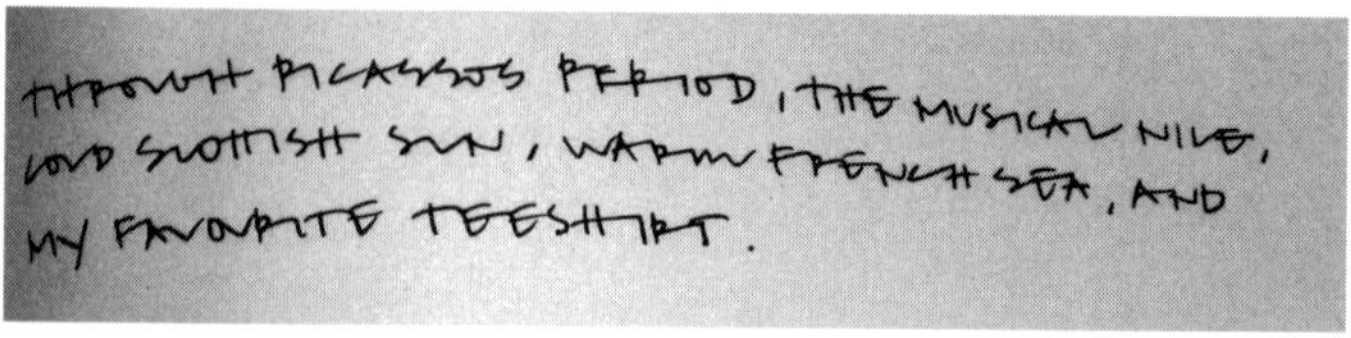

図35　ジェリー・グラムスが「青」の色について書いた線
ショーナ・マクマラン「言葉についての何か」（2011年）より

アーティスト提供

ちょっとしたしぐさ——だけです。

私は、自分の言葉の正体を明かすことができます。それは、「冷たい」という言葉で、以下のフレーズに由来しています。「ピカソの時代、ナイルの音楽、スコットランドの**冷たい**太陽、フランスの暖かい海、そして私のお気に入りのTシャツをとおして」（図35）。このフレーズは、ブリッジトンの一〇〇人の市民の一人であるジェリー・グラムスによって、**青**という言葉から思い浮かぶことを書いてほしいというショーナ・マクマランの依頼に応じて作られたものです。この手書きの線は、鋼鉄で切り抜き、パウダーコーティングして青みのある灰色の光沢を出し、垂直な一つの面の上に平行に並べて吊るされました（図36）。私の言葉は、親切にもアーティストから提供された、より大きなコンポジションからのひとつのサンプルに過ぎませんが、そろそろその構成の全体に目を向けてみましょう。多くの点において、「言葉についての何か」とは、ポリフォニックな合唱作品に似ています。それぞれの線にはそれ独自の声があり、それにメロディーとリズムを与える特有の言葉の選択によってのみならず、手書きの文字に

図36　ショーナ・マクマラン「言葉についての何か」
（2011年）

アーティスト提供

現れる特定の音色によっても区別されるのです。そのようにして、この作品は楽譜のように、水平的に（メロディー、リズム、音色で）または垂直的に（ハーモニーで）、あるいは水平的かつ垂直的に、読むことができます。旋律と和声の関係は、ここでは、線と色の関係です。そしてその色は青なのです。

西洋の作家の間では、色を、絵や文字のように思考のプロセスを伝えるものではなく、誘惑したり魅力的にしたりする力を持つ、単なる装飾や「化粧」とみなす傾向がありました。それだけではありません。光の現象としての色は、モノに特別な輝きを与えます。それは、呪文にかかった人の意識を圧倒する雰囲気やオーラです。例えばモーリス・メルロ＝ポンティは、空の青について次のように述べています。「私は、超感性的〔acosmic〕な主体としてそれに対峙しているわけではない。……私は、空が引き寄せられ、統一されていくように、空それ自体である。……私の意識はこの無限の青で彩られている」と。[*3] つまり、私たちは光を見るのではなく、光の中で見るのです。空が光であるので、私たちは空の中で見ます。空が青である以上、私たちはその青さの中で見るのです。

このように、色とは思考に外面的な装いを授ける単なる装飾品ではなく、思考が発生する環境そのものなのです。天候に左右される大気のように、色は私たちの中に入り込み、私たちが何をするにせよ、何を言うにせよ、何を書くにせよ、ある種の気分や気質で行われるようにします。それは、私たちの存在の質感です。私たちは空気を吸うようにそれを吸い込み、外に向かう呼気のように、話し言葉や歌、手書きの線を、世界の布地へと織り上げます。逆に、手の動きを辿り直し、青みを帯びた灰色の鋼鉄の、うねるようなリボンの中に身を置くと、色がランプに閉じ込められていた精霊のようにふたたび放出されます。線は触覚的で、色は大気的です。「言葉についての何か」のポリフォニーでは、メロディー、リズム、音色の中にばらばらになった、あるコミュニティの多数の生や声や脚本が、すべてを架ける空の調和した青の下で統合されるのです。

またね

本はどのように終わるべきでしょうか？　物理的には、通常、普通のページよりも幾分厚い素材でできた表紙で終わります。たぶんそのためでしょうか、本を閉じることは、ページをめくることとは全く違う感覚があります。本の中では、あなたは風景の中の小道を辿る放浪者のようです。あなたには、次の地平線までしか見えません。それでも、ページをめくるたびに、新たな地平線が目の前に広がり、以前地平線であったものは足元に埋まっていたり、すでに遠くに後退していたりします。しかし、それがページをめくることなのだとしたら、表紙を閉じることに匹敵するような放浪者の経験はありません。なぜなら、その瞬間、世界それ自体——あなたが探検し、永遠に続くだろうと想像していた世界——が背中を向けて、それが結局は境界づけられて収まっている一つの大陸に過ぎないことが明らかになるからです。ページの集まりであったものが、中身のある箱に変わるのです。しかし、私たちはひとつの世界に住んでいるのであって、箱に住んでいるのではありません。箱は開いているか閉じているかのどちらかですが、世界という織布は折り畳まれています。それは、完全に開くことも、完全に閉じることもありません。生と死がそうであるように、ある場所でそれが開くことは、必ず別の場所で閉じることです。それを完全に閉じることはできません。

一方で「折る」と「広げる」、他方で「開く」と「閉じる」のこの違いは、書物と同じくらい古いものです。キリスト教の時代の何世紀も前に、エトルリア人は呪文や唱え言を麻の布の上に書き、その布は、今日私たちがシーツやタオルを畳むのと同じように畳まれたのです。一方で、同時代のギリシア人は、木の板に蝋を塗って、補助命題を書いたり写したりしていました。ローマ人はこれら両方の伝統を受け継ぎ、パピルスや羊皮紙を折り目に沿って束ね、また広葉樹の板きれから、その縁に沿って作られた書字板を組み立てました。前者は幾分儚《はかな》いものですが、人の周りに置いて、普段の観察や練習のために使われました――ほとんど今日のノートのように。後者は、法律や法令の、より耐久性のある保管場所となりました。写本《コデックス》とそこに描き込まれる規則《コディシーズ》の両方が、ラテン語で木の幹を意味するcaudexからそれぞれの名前を取ったことは、驚くことではありません。古代からずっと、木と本は幹でつながっていたのです。

中世の聖職者や学者、職人たちは、集めることと組み立てることという二つの原理を組み合わせて、現代まで持続する形で本を作ったのです。その組み合わせの鍵となるのは、複数ページの集まりを、実質的に一枚の書字版として扱い、その後それらを堅い木の表紙で綴じることでした——かつて複数の板の本が束ねられたように。私たちは今日、所作の中に両方の原理を見出します。つまり、ページをめくるたびに、折ることと広げることがあり、最初に表紙を持ち上げ、最後に裏表紙を閉じる時に、開くことと閉じることがあります。しかし、集めることと組み立てることとの原理が組み合わされているのは、本の中だけではありません。ただ成長しただけではないモノ、ある意味では、非常にしばしば人間の手と心によって形作られたモノであふれている世界では、集めることと組み立てることは、モノがその影から切り離すことができないように——あるいは知性が、それを支えている生から切り離すことができないように——、抉《え》り分けることはできないのです。

知性が最も落ち着くのは、形のある固体や幾何学的な規則性のある世界であり、そこでは規則、コード、定理が支配的です。これは、絶対的な精度で適合するように設計された部品であらゆるものが組み立てられ、結合されている世界です。しかしそれはまた、息をする余裕も、押すことや伸ばしたりする運動の余裕もほとんどない、厳格な相互接続の世界でもあります。そのような世界は、根本的に不活性なのです。それを形成する労働——生と経験の流動性の結晶化として、それを生み出した仕事と苦悩——について言うならば、集合体は沈黙してしまっているのです。その論理は、無時間的で恒久的です。しかし実際にはその中に何も保持していません。モノが保持されるためには、モノには曲がる柔軟性と、応答する敏感さを持つ触手が必要です。それは、両手の指のように絡まり合って、つかむことができなければなりません。しかし手が集めて束ねるものを、知性は分割し、分断するのです。アカデミーの近代史において、経験のデータを集めて、それぞれの分野の表紙の内側に閉じ込めるのは、知性の使命でした。理性が王様であり、事実がそれ自体を表すアカデミアの世界では、緩い結論はありません。すべてが秩序立っていて、説明されています。しかし、何もまとまっていないのです。

例えば、レンガの壁を想像してみて下さい。それは、レンガとレンガの隙間を埋めるモルタルによって支えられています。もし、レンガが完全にフィットした幾何学的な固体であれば、隙間の空間はないはずです。しかしもし、埋めるべき隙間がなければ、壁は立ちません。ちょっとした混乱で壁は崩れてしまいます。それは、キットから組み立てられた縮小模型でも同じです。あらかじめ型取りされたり、切られたりしたパーツは、シームレスに組み合わされなければなりません。しかし模型にも接着剤が必要です。パーツが広がっている表面——肉眼では固体のように見えても、原子レベルでは格子状になっている——を貫通して、長い高分子の接着剤分子は、それらを接着して緻密な編み目へと綴じるのです。本に話を戻しますと、風が吹いて木の葉が引っ張られるのと同じように、読者の取り扱いでページが引っ張られるにもかかわらず、使用している間に本がバラバラにならないのは、ページと表紙の結合のためです。モルタルや接着剤、綴じ糸といったものは、それが出合った固体の表面を巻き込み、貫いて、ある種の網目を形づくる材料なのです。すべての材料が、少なくともこうした作業が始まる段階で、流動性と柔軟性という特性を持っています。堅いのとは反対の性質です。しかし、やがてモルタルが固まって、接着剤が乾き、糸が結ばれると、網目は固くなって、固形物をしっかりとつかみます。

網目は、言うなれば、組立品の影です。壁のレンガを抽象化すれば、連続した、レースのように繊細なモルタルの布地が残されるでしょう。組み立てられたキットのパーツを抽出すれば、接着剤の蜘蛛の巣状のフィラメントとなるでしょう。また本から組み立てられ、集められたものを抽出すれば、織工、籠職人、刺繍職人によく知られているような、ループ、結び目、縫い目の質感となるでしょう。歴史的には、実際これらは、製本と密接に結びついた工芸品であり、しばしば同じ人によって行われ、ある共通の技術レパートリーを利用するものです。しかし、網目状の織り布こそが組み立ての構成要素を一緒につなぎ合わせるのなら、モノがバラバラになるのは、構成要素である線がほつれたり、最終的に壊れてしまったりして、摩耗し破れてしまうからです。生きている世界では永遠に続くものはありませんが、だからこそ、生は無限に続いていくのです。擦り切れることには、再生の期待があります。

では、この本は組立品なのか、あるいは寄せ集め品なのかは問わないでください。物質的に製作された他のあらゆるものと同様、その両方なのです。箱のように中身があり、それがここに集められたエッセイです。しかしすべてのエッセイは、ある種の集まりであり、論理的に相互接続された命題の決定的な声明というよりは、観察的な思考の暫定的な演習です。さらに、伝統的な手法で製本された場合に、物質的な糸が集められたページに通っていたのとちょうど同じように、それらは文通《コレスポンデンス》の線で結ばれています。しかし本の二つの性質は、私にある問題を残します。というのも、私の目的は、手紙交換を手本にした文通の集まりを提示することでしたが、それらが本にまとめられたという事実は、表紙によって印づけられる、開くことと閉じることの瞬間を導入し、まさにこの目的を覆してしまうのです。というのは、手紙を開くことは本を開くこととは全く違うし、手紙は——一度開かれれば——決して閉じることはできないからです。もし、手紙がもはや開かれないのだとすれば、それは忘れられたか、捨てられたか、破壊されたかのいずれかの理由によるものです。ここで立ち止まって、これらの操作を比べてみましょう。

本の表紙をめくることが、中身の蓋を開けることだとすれば、手紙を開くことは、訪問者のためにドアを開けるようなものです。それは、旅の制約から訪問者を解放し、敷居を越えて、彼らを中に招き入れることです。かつてそれは、個人に宛てられた封を切ること、馬車のドアを開けて到着した客を迎えるのにも似た儀礼を意味したのです。結局のところ、挨拶の言葉、愛情表現で手紙を始めるのが慣習でした。今日では、手紙のやり取りをするのであれば、おそらく差出人が自身の唾液で活性化させた接着剤で封をした封筒に、ペーパーナイフを用いるでしょう。いずれにせよ、開封するという行為は、封じ込められていた言葉の連《ラインズ》なりを、会話の連続性の中へと解放してやることに等しいのです。手紙は広げられ、平らになり、そのページから言葉が話し始めます。あたかも、文通相手がその部屋のそこにいて、あなたに話しかけているかのように。そして、読み終わったら？　ふたたびそれを綴じて、あたかもそれが一度も開かれなかったかのように、棚にそれを——図書館に本を返却するように——戻すことはできません。箱であれば蓋を取り替えることができますが、封を切ったり、封筒を切ったりする行為は、決して取り消すことができないのです。

文通《コレスポンデンス》では、すべての介入が返答《レスポンス》を招き、すべての返答《レスポンス》が今度は介入となるので、そのプロセスには、結論をもたらすような本質的なものは何もありません。生それ自体と同じように、衝動とは継続することなのです。本は読み終えた時に片付けられ、その表紙の中に埋もれてしまうのに対して、文通《コレスポンデンス》は無視や暴力によってのみ終わります。一方では、手紙が——書類の山に埋もれたり、机の引き出しに忘れられたりして——返事がもらえず、単に途絶えてしまうことがあります。返事を求めなかったわけではありませんが、時間が経過し、熱が冷めると、呼びかけはしだいに弱まり、最終的には沈黙になります。他方で、もし手紙が受け取り手の気分を害したり、名誉を傷つけたりするような状況に置くような場合には、文通《コレスポンデンス》は突然打ち切られるかもしれません。そのような場合には、その物理的な廃棄や破壊——折りたたんでゴミ箱に捨てようが、火の中に投げ込もうが——は、怒った、あるいは罪を着せられた手紙の受け手をなだめることができます。

ここに、私の問題があります。私は、怠慢や暴力によって、私たちの文通《コレスポンデンス》を終わらせたくありません。しかし私は、この本を閉じることに向かっています。そしてあなたにもまた、表紙を閉じる時——あなたがこの本を読み終えたと言う時——が来るに違いありません。その時はどうでしょう？　言葉はあなたに残りますか？　もちろん、私は、そうであってほしいと望みます。それでは、あまり明確ではありませんが、別の方法で表紙を考えてみましょう。それは、埋葬の際に遺体が石板で覆われるように、その上を覆ってしまうようなことではありません。というのは、覆うことはまた、将来の利用のために、安全に保管するために、避難所や保護を提供するからです。私たちはしばしば、いつかそれに戻ってくるために、モノを覆うのではないでしょうか？　結局のところ、閉じた本はいつでも開けることができるし、良いカバーがあれば、その間にページが汚れることはないでしょう。本は、風景なら歩くことができるのと同じように、何度でも読むことができるのです。この言葉を読んで、最後のページをめくり、カバーを閉じ、戻ってくることを考えてみてください。私たちが別れ際にまたね《オールヴォワール》と言うように。私はスコットランド北東部のアバディーンの自宅からこの文章を書いているので、この街が誇り高く訪問者に挨拶するモットーで締めくくらせてください。「会えて嬉し、別れは寂し、また会えるは嬉し。善き調和《ボン・アコード》を！」

原注

序と謝辞

1 オンラインで自由に閲覧できます。https://knowingfromtheinside.org/.

招待

1 'The crisis of education' (1954), in Hannah Arendt: *Between Past and Future, introduced by Jerome Kohn*, London: Penguin, 2006, pp. 170–93, see p. 193.

2 Tim Ingold, 'Anthropology beyond humanity' (Edward Westermarck Memorial Lecture, May 2013), *Suomen Antropologi* 38(3), 2013: 5–23.

3 Tim Ingold, *The Life of Lines*, Abingdon: Routledge, 2015, pp. 147–53.（ティム・インゴルド『ライフ・オブ・ラインズ　線の生態人類学』筧菜奈子・島村幸忠・宇佐美達朗訳、フィルムアート社、二〇一八年）

4 Amanda Ravetz, 'BLACK GOLD: trustworthiness in artistic research (seen from the sidelines of arts and health)', Interdisciplinary Science Reviews 43, 2018: 348–71.

5 Ravetz, 'BLACK GOLD', p. 362.

6 'Digging', in Seamus Heaney, *New Selected Poems, 1966–1987*, London: Faber & Faber, 1990, pp. 1–2.

北カレリアのあるところで……

1 *Ground Work: Writings on Places and People*, edited by Tim Dee, London: Jonathan Cape, 2018. INGOLD 9781509954103 PRINT.indd 223

真っ暗闇と炎の光

1 ピッチと題して発表されたこのエッセイの初期ヴァージョンはRachel Harkness編のアバディーン大学の未完成の資料集に掲載されています。 knowingfromtheinside.org, 2017, pp. 125–6.

2 *Oxford English Dictionary*, beam, n.1, III. 19a.

3 Spike Bucklow, *The Alchemy of Paint: Art, Science and Secrets from the Middle Ages*, London: Marion Boyars, 2009, p. 60.

4 Johann Wolfgang von Goethe, *The Theory of Colours*, translated by Charles Lock Eastlake, London: John Murray, 1840, p. 206, §502.（ゲーテ『色彩論』木村直司訳、ちくま学芸文庫、二〇〇一年）

樹木存在の影の中で

1 *In the Shadow of Tree Being: A Walk with Giuseppe Penone* © Tim Ingold; published for the first time in

Giuseppe Penone: The Inner Life of Forms, edited by Carlos Basualdo, New York: Gagosian, 2018.

Ta, Da, Ça!

1 Roland Barthes, *La chambre claire: Note sur la photographie*, Paris: Gallimard, Le Seuil, 1980, pp. 15–16 (in English: *Camera Lucida: Reflections on Photography*, translated by Richard Howard, Ridgewood, NY: Hill & Wang, 1981, p. 5).（ロラン・バルト『明るい部屋――写真についての覚書』花輪光訳、みすず書房、一九九七年）

2 以下参照のこと。Jean-Pierre Vernant, Myth and Thought Among the Greeks, London: Routledge & Kegan Paul, 1983, p. 260.

吐き、登り、舞い上がって、落ちる

1 John Carey, 'Aerial ships and underwater monasteries: the evolution of a monastic marvel', *Proceedings of the Harvard Celtic Colloquium* 12 (1992): 16–28; Seamus Heaney, 'Lightenings', in *New Selected Poems, 1988–2013*, London: Faber & Faber, 2014, p. 32.

2 Saint Augustine, *Confessions*, translated by Henry Chadwick, Oxford: Oxford University Press, 1991, p. 246.

登山家の嘆き

1 これは、以下のシンポジウムのこと。The Hielan' Ways Symposium, *Perceptions of Exploration*, 14–15 November 2014, Tomintoul, Moray.

2　Alfred North Whitehead, *The Concept of Nature* (The Tarner Lectures, 1919), Cambridge: Cambridge University Press, 1964, pp. 14–15.（アルフレッド・ノース・ホワイトヘッド『自然という概念』ホワイトヘッド著作集第四巻、藤川吉美訳、松籟社、一九八二年）

飛行について

1　*Aerocene*, edited and coordinated by Studio Tomás Saraceno, Milan: Skira Editore, 2017.

2　飛んでいる夢については、Gaston Bachelard, *Air and Dreams: An Essay on the Imagination of Movement*, translated by Edith and Frederick Farrell, Dallas, TX: Dallas Institute Publications, 1988, pp. 65–89（ガストン・バシュラール『空と夢：運動の想像力にかんする試論』〈新装版〉宇佐見英治訳、法政大学出版局〈叢書・ウニベルシタス〉、二〇一六年）を参照。

3　テートギャラリーの展示キャプションから引用している。以下を参照のこと。http://www.tate.org.uk/art/artworks/lanyon-thermal-t00375.

4　Titus Lucretius Carus, *On the Nature of Things* [De Rerum Natura], translated by William Ellery Leonard, New York: Dutton, 1921, p. 38.（ルクレーティウス『物の本質について』樋口勝彦訳、岩波文庫、一九六一年）

5　Henri Bergson, *Creative Evolution*, translated by Arthur Mitchell, New York: Henry Holt, 1911, p. 128. Sounds of snow（アンリ・ベルクソン『創造的進化』合田正人訳、ちくま学芸文庫、二〇一〇年）

雪の音

1　Mikel Nieto, A Soft Hiss of This World, 2019, http://mikelrnieto.net/en/publications/books/a-soft-hiss/. を参照のこと。

2 中年になって失明した神学者ジョン・ハルは、降り続く雨が「あらゆるものの輪郭を浮き彫りにする」様子を描写しています。以下を参照のこと。John Hull, *On Sight and Insight: A Journey into the World of Blindness*, Oxford: Oneworld Publications, 1997, p. 26.

3 この他、スコットランド語の用語については、アマンダ・トムソンに負うところが大きい。*A Scots Dictionary of Nature*, Glasgow: Saraband, 2018.

地面に逃げ込む

1 Edwin Abbott, *Flatland: A Romance of Many Dimensions*, London: Seeley & Co., 1884.

じゃんけん

1 Paul Klee, *Notebooks, Volume 1: The Thinking Eye*, edited by Jürg Spiller, translated by Ralph Manheim, London: Lund Humphries,1961, p. 105.

2 Tom Brown, Jr, *The Tracker: The True Story of Tom Brown, Jr, as Told to William Jon Watkins*, New York: Prentice Hall, 1978, p. 6.

3 John Ruskin, *The Works of John Ruskin (Library Edition)*, Volume 7, edited by Edward Tyas Cook and Alexander Wedderburn, London: George Allen, 1905, pp. 14–15.

空へ

1 'Volumetric sovereignty: a forum', edited by Franck Billé, Society +Space, 2019; full collection available at http://www.societyandspace.org/forums/volumetric-sovereignty.

私たちは浮いているのか?

1 以下を参照のこと。http://www.arts-et-metiers.net/musee/paris-flotte-t-il.

シェルター

1 Tim Knowles, *The Howff Project*, Bristol: Intellect, 2019.

時間をつぶす

1 *LA+ International Journal of Landscape Architecture* no. 8, special issue 'Time', edited by Richard Weller and Tatum L. Hands, University of Pennsylvania School of Design, 2018.

INGOLD 9781509954103 PRINT.indd 226INGOLD 9781509954103 PRINT.indd 226 15/06/2020 09:2915/06/2020 09:29 Notes to pp. 112–42 227.

2 Adrian Heathfield and Tehching Hsieh, *Out of Now: The Lifeworks of Tehching Hsieh*, London: Live Art Development Agency; Cambridge, MA: MIT Press, 2009.

3 Heathfield and Hsieh, *Out of Now*, pp. 327, 334.

地球の年齢

1 Julie Cruikshank, 2005, *Do Glaciers Listen? Local Knowledge, Colonial Encounters and Social Imagination*, Vancouver: UBC Press; Seattle: University of Washington Press.

幸運の諸元素

1 YOU: Collection Lafayette Anticipations, Paris: Musée d'Art moderne de Paris, 2019.

2 Lucretius, *The Nature of Things*, translated by A. E. Stallings, introduced by Richard Jenkyns, London: Penguin, 2007, p. 42.（ルクレーティウス『物の本質について』樋口勝彦訳、岩波文庫、一九六一年）

ある石の一生

1 Être pierre: Catalogue de l'exposition au musée Zadkine, Paris: Paris Musées, 2017.

2 哲学者ジャン＝リュック・ナンシーによれば、身体の重さは、「その質量が表面に持ち上げられること」です。Jean-Luc Nancy, Corpus, translated by Richard Rand, New York: Fordham University Press, 2008, p. 93.（ジャン＝リュック・ナンシー『共同-体（コルプス）』大西雅一郎訳、松籟社、一九九六年）

桟橋

1 *Catalyst: Art, Sustainability and Place in the Work of Wolfgang Weileder*, edited by Simon Guy, Bielefeld: Kerber Verlag, 2015.

絶滅について

1 原文はリトル・トーラー・ブックスより二〇一八年一一月二九日発売の「The Clearing」(https://www.littletoller.co.uk/the-clearing/on-extinction-by-tim-ingold/)に掲載されています。

自己強化のための三つの短い寓話

1 Walter Behrmann, 'Der Vorgang der Selbstverstärkung' [The Process of Self-Reinforcement], *Zeitschrift der Gesellschaft für Erdkunde zu Berlin*, 1919: 153–7.

2 *Grain, Vapor, Ray: Textures of the Anthropocene (Volume 1, Grain)*, edited by Katrin Klingan, Ashkan Sepahvand, Christoph Rosol and Bernd M. Scherer, Cambridge, MA: MIT Press, 2015, pp. 137–46. Reprinted in *The End of the World Project*, edited by Richard Lopez, John Bloomberg Rissman and T. C. Marshall, Munster, IN: Moria Books, 2019, pp. 546–55.

風景の中の線

1 以下から引用されています。Edward Laning, *The Art of Drawing*, New York: McGraw Hill, 1971, p. 32.

折り目

1 TALWEG 01, Strasbourg: Pétrole Éditions, 2014, see http://www.petrole-editions.com/editions/talweg01.

糸を散歩させる

1 First published in Anne Masson and Eric Chevalier, *des choses à faire*, Gent: MER, 2015, pp. 71–9.
2 Tim Ingold, *Lines: A Brief History*, Abingdon: Routledge, 2007, pp. 69–70.（ティム・インゴルド『ラインズ　線の文化史』工藤晋訳、左右社、二〇一四年）

文字線と打ち消し線

1 この映像は、二〇一六年にアナ・マクドナルドが、キール大学のマリー＝アンドレ・ジェイコブとの共同研究プロジェクトの一環として制作し、芸術・人文科学研究評議会のフェローシップ（助成番号 AH/J008338/1）の助成を受けたものです。以下を参照のこと。Marie-Andrée Jacob, ‘The strikethrough: an approach to regulatory writing and professional discipline’, *Legal Studies* 37/1, 2017: 137–61; Marie-Andrée Jacob and Anna Macdonald, ‘A change of heart: retraction and body’, *Law Text Culture* 23, 2019, special issue, ‘Legal Materiality’, edited by Hyo Yoon Kang and Sara Kendall.
2 Raphael Rubinstein, ‘Missing: ~~erasure~~ | Must include: erasure’, in *UNDER ~~ERASURE~~*, curated by Heather + Raphael Rubinstein, Pierogi Gallery, New York, published by Nonprofessional Experiments, 2018–19, http://

www.under-erasure.com.

3 このアイデアは以下で長く議論されています。Gayatri Chakravorty Spivak, in her translator's introduction to Jacques Derrida, *Of Grammatology*, Baltimore, MD: Johns Hopkins University Press, 1974, pp.ix–lxxxvii.（ジャック・デリダ『グラマトロジーについて』上・下、足立和浩訳、現代思潮社、一九七二年）

4 The book, with illustrations by Audubon, was published in London and Edinburgh between 1827 and 1838.

5 前掲のラファエル・ルービンスタインのエッセイ「Missing: ~~erasure~~ |Must include: erasure」のタイトルにあるように。

言葉への愛のために

1 Maurice Merleau-Ponty, *Phenomenology of Perception*, translated by Colin Smith, London: Routledge & Kegan Paul, 1962, p. 187.（モーリス・メルロ＝ポンティ『知覚の現象学』〈改装版〉中島盛夫訳、法政大学出版局（叢書・ウニベルシタス）二〇一五年）

世界と出合うための言葉

1 *Non-Representational Methodologies: Re-Envisioning Research*, edited by Philip Vannini, Abingdon: Routledge, 2015.

手書きを守るために

1 *Writing Across Boundaries*, Department of Anthropology, Durham University, https://www.dur.ac.uk/

writingacrossboundaries/.

投げ合いと言葉嫌い

1 Kenneth R. Olwig, *The Meanings of Landscape: Essays on Place, Space, Environment and Justice*, Abingdon: Routledge, 2019.

2 二〇一四年版のリストは「英国国防省略語・略語集」と題され、https://www.gov.uk/govern ment/publications/ministry-of-defence-acronyms-and-abbreviations で公開されています。厳密には、略語は単語として発音されるか（したがってSAMは「サム」）、構成する文字を発声するか（したがってUDVは「ユーディーヴィー」）という理由で区別されます。しかし、ここではより包括的な略語の定義を採用し、発音の仕方に関係なく、頭文字で構成される略語をすべて対象とします。

3 Yi- Fu Tuan, *Topophilia: A Study of Environmental Perceptions, Attitudes, and Values*, Englewood Cliffs, NJ: Prentice-Hall, 1974.（イーフー・トゥアン『トポフィリア――人間と環境』小野有五・阿部一共訳、せりか書房、一九九二年）

冷たい青い鋼鉄

1 Shauna McMullan, *Something About a Word*, Glasgow: Graphical House, 2011.

2 Claude Lévi-Strauss, *Tristes tropiques*, translated by John and Doreen Weightman, London: Jonathan Cape, 1955, p. 299.（レヴィ＝ストロース『悲しき熱帯〈I〉〈II〉』川田順造訳、中公クラシックス、二〇〇一年）

3 Maurice Merleau-Ponty, *Phenomenology of Perception*, translated by Colin Smith, London: Routledge & Kegan Paul, 1962, p. 214.（モーリス・メルロ＝ポンティ『知覚の現象学〈改装版〉』中島盛夫訳、法政大学出版局（叢書・ウニベルシタス）二〇一五年）

訳者解説

1

本書は、Tim Ingold 2018 *Correspondences*. Cambridge: Polity. の全訳である。本書に収められた二十七篇のエッセイは、外側に立つことによってではなく、差異化する世界の内側で、モノとの「応答」を通じて物事を知ることを探る「内側から知ること（Knowing From the Inside = KFI）」と題するプロジェクト（二〇一三年から二〇一八年にかけて欧州研究会議から資金提供された）の成果である。

世界が切り分けられ、実体的に取り出された時、モノは死んでしまう。生きるとは、世界と応答しつづける過程そのものである。こうしたアイデアに拠りながら、本書が取り上げる分野は、人類学、アート、建築、デザインに及んでおり、随筆、アート批評、寓話、詩など、それらが時には混ざり合った、多様な形式で、扱っているテーマも、火、樹木、山、飛行、地面、時間、石、絶滅、線、糸、言葉、手書き、頭字語、色など多岐にわたっている。
人類学の欠片《かけら》さえ確認できないほど、ティム・インゴルドの書くものは、もはや人類学でなくなっているように思われる。本書を、そもそも人類学関連の本であると規定できないし、する必要もないのかもしれない。インゴルドも述べているように、学術的なペルソナを捨てて、大いに楽しんで書いている。だが、具体的な世界の現実からできるだけ離れることなく、世界の中で考えるという人類学的な世界理解に深く根ざしていることもまた確かである。いずれにせよ本書でインゴルドは、自由闊達にあるいは融通無碍に世界を語っている。かつて、「参与観察」を通じてマリノフスキーが、「構造」を介してレヴィ＝ストロースが、人が世界に生きる仕方を語ったことが、後々人類学の中にしだいに定着していったように、今後インゴルドの思想やスタイルが、人類学だけでなく、人文科学の中に浸透していくような予感がする。

＝

一九四八年イギリスで生まれたインゴルドは、ケンブリッジ大学で社会人類学を専攻し、その後、ケンブリッジ大学大学院に進学している。一九七〇年から七三年にかけて十六ヶ月間にわたって、フィンランド北東部のスコルト・サーミのもとでフィールドワークを行った。その後イギリスに帰国し、一九七四年にはマンチェスター大学の講師に着任する。

彼の父親は、英国菌類学会の会長を務め、第一回の菌類学者の国際会議を主催した、著名な菌類学者セシル・テレンス・インゴルド（一九〇五－二〇一〇）である。水生菌類の一群の中には、「インゴルド菌（Ingoldian Fungi）」という学名が付けられているものがある。

インゴルドの人類学の形成には、この父親の影響が色濃く見られる。一九九〇年代以降に、父の研究からインスピレーションを得て、「菌糸」を手がかりとしながら思索を進めている。人間をメッシュ状の線として捉えて、「菌類人間（mycelial person）」という造語も生み出している。インゴルドは、人間の世界を理解するためのアプローチとして、次第に、線状の菌糸のような人類学を構想するようになったのである。

そうしたアイデアが結実するのは、インゴルドが、一九九九年にスコットランドのアバディーン大学に異動した後のことである。二〇〇〇年に、『環境の知覚』（未邦訳）、二〇〇七年に『ラインズ』（二〇一四年邦訳）、二〇一一年に『生きていること』（二〇二一年邦訳）、二〇一三年に『メイキング』（二〇一七年邦訳）、二〇一五年に『ライフ・オブ・ラインズ』（二〇一八年邦訳）、二〇一八年に『人類学とは何か』（二〇二〇年邦訳）を公刊している。本書『応答しつづけよ』は、これらの代表的な著作群の後に刊行された著作である。

本書のタイトルにもなっている「応答」に関しては、二〇一一年刊行の『生きていること』の校了段階で思いついたようである。その後、『メイキング』以降に、その用語を用いるようになった。

以下では、「応答」の意味合いやその背景を手短に辿ってみたい。

三

『メイキング』の第一章でインゴルドは、「考える」と「つくる」に関して、「理論家」と「職人」の対比を通じて探っている。理論家は、考えることをとおしてつくる。それに対して、職人は、つくることをとおして考えるとインゴルドは言う。

前者（理論家）は、頭の中で考えて、その思考のかたちを物質世界の実体にあてはめようとする。後者（職人）は、私たちの周りの存在や事物との実践的で観察に基づく関わりの中から、知識を育てていく。

後者の、「つくることをとおして考える」職人的な作法のことを、インゴルドは「探求の技術」と呼ぶ。思考が探求を通じて行われるのは、私たちが、扱っている素材の流動とともにあって、絶えずそれらに応えようとするからである。職人は常に、試しにやってみて、どうなるかを見究めていく。

世界を描いたり、表現したりするのではなく、世界で起きていることに対して、私たちの知覚を開いて、世界に応じていくことを、インゴルドは「応答」と呼ぶ。「応答」とは、私たちが世界と切り結ぶべき関係のあり方である。インゴルドによれば、人類学は、「応答」によって、探求の技術になりうるのだ。

『メイキング』の中でインゴルドは、手紙の「文通」のやり取りを用いて、「応答」を説明している。手紙を書くことには、二つの側面がある。第一に、それは、リアルタイムの運動であるということであり、第二に、その運動には、感覚を伴うという特徴がある。

第一の点、手紙を書くことは時間を要する。手紙が届くのを待つこと、手紙が届いてからそれに目を通すというように。文通《コレスポンダンス》はリレーとかなり似ている。……（中略）……こうして手紙が往来するあいだ、文通には始点も終点もない。それはただ続いていく。第二の点。文通の軌跡は、感情の軌跡であり、感覚の軌跡でもある。……（中略）……手紙を読むことは、単にその書き手について読むことを意味しない。むしろ、その相手と、と、も、に読むことである。あたかも書き手がページから語りかけてくるように、読み手であるあなたはその場で耳を澄ませるのだ。

（『メイキング』二一七頁）

手紙を通じて誰かと「文通」すると、そのやり取りの中にいる限り、無始無終の「応答」がつづけられることになる。往復する手紙の紙面上で、書き手が語りかけるかのように、感情や感覚が呼び覚まされる。

世界と「応答」するとは、世界を描くことではなく、表現することでもなく、世界に答えることである。「応答」とは、変換装置（例えば、手紙）を介して、自身の感覚的な意識の動きと生気に満ちた生の流れとが混ざり合うことなのである。インゴルドは、感覚と物質が二重の糸で互いに絡まり合って、恋人たちの眼差しのように見分けがつかなくなるような混ざり合いが「つくる」ことの本質だとも述べている（『メイキング』二二三頁）。

『メイキング』では、「応答」のアイデアに基づいた数々の研究＝実践の試みを紹介している。それらを踏まえて、二〇一七年に刊行された『人類学および／としての教育』（邦訳、亜紀書房近刊）では、教育とは、単なる知識伝達ではなく、モノと世界に目を向けることにより、他の誰かと共有できる何かを発見しながら、共同でつくり上げていく作業であると論じている。その後、人類学を主題化した二〇一八年の『人類学とは何か』を経て、「応答」（複数形になっている）をタイトルとして設定し、二〇二一年に刊行したのが、本書『応答、しつづけよ。』である。

IV

インゴルドは本書を「招待」という章から始めている。そこには、本書全体を見渡す展望が書かれているが幾分抽象度が高く難解である。そう感じられた読者はこの部分は飛ばして、最後に読むとよい。インゴルドの温かい、流れるような文体に触れたい読者は「森の話」の「北カレリアのあるところで」から読み進められることをお薦めしたい。

「招待」で、インゴルドはまず、考えに関してとても印象深いことを述べている。考えとは、思いがけず、驚きとしてやってくる。考えに圧倒される時には、神経が昂《たかぶ》る。だからこそ、頭だけでなく、心で考えて書く術を、学び直さなければならない。

かつて、愛する人たちや家族、友人に手紙を書く時には、考えながら書いていたはずだ。紙にペンを走らせれば、会話をしているかのように、自分の考えが相手に飛び移っていく。言葉は、言葉に付与した意味によってではなく、線それ自体の表現力のおかげで語ることになる。声からさまざまなことを知るように、私たちは書き方からも多くのことを知りうる。デジタル革命によって、手書きは今や周縁に追いやられてしまっているが、デジタル革命は地球環境にも負荷を与えることもあって、今世紀中には自滅するだろう。やがて手書きが復活するだろうとインゴルドは予言する。

インゴルドによれば、科学は、あらゆる生物種にそれ自身の本質が存在しないと言っておきながら、人間には例外的な何かがあると仮定する点で二枚舌から逃れられていない。哲学もまた、人間と同じ土俵の上に非人間の参加を認めながら、人間は多種を自らの生活に組み入れる能力を持っていると捉えている点で、対称的なアプローチの基盤の上に非対称的なアプローチを置いてしまっている。

なぜそんなことになってしまっているのか。インゴルドは、それは、私たちがモノを分類線に従って切り分けるからである。それゆえに、モノを名づける「名詞」を「動詞」に置き換えて、あらゆるモノが、それらが形成される襞や折り目に沿って互いに絶えず差異化されていく世界の中に投げ込まれていることに気づかねばならないと言う。

インゴルドは述べている。物事を物語として理解するには、ある事物が存在するために何が必要なのかということを見究める「存在論」から、ある物事がいかに生み出されるのかを捉える「発生論」へと移行しなければならないと。その移行は、事物は互いに閉じていて、それぞれが独自の、究極的に入り込めない存在の世界に包まれていると捉えることから、開かれて、すべてがひとつの不可分な生成の世界に参加していると捉えることへの転換である。

世界に住まう私たちの危機を解決するには、哲学的な言説の閉ざされた自己言及性の中に隠れてしまうのではなく、人間であれ他種であれ、住まう人々の知恵に耳を傾けるべきである。存在論から発生論への移行はまた、「存在と事物の間にある」という「相互作用」から、「存在と事物は間である」という「応答」への転換でもある。

こっちの岸と向こうの岸があって、橋を渡っている時に、私たちはその中間点にいることに気づくが、岸と岸の間にある水に意識を持っていくならば、岸が川の流れに合わせて永続的に形成されることを知ることができる。インゴルドは、私たちが住まう世界を理解するには、こうした方向転換が必要だと唱えている。

そのような転換を踏まえて、すべての生およびすべての知識は、本質的に社会的なものであって、社会的な生とはひとつの長い「応答」に他ならないのだとインゴルドは主張する。社会的な生は、すべてが同時に進行している「応答」のもつれ合った網であり、それが互いに、そしてその周囲に織り込まれている。それらが、流れの中の渦のように、あちこちでトピックを紡ぎながら走っているというイメージをインゴルドは提示する。

それでは、「応答」とは何か？　それは、第一に、プロセスであり、続いていること、第二に、開放系であって、目的地や最終的な結論を目指さないこと、第三に、対話的である。応答しつづけるとは、インゴルドによれば、考えることが思想という形にまさに安定しようとしている場面にいつでもいつづけることである。

応答しつづける研究者はみなアマチュアである。アマチュアとは、応答する者のことだともインゴルドは言い換える。専門家と同じように、アマチュアもまた厳密さを追い求めるが、すべての生と存在を研究の対象に合わせることを選んだアマチュアは、対象の呼びかけに対して答え、さらに次にはそのことにも答えるという具合に、つねに感情に、生きられた経験に触れながら、無限の変化に従っていく。

「応答」の厳密さは、意識的な気づきと生き生きとした素材との間の継続的な関係において、実践的な気づかいと注意を求める。インゴルドによれば、踊り手と職人がアマチュアであるのは、彼らの踊り、彼らの工芸品が生活様式に沿って進行するからであり、彼らの練習は気づかいに溢《あふ》れ、注意深く、厳密なのだが、その厳密さは、硬直と麻痺を引き起こす専門家の厳密さとは対照的である。

インゴルドが本書の中で心掛けたのは、物事の核心に近づくことであり、考えることが、超抽象の成層圏へと飛び立つことを意味するのではないことを示すことであった。住まうことの中で理論を実践することは、自らの思考の中で、世界の質感と混ざり合うことであり、比喩的な真実を文字通りに受け取ることである。それは詩の手法であり、またアートの方法でもある。アーティストの仕事とは、比喩的な真実を具体化することである。それらを私たちの目の前に直観的に提示し、私たちがそれらをすぐに体験できるようにすることでもある。

本書の中で、インゴルドはプロフェッショナルな評論家ではなく、アマチュアの回答者として、言葉という媒体の中で仕事をして、自分の声をその「応答」の中に挿入しようとしてきたし、そのことを非常に楽しんだとも述べている。また、学術的なペルソナを捨てて、自分の声、手、心で書くことに安堵を感じたのだとも述べている。

読者諸兄には、インゴルドの明敏な思考の軌跡から紡ぎ出された流麗な文章（からの訳文）をぜひじっくり味わっていただきたい。しかし一方で、インゴルドの言い回しと論理構成は、いくつかのエッセイではとても複雑に込み入っており、非常に難解に感じられるかもしれない。以下では、順を追ってパートごとに、二十七篇のエッセイそれぞれの論旨のみを示しておきたい。訳者の理解の偏りはあるかもしれないが、読者の読解の補助とするために。

V

「森の話」と名付けられた第一のパートの最初に置かれるのは、①「北カレリアのあるところで……」と題するエッセイである。それは、環境保護に関わる文章に浸透している事実と精神性の組み合わせの麻痺に飽きて、普通の場所が私たちにとって貴重であることを示したいというある作家からの要請に応じて、インゴルドが、自分自身にとって大切な、心に近い場所について書いたエッセイである。ひび割れた巨礫、ねじれた木、アリの帝国、ため息のような凪、湖面の波紋に反射する太陽、失った凧の記憶、消えゆく道といなくなった牛と恐竜の卵、文章を書くテーブルなど、インゴルド自身がお気に入りの場所に織り込まれた物語を実に生き生きと、流れるように語っている。

続く②「真っ暗闇と炎の光」は、木を燃やす彫刻家の作品からインスピレーションを得て書かれたエッセイである。木を燃やして残る黒色は、それ自身の中に炎のエネルギーを吸い込んでいるかのようであり、その黒色と夜の闇の色とは違うのかという問いが、このエッセイの出発点にある。木の脂分を大釜で煮て、水分を蒸発させると、真っ黒なコールタール（ピッチ）ができる。木の梁も太陽の輻射もbeamと呼ばれているが、beamとはもともと上向きの成長のことであった。光線はray、すなわち点光源と受信者の目を結ぶエネルギーの衝動であり、それは硬くて不透明な物体に当たって影を落として、影の暗さになる。それは、放射状の光の不在という否定的なものであり、物質が存在するコールタールとは別のものである。ゲーテが述べたように、黒とは色の不在ではない。それは、色が最も濃縮された状態のことである。コールタールがタールの抽出物であるように、黒は光の抽出物であり、光を消した後に残る本質でもある。木を燃やすと、火が燃えている間は、黄色や赤色の色合いを生じさせるが、火が消えればすべての色は黒に戻るのだ。

③「樹木存在の影の中で」でインゴルドは、息が凝固し、肺が気化し、影が体であり、体がその影であるというふうに、裏返しになった世界を想像する芸術家のように考えてみるために、言葉のレッスンを提供する。私たちは森の中では木について半分だけしか見ていない。風を忘れている。息をしない生命体が存在しないのと同様に、風なしで生きている木などありえないのであり、風が葉を包み込む時、ざわめきの中に風を発見する。こうしてインゴルドは、ふつう想定されることを覆すような実験をするが、それらは、データを抽出することなく、仮説を検証することもないため、科学的ではない。だが客観性の追求は、必ずしも真理の探求ではない。真理の探求とは、世界を私たちの認識に対して開き、そこで起こっていることを知り、私たちがそれに答えられるようになることだからである。そうすることで、注意を引きつける素

材に合わせた知覚の鋭さを、私たち自身の仕事の中に取り込むことができるだろう。ここではインゴルドは、アートで素材と経験が「応答」するさまを、言葉に置き換えて試してみたのだと言っている。

④「Ta, Da, Ça!」は、「あれ、そこにある、ほら！」（ロラン・バルト）をめぐるエッセイである。インゴルドによれば、秩序には、「植物的な秩序」と「人工的な秩序」という二つがある。森の中では、成長の力によって構成されている植物的な秩序が、一方町では、知性の力によって構成されて、物質世界に自らのデザインを押し付ける人工的な秩序が支配的である。インゴルドは磁気を持ち出して、人工物の世界の表面に傷をつけ、人工物のケースから素材の植物的な力を解放し、都市を森に戻してみようとする。都市で、パイプや電化製品、道路標識や手すりから小枝が生えているかのように、芽を出し始めるのを見て住民たちは驚くのだという。

VI

「吐き、登り、舞い上がって、落ちる」と題する第二のパートの最初のエッセイのタイトルは、⑤「泡立った馬の唾液」である。二〇一六年の元旦にインゴルドは、十日間にわたる雨風が止んだ後、北海に面している海岸を歩いていた。そこで、宇宙の侮蔑に激しく怒ったようであるが、今にも呑み込まれそうに足元にまとわりついてくる、それまで見たこともないような泡を目にしたのである。その時、ボヴェの「泡立った馬の唾液」というタイトルの展覧会を思い出したという。インゴルドは、海の白馬が岸辺に吐き出す事物をテーマにしたその展覧会のイメージに重ね合わせながら、人間がつくった事物を呑み込んでは吐き出す海や気象世界と都市の間の戦いと和平に関して思索を巡らせている。

続く⑥「登山家の嘆き」では、あるシンポジウムで、すべての山が征服し尽くされてしまった後の悲しみを語った登山家からインスピレーションを得て、登山について考えている。山は、本来的には、プロフィールでもルートでもない。山に登る感覚とは、足元の岩と土、上空、およびそれらの間に広がる植物の絨毯、湧き出る小川の水や淀んだ沼の水、鳥や獣、雨や雪、雲や渦巻く霧などから成る全体の中へと没入することである。その意味で、実は私たちは、山に登っているのではなく、山の中を登っているのだ。残念がった例の登山家は、山の中にいない者の視点から山を理解していたのではないか。居住者ではなく占有者である登山家は、丘を越えて山頂に到達し、その間にある土地を単に通過するだけである。動物の放牧や急斜面での干し草の刈り取りなどの仕事をしている地元の人々を見かけても、風変わりなものを見ているかのように見るだけである。だから、風景の中を進むことに興味がある人たちのことを登山家ではなく、丘歩き好きと呼ぼうとインゴルドは提案する。

⑦「飛行について」は、アンデスのウユニ塩湖を歩くと、昼間は雲の中を、夜は星の中を歩いているような感覚になるという一人のアーティストに刺激を受けて、飛行機に乗って人間が空を飛ぶことをめぐって書かれたエッセイである。飛ぶことは機械的なことではなく、実存的なことである。鳥が飛ぶのは、鳥であることが同時に「空に＝属する＝一羽の鳥」でもあるからだとインゴルドは主張する。空気と動きの組成物として、鳥になる。他方で、歩くことは、二足で飛行すること、まだ離陸していない飛行方法だとみなしてもよいとも言う。船も飛行機もともに、A地点からB地点に向かう。一方では水が、他方では空気が媒体であると同時に克服すべき抵抗となる。それに対し、水中の魚と空中の鳥はヒレと翼を持ち、媒体に逆らって動くのではなく、媒体とともに動くように設計されている。魚や鳥の泳ぎと飛行は、自らのエネルギーを媒体の流体力学と結合させているとインゴルドは説く。

⑧「雪の音」は、冬のフィンランドを訪れて雪の音を録音し、それらを言葉に結びつけたアーティストに誘われてインゴルドが書いたエッセイである。英語で、「雪」という言葉には、「雨」と同じように、空から降ってくるという意味が含まれている。他方で、フィンランド語には、雨が降ったり、雪が降ったりするという表現はない。そこでは、水の根本条件は、走る

ことであり、雪の根本条件は、横たわることである。水も雪もともに、空ではなく大地に属しているのだ。一年のうち四〜六ヶ月も雪があるフィンランドでは、そのことは何ら不思議ではない。しかし極北地域では、気候変動により気象パターンが変化してきており、真冬の降雨および降雪は珍しいことではなくなりつつある。冬には不規則に、鳥や虫の声も聞こえる。未来の冬は雨音で騒がしくなり、夏は鳥や虫の声が聞こえなくなるかもしれないとインゴルドは予測する。

VII

第三のパート「地面に逃げ込む」の最初は、⑨「じゃんけん」と題するエッセイである。インゴルドはまず「じゃんけん」を用いて、住まう者を「ハサミ」に、大地を「紙」に、大気を「石」に置き換える。住まう者は大地に印をつけ、大地は地形学的な力に壊されてひび割れ、大気は大地の表面を浸食し住まう者の道を消してしまう。つまり「刻印」により住まう者は大地を、「噴火」により大地は大気を、「浸食」により大気は住まう者の足跡をそれぞれ凌駕する。この循環は、羊皮紙の上にペンで書いた中世の習慣から説明するのがよい。パリンプセストは、かつての刻印の痕跡が残る羊皮紙の上に書き直すことによってできる。それは、文字が書かれた層を重ねるのではなく、それらを取り除くことで形成される。その特徴は重ねることではなく、天地を返すことである。過去は、現在の半透明性によってのみ見ることができるのではない。時間の経過とともに層がすり減るため、層を目立たせるには深く傷つける必要がある。だとすれば、最古の記憶が最も古いわけではなく、最新の記憶が最も浅いわけでもなくなる。地中に埋もれてしまうという信念に基づいて、地面を隠蔽物として想像するのははたして正しいことなのかとインゴルドは問うている。

続く⑩「空へ」というタイトルのエッセイの主題は、国家を二次元の平面ではなく、三次元を占めるものとして再想像することが求められる時代における「体積の主権」である。国家の法律が現在、地面に体積を与えているのは、地面に対して第三の次元を加えることによってである。しかし地面の表面にボリュームがあるという感覚の起源は、農耕地の習慣にある。中世の耕作者は、農暦の季節の変わり目に地面の天地返しをしていた。周期的に天地返しをすることで、毎年収穫を得ていたのである。積み重ねるのではなく壊すことによって深いところを盛り上げ、浅いところを埋めるために鋤で切り開くことで、地面は繰り返し再生されていた。それこそが、地表を体積のあるものにしていた。循環のサイクルに従って、過去に生まれた豊穣が現在に実を結び、それぞれの季節の作物の繁栄とともに記憶を蘇らせたのである。国家から見れば、地面は占領するためのものであり、その主権を上から押し付けたため、本来地面に体積はなかった。国家は上と下に、地表を空間のために確保することによって、面積だけでなく、体積による主権を確立したが、インゴルドは、そのような空間は測量して配分することはできるが、真に住まうことはできないと言う。

⑪「私たちは浮いているのか？」と題するエッセイは、「パリは浮かんでいる？」と題するインスタレーションに刺激されて、インゴルドが地面の意味を考えるために書いたエッセイである。庭の石を持ち上げると、私たちはミミズやヤスデなどを発見する。雑草にとって、地面は生き物の成長と形成の環境であり、ミミズやヤスデにとって、それは媒体である。突然現れた陥没穴が住まう者たちを、それまで気づかなかった地下世界へと落とす。しかし地下世界にもまた地面があり、下層の地面が隆起して、大気に接する。地面に住み、開放的な空気を吸っている人々は、下から陰湿に浸透してくる毒のことは知らない。私たち人間は、大地と空の間の開けた場所で、下にあるものを忘れて生きることを運命づけられているかのようである。はたして私たちは地上にいるのか、それとも浮いているのかとインゴルドは問うている。

次の⑫「シェルター」は、ロンドンの不動産価格の高騰やホームレスの増加にイライラして、あるアーティストが始めたスコットランドの高地でシェルターを見つけるプロジェクトに関係する出版物に寄せて書かれたエッセイである。動物にとって脅威とは、天候ではなく、捕食者であったが、人間にとっては、仲間の人間からの脅威が最たるものだった。シェルターという語は、古英語のshield（盾）に由来する。インゴルドは、すぐに手に入る軽量の材料を使った薄っぺらなアッセンブリッジとしての隠れ家、自身を覆って、表面であるかのように装うカモフラージュの検討を経て、自身が仕掛け人となってわざと入る「反転した罠」としてのシェルターについて考察を進めている。インゴルドは最後に、シェルターは必要があって作られるが、その必要そのものが権力関係によって構造化されていることを覚えておくべきだと述べている。

⑬「時間をつぶす」は、台湾のアーティスト謝徳慶の作品群をめぐる批評エッセイである。一九七八年から翌年にかけて制作された一作目で謝は、ニューヨークのロフトの小さな檻の中で一年間暮らした。一九八〇～八一年の二作目では、工場の時計を毎時、二四時間、一年中打ちつづけるという課題を自分自身に課した。三作目の一年間のパフォーマンスでは、ニューヨークの街中で外に出てすべての時間を過ごした。四つ目は、一九八三～四年にかけて一年間、女性アーティストとロープで腰と腰をつないで、体に触れることなく一緒に暮らした。一九八五～六年には一年間、アートとの関わりを持つすべてのことを控えた。六作目の「一三年計画」では、一九八六年から一九九九年にかけて完全に姿を消した後にふたたび姿を現して、

「私は自分を生かしておいた」と宣言した。これはいったいどんな生だったのか、なぜ謝はこれほどまでに時の流れにこだわったのか。生は生産的な目的のために捧げられるべきで、一生は到達点によって評価される。しかし謝の六作品は何も達成していないし、時間の浪費のように思われる。謝は作品自体がアートの時間であって、人生はアートに従わなければならないと主張する。だからこそ一年間の「ロープの作品」には満足がいかなかったし、それは彼が維持しようとしていた生とアートの区別を曖昧にし、最終的にはアートワールドとの関わりを拒否することによってのみ、アーティストとしての完全性を維持できるという逆説へと謝は突き動かされたのではないかとインゴルドは評している。

VIII

第四のパートの最初の⑭「幸運の諸元素」というエッセイでは、インゴルドが、家族とともに毎年大晦日に、居間の火の上で錫製のミニチュア蹄鉄を柄杓の中で溶かすという、フィンランド由来の習慣を行ってきたことから語り始めている。その儀式には、土、金属、火、水、空気という「元素」が関わっている。「水」の入ったバケツに柄杓から、「土」から掘り出され「火」で溶けた「金属」が注ぎ込まれると、それは奇妙で素晴らしい形となる。次にそれが

「空気」中で光に晒され、その影から来るべき年の運勢が占われる。バケツの水から取り出された金属の表面は、折り畳まれ、くしゃくしゃになって、言葉では言い表せないほど混沌としている。インゴルドは、それが、単一の形として現れるのは、いつもは肉眼で見ることのできない動きから私たちが見ることのできる世界が形成されているからだと、ルクレティウスを引用しながら述べている。しかし二〇一八年、錫は特に鉛と混ざると環境にも人の健康にも有害だという理由で、EUが錫製の蹄鉄の製造と販売を禁止したため（元素として分離されたものの再混合は危険である）、今では錫の中に運勢を占うことができなくなってしまった。私たち自身と地球を救うために、私たちは夢を見る機会を放棄しなければならないのだろうかと、インゴルドは結んでいる。

⑮「ある石の一生」のテーマは、古代ギリシアの都市セリヌンテのある石の生涯の寓話である。地球の大部分が海底にあった遠い昔、海底で、小さな有孔虫や珊瑚、藻などの残骸により形成された層は、やがて海が干上がると硬い岩になった。大陸プレートの動きに圧迫されて、岩石が山になり水に浸され氷によって削られ、生命が陸地に再出現した時代に、採石場で「私」は生まれた。人間の男たちによって、「私」は同類たちの上に積み上げられ、巨大な丸い柱になった。「私たち」はその後、何百年間も、文句も言わずに重荷を背負った。数世紀後の

大地震により崩壊し、「私」はふたたび大地と接して暖かさを感じた。廃墟を嫌う哲学者には、廃墟が感覚を害するものと映ったが、廃墟好きなアーティストは、廃墟の中に、彼らが崇高と呼ぶある種の美を見出した。人間たちは「私」の本質を吸収したかったのだが、「私」にはそんなことはどうでもよかった。次に現れた建築家やエンジニアは、歴史を巻き戻すことができると主張して、コンクリートで「私たち」を結合させた。人間が細かい灰色の粉が入った重い袋を開けた時、「私」はそれらに不思議な親近感を感じた。コンクリートは、自信満々に自分は魔法の石であり、摩耗しない強固な岩になれると言った。でもコンクリートは水分を含んでいるため崩れてしまう。将来、セメント炉とそれが燃やす化石燃料による温暖化で海面が上昇し、「私」は元の場所である波の下に戻っているのを発見するだろう。

⑯「桟橋」では、『円錐』と題されたアート作品が取り上げられる。ゲーツヘッドのダンストン・スタイスにかつて建設された巨大な木製桟橋は、採掘した石炭を船に積み込み、海上輸送で発送するために建てられたものであり、機関車や積載した貨車の重さに耐えられる十分な強度が必要だった。石炭は、物質的な繁栄をもたらす未来を生み出す可能性を秘めていた。石炭を積んだ貨車の重さは、その失敗の代償が物理的崩壊という意味で、桟橋の持続可能性を試すものだった。『円錐』という作品は、そのことを想起させてくれる。それは、リサイクルさ

れた水性プラスチックから作られる「アクアダイン」という素材のブロックでできた、丸い塔の形の建築物である。アクアダインの正体とは、海を窒息させ、国土を埋め尽くしている種類のプラスチックごみである。作品では、過去の重さと現在のスラブの重さが同じように感じられるという。その点を踏まえれば、建築においてもアートにおいても、持続可能性とは、定常状態を達成することではなく、構築し解体し再構築することの可能性なのではないかとインゴルドは言う。

⑰「絶滅について」は、インゴルドの頭の中に浮かんできた詩である。人間が絶滅してしまっても、生き残った動物たちは全く無関心である。タスマニア人を絶滅させた白人は、自分たちのほうが優れていると言ったが、タスマニア人たちは、みな混ざり合っていて自分たちもここにいるのだと言う。混ざり合いが私たちのあり方ならば、絶滅するものなど何もない。しかし私たちは普通そう考えない。世界を区別して種の絶滅を語る。成長するすべてのものを引き出しに入れて殺し、今また出自の線を終わらせて死を与えている。しかし死なせてしまったものを、どうやって絶滅させられるのだろうか。種にはもはや生きるべき生などないのに。生物多様性を失いつつあると言うが、成長から離れた形が死であるのなら、生はすでに失われているのだ。

次の⑱「自己強化のための三つの短い寓話」でインゴルドは、「自己強化」に囚われている世界を寓話形式で描き出す。貝殻と風と塚の第一話では、風が、「我吹くゆえに我あり」と傲慢に宣言しながら、貝殻や塚に向かって、おまえたちは自分にとって何でもないと語る。他方、塚は、風が吹けば吹くほど自分は高くせり上がると反論する。風と塚は議論し、蒸気と砂粒で戦う。しかし掘り下げることは積み上げることでもあるのだとすれば、地面とは単に、積み上げることと掘り下げることの間の差異に他ならないのではないか。第二話は、木と水の物語である。川端の木が風に倒されて、川幅の半分に達した。木は、水に浸されて屈辱を受けたのだ。木は水に教訓を与えてやろうと思い立ち、水が近づいてくるとその進行を妨げ、水のスピードを落とし、川は緩やかな蛇行になった。しかしその後、洪水が起き、木は海に流れ着いて浮かんでいる。第三話は、人間の寓話である。人々は新しい時代の町のためにバイパスを造ったが、人と車が増え、排気ガスで人々は喘息や疾患に苦しんだ。その一方で、安定的なガソリン供給がなされた。そのうちに大雨が降り続くようになった。もはやお金で雨は止められない。町は水没してしまった。大気中にガスが放出され、海流が変化して、さらに気候が不安定になるという気候変動の自己強化のスパイラルは、けっして後戻りできないのである。

IX

第五のパート「線、折り目、糸」の最初に置かれるのは、農の風景を撮影した写真家による写真展の紹介文として書かれた⑲「風景の中の線」と題するエッセイである。風景の中に線はあるのだろうか。地面自体には線は見えないし、自分の想像力の中で線を引いているのだと考えて、多くの人は「ない」と言う。しかしもし、風景の中に線がないとしたら、自然の中にある線を鉛筆と紙で描くことができるのはどうしてなのか。その特徴を、その場所を訪れたことのない人に見せても認識できるのはどうしてなのか。インゴルドは、「線とは思考の産物であり、住まわれている世界には線に対応するものなどない」というのは、線に対する完全な誤解だと主張する。線は実在する。インゴルドは、風景の中に線があるのは、あらゆる風景は運動の中で形成されるからであり、またその運動が、その進行の多様な経路に沿って物理的な痕跡を残すからだと言う。線を認識することは、モノをそのまま見るのではなく、モノがそれに沿って動いている方向を見ることであり、またモノのレイアウトや形式的な外被を見るのではなく、その粒、質感および流れを見ることなのだという。

ある写真プロジェクトのために書かれた、⑳「チョークラインと影」は、チョークを塗られた一本の糸を、表面にしっかりと張り、弦を弾くと振動して、全体の長さに沿ってすぐに表面をマーキングするチョークラインというツールによって引かれた線をめぐる考察である。もし、ピンと張られた糸に直線の起源があるのだとすれば、表面上に引かれることになる最初の直線は手で描かれたのではなく、むしろ、糸をぱちんと弾いて写し取られたのだと考えることは間違いではないとインゴルドは言う。それは、歩道に立てられた水平のワイヤーでできたフェンスに太陽光線があたって、道の中央につくられるリボンのように延びた影の線にも似ている。両者は、線を活性化する力がそこに横方向にやって来るという点と、全長にわたって瞬時に影を落とす点で類似している。他方で、チョークラインの線は振動後にも物理的な残滓として残る一方で、ワイヤーの影は陽が沈んだ瞬間に消えてしまうなどの違いもある。インゴルドは、表面の障害物に無頓着に点と点を最短距離で横断している線は、観念世界と物理世界のどちらに転ぶか分からない一種の旋回運動なのだと言う。

㉑「折り目」は、線に関する考察を目的とするある批評誌に寄稿された詩である。新聞の折り目から、服を折ること、褶曲岩、群れを集めることに至るまで、「折り目」という言葉の意味を辿っている。読むには折り目を開かねばならないし、単語は折り目によってバラバラにされる。くしゃくしゃに固まったハンカチには折り目が付けられるし、折り目が付けられて畳まれた衣類は汗臭いために離れた場所に置かれている。地球の表面には力が加わって折り目が付

けられるし、折り目がついた古い地層は後続の地層の上に重なり地質学者を戸惑わせる。囲われた家畜は増殖するが、一ヶ所に集まってひとつのものとなる。

テキスタイル・アーティストのスタジオを訪れた後に書かれたエッセイ㉒「糸を散歩させる」では、「痕跡」と「糸」が取り上げられる。痕跡とは、表面上に残された印であり、歩いていくと延びていく。他方、糸は最初に紡がれていて、線がすでに準備されていなければならない。糸によって引かれた線は巻き上げられるが、痕跡は解けることはない。伸ばした糸は、引っ張ると振動するが、痕跡は振動しない。そうした違いを踏まえて、インゴルドは糸を散歩させる。球形の毛糸の玉には表面がない。それは、常に「玉になりつつある」。なりつつある線が糸である。それをひとつにまとめ上げているのは糸の張力であり、毛糸の玉とはひとつの束縛である。針という道具を用いて縫い物をする時、線を作るのは道具ではない。道具はむしろ、痕跡にはできないことを、糸で正確に行う。糸は玉から解き放たれるのと同様に速く布に巻き戻される。糸の線は玉でも布でもないし、玉と布という二者をつなぐものでもない。それは「玉が布になる」ことであり、「布が玉になる」ことでもある。編み合わされたものが解きほぐされ、ふたたび編み込まれ、糸は新しい形を生む。織り合わされた生は、表面で混ざり合う。それは、毛糸の玉の表面のように、私的な個性を持つ内部世界を覆うのではなく、そのような覆いが意味する経験の重なりを狂わせる。それは、混ざり合う表面であり、私たちはずっと続く生の糸を表面上で歩んでいるのだとインゴルドは言う。

㉓「文字線と打ち消し線」と題するエッセイでは、ビデオ作品『歩く（ペンで打ち消す）』の冒頭の、フレームの幅を三回横切って、ペンが、歩いている被写体の女性の体に害を与えるシーンが取り上げられる。実際には、ペンと体は接触しておらず、それらが接触しているという錯覚は、両者を重ね合わせて人為的に作られたものであった。映像の中には、原っぱや森からなる屋外の世界と、ペンや紙からなる屋内の世界という二つの別々の世界が並置されている。インゴルドはここから、言葉の書き込みの取り消しに関して思索を進めている。文章を修正する時、削除すべき言葉を打ち消すが、当の打ち消し線は文字の線に触れることなく、その上を横切る。打ち消しは、それが削除する文字の線と同じページに刻まれているが、それとは別の書き込み領域に属している。何が起きているのかというと、作家の想像力は天地を駆け巡り、外の世界の土、風、鳥のさえずりと混ざり合うが、他方で、作家の手は近視眼的にページに向かっている。打ち消しにおいて、その両方の世界は偶発的に衝突し、打ち消しの残す痕跡は、それらが衝突したことの印なのだとインゴルドは述べている。

X

最後の「言葉への愛のために」というパートの最初に置かれるのは、㉔「世界と出合うための言葉」と題するエッセイである。ある夜インゴルドのもとに「学問の女神」がやって来て、「言葉はもういい。世界に出合いに行こう」という言葉を残していったという。難解な語彙、敬称表現、延々と続く引用リストなどで重くなった、アカデミックな散文の形式を浴びせられながら、言葉の氾濫に悩まされている「学問の女神」にとって、言葉はもううんざりなのである。しかしインゴルドは、言葉は私たちの最も貴重な所有物であり、それを放棄してしまいたくないと言う。今日、声や手によるパフォーマンス、表現や情動の痕跡がすべて取り除かれてしまった言葉の概念から出発してしまっているため、言葉の役割は、事物を固定し、それを定義し、それを動けなくすることに成り下がってしまっている。私たちには今、言語の新たな理解が必要なのだ。生きている言語では、言葉は、それが「応答」する実践と同じように、生きとしてかつ動いている。言葉で世界と出合うことを恐れてはならない。それは、起きている出来事に一致する模造品を作るのではなく、私たち自身の介入、問い、反応でそれらに答えるという意味で、インゴルドが「応答しつづける」と呼ぶ実践に他ならない。

次の㉕「手書きを守るために」と題するエッセイで、インゴルドは、手書きの重要性を説いている。インゴルドは、書くことは言葉を処理することであるというワープロの考えにぞっとしたという。手は言葉を、連続した流れるような身振りとして知っていても、個別の文字の配列としては知らない。筆記体の線は、ページの上に広がっていく時、身振りの動きから出てくるものであり、線には、気づかい、感情、真心が伴っている。コンピューター上に文字を入力することには喜びがなく、書くことから心を奪ってしまう。だから学生たちが手書きすると、長年抑圧されていた感性が呼び覚まされ、より強い個人的な没入感が誘発され、その結果深い洞察が得られるのだ。出発点から目的地まで一直線に進む狩猟者は決して獲物を捕らえることができない。狩りをするには、手掛かりに注意を払い、どこまでも続いていく道を辿る準備をしなければならない。思慮深い書き手とは、優れた狩猟者である。思考は常に動いており、本質を捉えた啓示に思いがけず結実しうるので、いつもそれを手書きで書き留める準備をしておかなければならないのである。

㉖「投げ合いと言葉嫌い」は、歴史地理学者であるオルウィグのエッセイ集の序文として書かれたものである。言葉が世界に加わる方法であるならば、UDVやSAMやNKZなどの頭字語は、私たちを世界から切り離す。頭字語で語られる世界は「投げ合い的（diabolical）」である。dia- は「交差」、bolos は「投げる」ことを意味する。diabolical とは投げることの交差（投

げ合い）である。かつては別々のものであった地図と領土、言語と世界が混ざり合い、領土が自身の地図となり、地図が自身の領土となる。「言葉嫌い」の科学技術にとって、言葉は認識を曇らせるため、頭字語が重用される。これに対しオルウィグは、「一緒に行く」という意味の sym- と、bolo の「投げる」からなる「一緒に投げる」、すなわち「象徴的（symbolic）」を重んじる。象徴的は、同時進行する生の物語の数々を取り上げ、継続的で、相互に反応し合う共生成の中に、ともに物語を織り上げていく。私たちは、頭字語が一掃された世界で、テクノクラートによる支配という「投げ合い的」なシナリオを避けるために、現実のモノに向き合うべきなのである。「言葉嫌い」でなく、「言葉好き」が今後ふたたび主役になるべきであり、そこにこそ学問の未来があり、人類の未来があるとインゴルドは言う。

㉗「冷たい青い鋼鉄」は、ある町の一〇〇人が、青という色にインスピレーションを受けて考えたことの寄稿に基づいて行われたインスタレーションの冊子のために、インゴルドが書いたエッセイである。手書き文字を読む時、手によって綴られた痕跡を追うことはできるが、それを生み出した衝動はすでに消えてしまっている。しかしその言葉は、鋼鉄が切られて、自身が形成されるその瞬間に、金属の中に押さえつけられて残っているし、いつでも放出されうるとインゴルドは言う。ある人物の作品の中に描かれた手書きの線は、鋼鉄を切り抜いて、パウ

ダーコーティングして青みのある灰色の光沢を出して、会場に吊るされた。この作品は楽譜のように、旋律と和声、線と青色で読むことができる。色とは装飾品ではなく、思考が発生する環境そのものである。天候に左右される大気のように、色は私たちに入り込み、私たちが何をするにせよ言うにせよ書くにせよ、ある種の気分や気質で行われるようにする。色は、存在の質感に他ならない。私たちは空気のようにそれを吸い込み、外に向かう呼気のように、話し言葉や歌、手書きの線を、世界の布地へと織り上げる。逆に、私たちが手の動きを辿り直し、青みを帯びた灰色の鋼鉄のリボンの中に身を置くなら、ランプに閉じ込められていた精霊のように、色はふたたび放出されると言う。

XI

二七篇のエッセイの後に置かれた「またね」の中でインゴルドは、中世の人たちは、「集めること」と「組み立てること」という二つの原理を組み合わせて本を作ったという話をしている。数ページの集まりを一枚の書字版として扱い、堅い木の表紙で綴じるという二つの原理は、今日、私たちが本のページをめくるたびに折り、そして広げ、また表紙を開き、裏表紙を閉じるという所作の中に継承されてきている。

そういった話をしながらも読者は裏表紙を閉じることに近づきつつあるのだが、インゴルドは、本書の中で書かれた言葉が読者に残ってほしいと切に願っている。そこで彼は一つの提案をする。

裏表紙を閉じることは、埋葬の際に遺体が石板で覆われるように、その上を覆ってしまうようなことでは必ずしもない。覆うことはまた、将来の利用のために安全に保管する目的で、避難所や保護を提供するのだと考えてみたらどうかと言うのだ。私たちはしばしば、いつかそれに戻ってくるためにモノを覆うのだとすれば、結局のところ、閉じた本はいつでも開けることができるのだと考えてみよう。

この言葉を読んで、最後のページをめくり、カバーを閉じ、戻ってくることを考えてみてほしいとインゴルドは述べる。だから、最後の章のタイトルは、またいつか出会えることを願って、「またね」なのである。そこにも、「応答しつづけよ」という本書の主題を、生きた言葉で貫こうとするインゴルドの精神性が宿っていることを確認することができるだろう。

最後に本書の訳出作業に関して述べておきたい。二〇二一年の三月から七月にかけて奥野が下訳を終わらせ、その後、ノルマリアンかつ早稲田大学講師の工藤顕太さんによる訳文の点検を経て、二〇二二年秋から二〇二三年春にかけて、亜紀書房の内藤寛さんと奥野が、「翻訳缶詰合宿」での内容検討も含めて、「つらたの」（辛く楽しい）の訳文稿の確定を行っていった。かれこれ二〇年にわたっていっしょに本を作っていただいている内藤さんの訳文・訳語の間違い探しの才にはいつもながらずいぶん助けられた。

また、型破りな人類学者インゴルドの著作に合わせて、型破りな日本語タイトル『応答、しつづけよ。』をデザインし、みごとな装丁に仕上げてくださった寄藤文平さんに謝意を述べさせていただきたい。

本書はその多くがアート批評であり、アート領域の専門性を欠く訳者にとっては十分に理解が及ばない部分があった。関係諸氏のご批判を仰ぎたいと考えている。

二〇二三年四月

奥野克巳

ティム・インゴルド **Tim Ingold**

1948年イギリス・バークシャー州レディング生まれの人類学者。1976年にケンブリッジ大学で博士号を取得。1973年からヘルシンキ大学、マンチェスター大学を経て、1999年からアバディーン大学で教えている。

著書に『ラインズ──線の文化史』(2014年、左右社)、『メイキング──人類学・考古学・芸術・建築』(2017年、左右社)、『ライフ・オブ・ラインズ──線の生態人類学』(2018年、フィルムアート社)、『人類学とは何か』(2020年、亜紀書房)、『生きていること──動く、知る、記述する』(2021年、左右社)などがある。

奥野克巳 **おくの・かつみ**

立教大学異文化コミュニケーション学部教授。

著書に『ありがとうもごめんなさいもいらない森の民と暮らして人類学者が考えたこと』(2018年、亜紀書房)、『これからの時代を生き抜くための文化人類学入門』(2022年、辰巳出版)、『人類学者K──ロスト・イン・ザ・フォレスト』(2022年、亜紀書房)など多数。

共訳書に、エドゥアルド・コーン著『森は考える──人間的なるものを超えた人類学』(2016年、亜紀書房)、レーン・ウィラースレフ著『ソウル・ハンターズ──シベリア・ユカギールのアニミズムの人類学』(2018年、亜紀書房)、ティム・インゴルド『人類学とは何か』(2020年、亜紀書房)。

Correspondences

Correspondences by Tim Ingold

This edition is published by arrangement with Polity Press Ltd.,
Cambridge, through Japan UNI Agency, Inc., Tokyo

2023年6月2日　初版第1刷発行

応答《おうとう》、しつづけよ。

著　　者　ティム・インゴルド
訳　　者　奥野克巳

発 行 者　株式会社亜紀書房
〒101-0051
東京都千代田区神田神保町1-32
電話(03)5280-0261
振替00100-9-144037
https://www.akishobo.com

装　　丁　寄藤文平＋垣内晴（文平銀座）
D T P　コトモモ社
印刷・製本　株式会社トライ
https://www.try-sky.com

ISBN978-4-7505-1764-3